# Les couleurs du français

**Viviane Buhler**
*Inspectrice de l'Éducation nationale*

**Marie-Claude Charlès**
*I.M.F.*

**Michelle Durand**
*Institutrice*

**Marie-Jeanne Genlis**
*Conseillère pédagogique*

**Anne-Marie Taravella**
*Institutrice*

Merci aux collègues, aux jeunes stagiaires, aux bibliothécaires qui nous ont aidés à réunir *Les couleurs du français*. Merci aux enfants qui nous ont fait part de leurs remarques et de leur enthousiasme.

**Maquette et mise en pages** : Insolencre.

**Suivi éditorial** : Bénédicte Gaillard.

**Illustrations** : Michel Backès (« S'exercer »), Coralie Gallibour (« Lire », « Écrire »), Ghyslaine Vaÿsset (« Lire », « Écrire » chapitre 7).

**Couverture** : Marie-Astrid Bailly-Maître. Illustration de la couverture : Michel Backès.

ISBN : 2.01.11.6080.4.

© Hachette Livre 1998, 43, quai de Grenelle, 75905 Paris Cedex 15.

# Avant-propos

Ce livre unique de français aborde l'ensemble des domaines de l'enseignement de la langue. Il est conforme aux programmes de 1995 qui précisent que « la maîtrise de la langue conditionne toute la réussite scolaire et constitue le fondement de l'insertion sociale et de la liberté de réflexion ».

Ce manuel invite ainsi à enseigner le français dans sa globalité, en projets de lecture/écriture, structurés autour de compétences linguistiques à acquérir pour mieux lire et mieux écrire.

## Maîtrise de la langue

Cet ouvrage structure les apprentissages en douze chapitres, soit un chapitre pour deux à trois semaines de classe.

Cette organisation permet de développer, chaque jour, une activité de lecture, d'écriture, ou un moment de poésie, ainsi qu'un apprentissage systématique des compétences linguistiques (grammaire, orthographe, vocabulaire, conjugaison), qui accorde une place privilégiée à l'expression orale, à la lecture, à la production d'écrits.

## Une organisation originale

Chaque chapitre invite à un va-et-vient entre les activités de lecture, d'écriture et les apprentissages linguistiques. Ce va-et-vient se fait de manière très souple et non linéaire grâce aux nombreux liens qui existent entre les leçons de la partie s'exercer et les projets de lecture et d'écriture.

Par exemple, en 1re semaine : après la lecture du premier texte, vous passez à la 1re étape d'*Écrire*, puis à la 1re étape de *S'exercer (Cherchons ensemble)*. En 2e semaine, après la lecture d'un 2e texte, vous passez à la 2e étape d'*Écrire*, puis vous passez à la 2e étape de *S'exercer (Je m'entraîne)*. En 3e semaine, après lecture d'un autre texte, vous terminez par la 3e étape d'*Écrire* (mise au point du texte), puis par la 3e étape de *S'exercer (Je m'évalue)*. Le guide pédagogique propose plusieurs exemples d'emplois du temps.

## Les projets de lecture/écriture

Notre ouvrage développe la motivation des élèves et engage la classe dans des activités de lecture-plaisir et de communication. C'est aussi un point de départ pour des recherches dans la bibliothèque de la classe ou de l'école.

 **Le choix des textes** : il permet un équilibre entre les différents types de textes : textes du patrimoine, littérature enfantine, textes documentaires, écrits de la vie courante (magazines télé, revues, brochures touristiques…). Une ouverture sur la BD et la lecture d'images (affiche, œuvres d'art) est proposée, puisqu'un chapitre est consacré à chacun de ces genres.

*Poèmes* La poésie bénéficie d'une place privilégiée. Un chapitre entier lui est consacré, et chaque rubrique **Lire** propose deux poèmes.

**La rubrique**  : elle invite l'élève à considérer le texte dans sa globalité. Elle l'aide à émettre des hypothèses sur le contenu du texte, à partir de différents indices (titre, illustration, mise en page, etc.).

**La rubrique** *Après avoir lu* : elle favorise l'expression orale et facilite une réflexion personnelle de l'élève, avec de fréquents retours au texte. Il s'agit d'amener les élèves à construire le sens, sans se limiter à l'explicite du texte, et à justifier leurs interprétations, ces compétences étant à développer tout au long du cycle 3.

Les activités proposées sont en relation étroite avec les textes lus. Une démarche en trois étapes permet de faire de la production d'écrits une activité hebdomadaire.

### **1re étape** *Cherchons ensemble*

C'est la recherche collective des idées par le biais de questionnements oraux. Cette rubrique aboutit à un premier jet individuel : **À mon stylo**.

### **2e étape** *Des outils pour améliorer mon texte*

Elle propose, pour chaque chapitre, un outil différent adapté à l'écrit proposé.

### **3e étape** *J'améliore mon texte*

L'élève relit son texte pour en affiner le contenu.
Puis il le met au point. Il réinvestit alors les différents apprentissages acquis au cours des quinze jours/trois semaines de travail sur le chapitre. Il est notamment invité à vérifier que les acquisitions en grammaire, orthographe, vocabulaire et conjugaison sont réinvesties dans le cadre de sa production d'écrits.

## *Les compétences linguistiques*

### *Grammaire, orthographe, vocabulaire et conjugaison*

Les activités réflexives, que les évaluations nationales CE2/6e permettent de cerner de façon précise, ne sont jamais traitées pour elles-mêmes, mais en fonction des besoins des élèves en lecture/écriture. Elles s'appuient souvent sur les textes du chapitre et les notions sont réinvesties dans les activités d'écriture. Cela se fait selon une démarche spiralaire qui évite la répétition au profit de l'élargissement des notions sur les trois années du cycle 3.

Pour, permettre une structuration des notions efficaces, chaque démarche est prévue sur trois semaines.

### *Une démarche d'apprentissage en trois étapes*

### **1re étape** *Cherchons ensemble*

◆ Le premier exercice vise à faire savoir ce que l'enfant sait déjà. C'est un exercice individuel.

◆ Une série d'exercices vise à construire la notion. Il s'agit d'une recherche collective (relever, observer, classer, transformer), guidée par l'enseignant.

◆ Le dernier exercice constitue une trace écrite, travail individuel qui concluera la recherche.

**Je retiens** présente la synthèse de la notion en cours d'acquisition.

### **2e étape** *Je m'entraîne*

Les exercices peuvent être faits individuellement ou en petits groupes. Ils favorisent l'assimilation de la notion. L'important est que les élèves cherchent et discutent les solutions.

Les exercices sont de difficulté croissante. Le premier vise à la reconnaissance de la notion, le deuxième à son application et le troisième, plus ouvert, au réinvestissement. Il permet de tenir compte des différences de rythme entre les enfants.

## En orthographe : **Des yeux pour apprendre**

### Objectif : entraîner la mémoire visuelle

Les mots s'écrivent comme ils se voient et non comme ils se prononcent. L'apprentissage systématique de mots fréquents permettra aux élèves d'orthographier correctement une grande partie des mots dont ils ont besoin. Cette méthode favorise aussi la pratique de la copie. Les élèves entraînés à bien observer et mémoriser les mots étudiés sauront copier les mots nouveaux rencontrés dans d'autres disciplines. Les mots retenus sont des mots du langage courant en CM1 (cf. liste de mots usuels pages 252-253).

### Démarche proposée

**Rythme de travail** : deux fois par semaine, une séance d'apprentissage, soit en début de séance, comme du calcul mental, soit après la lecture. On pourra donc étudier deux listes par semaine. La dernière séance peut être consacrée à une révision.

**La mémorisation des mots (consignes pour les élèves)** : « Regarde bien chacun des mots de la liste à étudier. Fixe-les dix secondes, en observant précisément comment ils sont écrits, ce que chacun d'entre eux a de spécial. Ensuite, cache chaque mot, écris-le sur l'ardoise ou le cahier, puis vérifie l'orthographe. Si le résultat est bon, passe au suivant. S'il y a une erreur, recommence pour bien retenir le mot. »

**L'écriture d'une phrase** : pour chaque liste, proposer aux élèves la réutilisation systématique des mots dans une phrase ou un petit texte. Pour varier, on peut ajouter progressivement d'autres règles du jeu : trouver la phrase la plus courte, la plus folle, la plus drôle ; travailler sur un thème ; etc.

Bien penser à faire mettre le travail au net. Cet exercice constitue une transition entre l'orthographe et la production d'écrits.

---

## Mon bilan      Je vais plus loin

*Les Couleurs du français* : un livre qui favorise l'évaluation formative.
Cette page de bilan et de prolongement, située à la fin de chaque chapitre, a un double objectif :
– faire le bilan des acquisitions et faciliter l'évaluation des compétences ;
– faire aboutir le projet de lecture/écriture en proposant un outil méthodologique.

**Lecture** : des tests permettent une évaluation spécifique de la lecture.
– Les tests de closure mesurent la compréhension d'un texte. L'élève s'en aidera pour choisir des livres à sa portée. Ils permettent aux maîtres de repérer les compétences des élèves pour adapter leur niveau d'exigence et l'aide à apporter à certains.
– Les tests de vitesse/compréhension mesurent l'**efficience** de la lecture. Ils révèlent les élèves très lents ou très rapides. Ils leur permettent d'adapter leur comportement de lecteur.

**S'exercer** : les exercices proposés permettent de consolider les apprentissages ou de les reprendre autrement. Les exercices se composent de textes à transformer qui constituent des situations problèmes. Ils sont de difficulté graduée et peuvent être faits en groupe, individuellement ou avec le maître en groupe de soutien.

# Sommaire

| S'exercer | | | | Mon bilan |
| Grammaire | Orthographe | Vocabulaire | Conjugaison | Je vais plus loin |
| --- | --- | --- | --- | --- |
| La ponctuation [1] p. 18 | Les mots terminés par le son [j] p. 20 | Le dictionnaire p. 22 | Infinitif et groupe d'un verbe p. 24 | Classer des livres que j'ai aimés |
| La ponctuation [2] p. 36 | La lettre *e* et ses accents p. 38 | Animé/non animé Humain/non humain p. 40 | Les verbes du 1er groupe au présent de l'indicatif p. 42 | Constituer un coin poésie |
| La forme négative p. 54 | Écrire la négation p. 56 | Les mots du dictionnaire p. 58 | Le présent de l'indicatif p. 60 | Préparer un débat |
| La forme interrogative p. 72 | Écrire des phrases interrogatives p. 74 | Sens propre et sens figuré p. 76 | Le présent de l'impératif p. 78 | Réussir un affichage |
| La phrase simple et la phrase complexe p. 90 | L'initiale des mots : liaison et élision p. 92 | Noms propres et dictionnaire p. 94 | Le participe présent p. 96 | Jouer une scène de théatre |
| Le groupe sujet p. 108 | L'accord du verbe avec son sujet p. 110 | Les différents sens d'un mot p. 112 | L'imparfait de l'indicatif p. 114 | Montrer la différence entre réalité et fiction |
| Le complément d'objet direct (COD) p. 126 | Écrire les déterminants p. 128 | Mots de la même famille p. 130 | Le futur simple p. 132 | Présenter un conte animalier |
| Les compléments circonstanciels p. 144 | Écrire le participe passé p. 146 | Les contraires p. 148 | Le passé composé p. 150 | Réaliser un affichage |
| L'adjectif qualificatif épithète p. 162 | Accorder les adjectifs qualificatifs épithètes p. 164 | Les mots scientiques p. 166 | Écrire le participe passé employé avec *être* p. 168 | Organiser mon fichier |
| Remplacer un nom p. 182 | Les pronoms personnels élidés p. 184 | Les mots de sens voisins : les synonymes p. 186 | Le passé simple de l'indicatif p. 188 | Mieux connaître des œuvres |
| La préposition p. 200 | Tréma, accent circonflexe p. 202 | Les mots qui valorisent ou dévalorisent p. 204 | Le mode indicatif p. 206 | Réaliser un dossier |
| L'adverbe p. 218 | L'orthographe, un héritage p. 220 | Parler peinture p. 222 | Le subjonctif présent p. 224 | Réussir une exposition |

Alphabet, alphabet phonétique : page **247** – Tableaux de conjugaison : pages **248 à 251** – Liste des mots usuels : pages **252-253**

7

# Je découvre mon livre

Tu vas découvrir ton livre de français. Il est divisé en douze chapitres dans lesquels tu vas lire, écrire et t'exercer en grammaire, en orthographe, en vocabulaire et en conjugaison.

## Cherchons ensemble

- ### Je feuillette mon livre

  - Où se trouve le sommaire ?

  - Dans quel chapitre vas-tu étudier la bande dessinée ?

  - Où se trouve l'alphabet ?

  - À quelles pages dois-tu te reporter pour consulter les tableaux de conjugaison ?

  - Où se trouvent les textes à transformer ?

- ### J'étudie le premier chapitre

  - À quelle page le trouves-tu ?

  - De quoi parle ce chapitre ?

  - Que représentent les images de la première page ?

  - Combien de pages contient ce chapitre ?

  - Combien de parties comprend-il ?

  - Comment reconnais-tu les pages de lecture ? et celles d'écriture ?

  - Quelle couleur te permet de repérer les pages de grammaire, d'orthographe, de vocabulaire et de conjugaison ?

  - Quel est le titre de la leçon de vocabulaire ?

  - Combien d'exercices comporte la page 23 ?

  - Quels sont les titres des trois étapes dans les pages *S'exercer* ?

## Je m'entraîne

  - Ouvre ton livre à la première page du chapitre 7 et réponds par *vrai* ou *faux*.

    a) Dans ce chapitre, tu vas apprendre à écrire un conte.

    b) La leçon d'orthographe porte sur les adjectifs.

    c) Il y a deux poèmes.

    d) *La Ballade à la lune* se trouve page 125.

    e) La conjugaison est indiquée grâce à une bande bleue.

# 1 Découvrir des récits

Écrire la fin d'un récit.

**Claude Roy** (né à Paris en 1915, mort en 1997). Il a écrit plusieurs romans et des recueils de poèmes.

**Michel Grimaud** est le pseudonyme que se sont donné deux auteurs : Marcelle Perriod (née en 1937) et Jean-Louis Fraysse (né en 1946).

**Roald Dahl** (né au pays de Galles en 1916, mort en 1990). Il a écrit des livres pour adultes avant de se lancer dans la littérature pour la jeunesse.

Objectifs

Étudier la situation initiale d'un récit.
Repérer l'organisation d'un texte.

## *Avant de lire*

Lis le titre du texte et celui de l'ouvrage.

◆ Que t'apprennent-ils sur le texte que tu vas lire ?

◆ Qui est l'auteur de l'ouvrage ?

# Un chat pas comme les autres

Un matin, comme tous les matins, Gaspard prit
son petit déjeuner avec Thomas. Quand celui-ci
partit pour l'école, Gaspard l'accompagna
jusqu'à la porte et lui dit « Au revoir » comme

5   d'habitude, avec un petit miaou et un gros ronron.
Gaspard jouissait de la réputation chez les chats
d'avoir une très belle voix. Les personnes humaines
avaient sur ce sujet des avis partagés. Thomas
trouvait que Gaspard miaulait à merveille,

10  et que la musique de ses miaous était un délice.
Le père de Thomas, quand il lisait son journal et que Gaspard réclamait son dîner
en miaulant, disait : « Ce chat a la voix d'une porte qui grince. » Mais Thomas
s'était toujours très bien conduit avec Gaspard. Il ne lui avait jamais tiré la queue
ni les moustaches, il ne l'avait jamais caressé à rebrousse-poil. Il lui donnait

15  à manger, il lui parlait avec respect et douceur. En un mot, il traitait son chat
comme s'il était une Personne, et son meilleur ami.

Ce matin-là, donc, après le départ de Thomas, Gaspard alla dans le fond
du jardin et se mit à flairer-mâcher-mâchouiller-manger des herbes. Il y en avait
une qu'il n'avait jamais rencontrée et qui semblait avoir très bon goût. Gaspard

20  la flaira, la mâcha, la mâchouilla et finalement la mangea.

En avalant l'herbe, il se sentit traversé
par une espèce d'électricité bizarre, qui
passait de sa bouche à son estomac.
Une seconde plus tard un papillon

25  voleta près de ses moustaches
et Gaspard, pendant qu'il sautait pour
l'attraper, entendit une petite voix qui
ressemblait au son d'un petit violon
de poupée. Cette petite voix disait :

30  « Toi, mon vieux, si je t'attrape, je te
mange ! »

« Qui a parlé ? » se dit Gaspard en
regardant autour de lui. Il ne vit

personne, mais il entendit une petite voix prononcer
35 tout haut ce qu'il avait pensé tout bas : « Qui a parlé ? »

« Personne n'a parlé, puisqu'il n'y a personne », se dit
Gaspard. Et au même instant il entendit la petite voix,
qui ressemblait au son d'un tout petit violon de poupée.
La petite voix disait : « Personne n'a parlé puisqu'il
40 n'y a personne. »

[...]

En entendant ces mots Gaspard eut soudain l'impression qu'une ampoule
électrique de 500 watts s'allumait dans sa tête. « J'ai une illumination », se dit-il.

L'illumination de Gaspard illuminait cette idée très simple : « Si quelqu'un parle
45 et qu'il n'y a personne, que moi, c'est donc que quelqu'un parle et que ce
quelqu'un *c'est moi !* »

« Il faut que j'en aie le cœur net », se dit Gaspard.

Il regarda autour de lui ce qui l'entourait. Il y
avait tout près une fleur rouge avec un pistil noir
50 et jaune. Gaspard la regarda attentivement.
Ses lèvres se mirent à remuer et il
entendit distinctement une petite
voix, qui ressemblait au son
d'un petit violon de poupée.
55 La petite voix disait :
« Coquelicot. »

Un insecte blond avec une toute
petite taille et six pattes venait de se
poser sur le coquelicot. Gaspard fixa
60 avec soin la bestiole. Ses lèvres se mirent à remuer et il entendit la petite voix
qui disait : « Abeille. »

« Ma parole ! pensa Gaspard, il m'arrive une drôle d'aventure : je suis un chat,
mais cette herbe que j'ai mangée m'a donné la parole. »

Claude Roy, *Le Chat qui parlait malgré lui*, « Folio Junior », Gallimard.

---

## *Après avoir lu*

◆ Qui est le personnage principal ? Que lui arrive-t-il ?
◆ Relève dans les lignes 32 à 40 les phrases qui apparaissent deux fois.
   Pourquoi ces phrases sont-elles répétées ?
◆ Comment Gaspard comprend-il qu'il sait parler ?
◆ À ton avis, comment va réagir Gaspard ? Va-t-il trouver que c'est bien
   de pouvoir parler, ou bien va-t-il penser que c'est un inconvénient ?

# Lire

*Objectifs*
Prélever des informations.
Émettre des hypothèses.

## *Avant de lire*

◆ Quel est le titre de ce texte ?
◆ De quel livre est-il tiré ?

# Le rendez-vous d'Olivier

Olivier avait rendez-vous avec le diable, ça l'amusait beaucoup. Il sifflotait gaiement, au volant de la vieille Mercedes achetée d'occasion un an plus tôt à son rédacteur en chef. Olivier était
5  particulièrement fier de sa belle carrosserie blanche et de ses sièges de cuir brun.

Brusquement, le lac
10  de Mabrançon apparut entre les arbres, d'abord une simple tache miroitante, puis une langue verdâtre étirée mollement au creux des collines dorées par la forêt d'automne, dont la route sinueuse se rapprochait insensiblement. D'après son hôte, il devrait bientôt franchir un pont et il serait presque arrivé. Olivier repensa avec un sourire à l'exclamation
15  d'Angéla, quand il avait annoncé son voyage.

– Il accepte de te recevoir, LUI ? Quel veinard ! Emmène-moi Olivier, je me ferai toute petite pendant l'interview.

– C'est bien trop dangereux, tu risquerais d'y perdre ton âme.

– Il a des yeux, mais des yeux… Tu as vu ses yeux ? Je suis folle de ce type !
20  – Moi tu sais, je pense surtout au scoop…

– S'il te plaît Olivier ! Je serai ta photographe…

– Justement, il m'a demandé de venir seul, ma douce. Le diable tremble à l'idée qu'on dévoile son repaire au public. Il m'a dit : « Pas question de paparazzi chez moi, qui mitrailleraient mon île,
25  ma garde-robe et ma chambre à coucher ! » Je dois faire les photos moi-même et uniquement celles qu'il me permettra de prendre. Heureusement que je sais me débrouiller avec un appareil.

Le pont attendu le mena près de la rive du lac proprement dit,
30  dans une vallée profonde et large. Le plan d'eau s'étalait presque à perte de vue, cerné de bois roux en pente, calme, beau. On voyait une petite île vers le milieu du lac, ébouriffée d'arbres flamboyants. Olivier roula lentement en admirant le paysage, jusqu'à ce qu'il arrivât devant une auberge. C'était une bâtisse sans étage et sans âge, couverte de lierre, plantée en bordure d'une plage de sable
35  gris. Volets clos, parking vide, à l'exception d'une Range Rover beige…

Il ne semblait pas y avoir un chat dans le coin, mais Olivier était prévenu :
à la fin septembre, l'auberge fermait pour les congés annuels. Il gara la voiture près
de la Range Rover, sortit et s'étira en regardant alentour. [...] Il fouilla ses poches
à la recherche d'une pièce de monnaie.

40 La sonnerie retentit presque aussitôt, une fois, deux fois,
trois fois. Olivier regardait l'île à travers la vitre ; elle
paraissait proche vue d'ici. Il lui semblait qu'il pourrait
presque entendre le téléphone sonner là-bas en tendant
un peu l'oreille.

45 – Alors coco, tu réponds, oui ou non ?
À la dixième reprise, Olivier raccrocha. Ça le gênait
d'insister davantage, son correspondant devait être
occupé à sa toilette, ou bien il se trouvait à l'extérieur
de la villa.

50 – Quand vous serez à l'auberge, avait dit le diable,
appelez-moi de la cabine publique. Je viendrai vous
chercher en canot à moteur, à moins que vous ne
préfériez ramer ? Dans ce cas, empruntez la barque
que vous trouverez au débarcadère, elle m'appartient. Ce sera à votre choix, mon
55 vieux...

Olivier retourna à la voiture chercher la sacoche de son appareil photo, vérifia la
présence du bloc-notes et de son stylo à bille dans la poche à soufflet, puis il gagna
le ponton, mais il parvint à son extrémité sans trouver d'embarcation.
– Voilà autre chose !

Michel Grimaud, *L'Assassin crève l'écran*, « Cascade Policier », Rageot-Éditeur.

## *Après avoir lu*

◆ Quels sont les personnages du texte ?
◆ Quels sont les projets d'Olivier ? Avec qui a-t-il rendez-vous ?
◆ À ton avis, ce personnage est-il sympathique, rassurant ou au contraire inquiétant,
mystérieux ? Relève les mots ou les passages qui justifient ta réponse.
Qui pourrait bien être « le diable » ?

# Lire

Objectifs

Identifier les personnages d'un récit.
Comprendre leur rôle dans le récit.

## Avant de lire

◆ De qui va-t-on parler ?
◆ Connais-tu l'auteur de ce texte ?

# Maître Renard

Au-dessus de la vallée, sur une colline, il y avait un bois. Dans le bois, il y avait un gros arbre. Sous l'arbre, il y avait un trou.

Dans le trou vivaient Maître Renard, Dame Renard et leurs quatre renardeaux. Tous les soirs, dès que la nuit tombait, Maître Renard disait à son épouse :

5 « Alors, mon amie, que veux-tu pour dîner ? Un poulet dodu de chez Boggis ? Un canard ou une oie de chez Bunce ? Ou une belle dinde de chez Bean ? »

Et lorsque Dame Renard lui avait dit ce qu'elle voulait, Maître Renard se faufilait vers la vallée, dans la nuit noire, et se servait.

Boggis, Bunce et Bean savaient très bien ce qui se passait et cela les rendait fous 10 de rage. Ils n'étaient pas hommes à faire des cadeaux. Ils aimaient encore moins être volés. C'est pourquoi toutes les nuits chacun prenait son fusil de chasse et se cachait dans un recoin sombre de sa ferme avec l'espoir d'attraper le voleur.

Mais Maître Renard était trop malin pour eux. Il s'approchait toujours d'une ferme face au vent. Si quelqu'un était tapi dans l'ombre, il sentait de très loin son odeur, 15 apportée par le vent. Par exemple, si M. Boggis se cachait derrière son poulailler numéro 1, Maître Renard le flairait à une cinquantaine de mètres et, vite, il changeait de direction, filant droit vers le poulailler numéro 4, à l'autre bout de la ferme.

« La peste soit de cette sale bête ! criait Boggis.

– Comme j'aimerais l'étriper ! disait Bunce.

20 – Tuons-le ! aboyait Bean.

– Mais comment ? demanda Boggis, comment diable attraper l'animal ? »
Bean se gratta légèrement le nez de son long doigt.

« J'ai un plan, dit-il.

– Tes plans n'ont jamais été très bons jusqu'à présent, dit Bunce.

25 – Tais-toi et écoute, dit Bean. Demain soir, nous nous cacherons tous devant le trou où vit le renard. Nous attendrons qu'il sorte. Et alors… pan ! pan ! pan !

– Très intelligent, dit Bunce, mais d'abord nous devons trouver le trou.

30 – Mon cher Bunce, je l'ai déjà trouvé, dit ce futé de Bean. Il est dans le bois, sur la colline. Sous un gros arbre… »

Roald Dahl, Fantastique Maître Renard, « Folio Cadet », Gallimard.

## Après avoir lu

◆ Qui est le personnage principal ? Comment est-il présenté ?
◆ Quels sont les autres personnages ? Quels sont leurs rôles ?
◆ Comment Maître Renard fait-il pour voler les poules ?

# L'école

Dans notre ville, il y a
Des tours, des maisons par milliers,
Du béton, des blocs, des quartiers,
Et puis mon cœur, mon cœur qui bat
5    Tout bas.

 Dans mon quartier, il y a
Des boulevards, des avenues,
Des places, des ronds-points, des rues,
Et puis mon cœur, mon cœur qui bat
10    Tout bas.

 Dans notre rue, il y a
Des autos, des gens qui s'affolent
Un grand magasin, une école,
Et puis mon cœur, mon cœur qui bat
15    Tout bas.

 Dans cette école, il y a
Des oiseaux chantant tout le jour
Dans les marronniers de la cour.
Mon cœur, mon cœur, mon cœur qui bat
20    Est là.

Jacques Charpentreau, *La Ville enchantée*,
© Jacques Charpentreau.

# Le cancre

Il dit non avec la tête
mais il dit oui avec le cœur
il dit oui à ce qu'il aime
il dit non au professeur
5 il est debout
on le questionne
et tous les problèmes sont posés
soudain le fou rire le prend
et il efface tout
10 les chiffres et les mots
les dates et les noms
les phrases et les pièges
et malgré les menaces du maître
sous les huées des enfants prodiges
15 avec des craies de toutes les couleurs
sur le tableau noir du malheur
il dessine le visage du bonheur.

Jacques Prévert, *Paroles*, Gallimard.

## Après avoir lu

**L'école**

- Combien y a-t-il de strophes ?
- Relis le premier vers de chaque strophe. Que remarques-tu ?
- Comment se termine chaque strophe ? Et la dernière ?
- Observe la façon dont les vers riment. Que remarques-tu ?

**Le cancre**

- De qui le poète parle-t-il quand il dit *il* ?
- Jacques Prévert utilise des mots qu'il oppose (par exemple : *tête/cœur*). Cherches-en d'autres.
- À ton avis, le « cancre » est-il heureux ?

# ÉCRIRE

*Objectifs*
Écrire la suite d'un récit en l'organisant.
Employer des indicateurs de temps.

# Écrire la suite d'un récit

Relis le texte *Un chat pas comme les autres*, page 10.
Tu vas imaginer la suite de ce récit
et tu l'écriras pour la présenter à tes camarades.

## 1re étape Cherchons ensemble

◆ Que se passera-t-il quand Thomas rentrera
de l'école ?
Quelle sera l'attitude de Gaspard ?
Thomas pourra-t-il se douter de quelque chose ?

◆ Si Gaspard livre son secret, quels seront les avantages,
les inconvénients ? Quelle sera la réaction de Thomas ?
Leurs relations vont-elles changer ? Mettront-ils d'autres personnes
dans le secret ?

◆ Comment l'histoire peut-elle se terminer ? Gaspard conservera-t-il
la parole ? Pourquoi ?
Préférera-t-il redevenir un chat comme les autres ?
Comment y parviendra-t-il ?

◆ Combien de paragraphes vas-tu écrire ?

## À mon stylo

Écris maintenant la suite de l'histoire.
Tu peux faire parler Gaspard.

## 2e étape Pour améliorer mon texte, je respecte l'ordre chronologique et j'utilise des indicateurs de temps

### a) J'observe

◆ Voici des phrases d'un texte. Elles ont été mélangées. Retrouve l'ordre
chronologique.

**A.** Il flaira une autre fois.

**B.** Il avança d'un centimètre ou deux et s'arrêta.

**C.** Il était à moitié sorti maintenant.

**D.** Maître Renard grimpa le tunnel obscur […] et se mit à flairer.

**E.** Il avança une autre fois.

D'après Roald Dahl, *Fantastique Maître Renard*.

◆ Quels sont les mots ou les expressions qui t'ont permis de retrouver l'ordre du récit ?

◆ Quels sont les mots utilisés pour désigner le renard ? Quel est le premier ? Aurait-on pu commencer par l'autre ? Pourquoi ?

## b) Je m'entraîne

◆ Relève les expressions qui indiquent le temps.
Chaque jour, le repas terminé, j'avais la même responsabilité assortie d'une douloureuse inquiétude. Après quelques minutes de lecture, pépé Ernest dodelinait de la tête et bientôt s'endormait, le bec de la pipe collé à la lèvre.

A.-M. Desplat-Duc, Le Minus.

◆ Réécris les phrases dans un ordre chronologique.
Souligne les verbes d'action.
Maman casse deux œufs dans un saladier.
Puis elle ajoute du sucre et de la levure.
Elle les bat d'abord vigoureusement.
Enfin elle verse la pâte dans un moule.
Elle mélange ensuite les œufs battus à la farine.

◆ Écris dans l'ordre chronologique un petit texte pour raconter ce que tu as fait aujourd'hui. N'oublie pas de te servir d'expressions qui aideront à comprendre l'ordre du déroulement des actions.

# 3ᵉ étape J'améliore mon texte

◆ Relis ton texte.
Est-ce bien la suite du texte que tu as lu ?
Combien de paragraphes as-tu écrits ?
As-tu utilisé des indicateurs de temps ?
Maintenant l'histoire est-elle terminée ?

◆ Mets ton texte au point.
Complète ton texte (indicateurs de temps, verbes d'action, précisions supplémentaires).
Vérifie l'orthographe des mots en t'aidant d'un dictionnaire.
Pour la terminaison des verbes, aide-toi des tableaux, pages 248 à 251.

◆ Recopie ton texte et vérifie :
– que tu as écrit lisiblement,
– que tu as mis les majuscules et la ponctuation.

**Objectifs**
Reconnaître la ponctuation de la phrase.
Savoir l'utiliser.

# La ponctuation (1)

## 1ʳᵉ étape *Cherchons ensemble*

◆ **Réponds par *vrai* ou *faux* :**
  a) Une phrase se termine par un point.
  b) On met un tiret quand on va à la ligne.
  c) La virgule peut terminer une phrase.
  d) On met une majuscule au début d'une phrase.
  e) La ponctuation nous aide à comprendre un texte.

◆ **Relis dans le texte *Le rendez-vous d'Olivier*, page 12, les lignes 16 à 21.**
Combien y a-t-il de phrases ? Comment as-tu fait pour les compter ?
Lis à voix haute le dialogue entre Olivier et Angéla.
De quoi vas-tu t'aider pour le lire de façon expressive ?
Qu'indiquent le point d'exclamation et le point d'interrogation ?
Remplace les points d'exclamation et d'interrogation par des points.
Relis le passage à haute voix. Qu'en penses-tu ?

◆ **Relève dans le texte *Le rendez-vous d'Olivier* une phrase
entre guillemets. À quoi servent ces signes ?**
Dans le texte *Maître Renard*, page 14, lignes 23 à 31, il y a aussi
des guillemets. Où sont-ils placés ?
Quel autre signe de ponctuation propre au dialogue trouves-tu ?
Où est-il placé ? À quoi sert-il ?

◆ **Dans le texte suivant, la ponctuation a été supprimée. Remets-la.**
Un beau matin Petit Pierre ouvrit la grille du jardin et s'en alla dans
les prés verts Sur la plus haute branche d'un grand arbre était perché
un petit oiseau ami de Petit Pierre Tout est calme ici gazouillait-il
gaiement Un canard arriva bientôt

D'après Serge Prokofiev, *Pierre et le Loup, un conte musical.*

---

### Je retiens

La **ponctuation** nous aide à comprendre le sens d'un texte.
Le **point**, le **point d'exclamation**, le **point d'interrogation** terminent généralement
une phrase.
Les **guillemets** encadrent un dialogue ou les paroles d'un personnage.
Les **tirets** indiquent qu'un personnage prend la parole.

## 2ᵉ étape *Je m'entraîne*

**1. Mets les majuscules et les points (il y a quatre phrases).**

il était déjà tard dans l'après-midi quand Gaspard se réveilla il alla écouter en haut de l'escalier les bruits de la maison Thomas devait être dans la chambre en train de faire ses devoirs (ou de lire Lucky Luke) la route semblait libre

D'après Claude Roy, *Le Chat qui parlait malgré lui.*

**2. La ponctuation de ce dialogue entre deux personnages a été supprimée. Remplace les parenthèses par le signe qui convient.**

() À quoi on joue ()
() À la cabane ()
() Julien m'a écrit qu'elle était toute démolie ()
() Oui () Cet hiver elle a été emportée par la pluie et le vent mais il suffit de la reconstruire ()()

D'après A.-M. Desplat-Duc, *SOS grands-pères.*

**3. Mets la ponctuation qui manque puis vérifie dans ton livre, page 14.**

Alors mon amie, que veux-tu pour dîner Un poulet dodu de chez Boggis Un canard ou une oie de chez Bunce Ou une belle dinde de chez Bean Et lorsque Dame Renard lui avait dit ce qu'elle voulait, Maître Renard se faufilait vers la vallée, dans la nuit noire, et se servait

D'après Roald Dahl, *Fantastique Maître Renard.*

**4. Tu demandes à un camarade de venir avec toi à la piscine. Écris cette conversation, en mettant la ponctuation.**

## 3ᵉ étape *Je m'évalue* ····································

**5. La ponctuation a été supprimée. Remets-la.**

Madame Eyssette entrait () Elle s'approchait
du Petit Chose ()
() Tu travailles ()
() Oui mère ()
() Tu n'as pas froid ()
() Oh () Non () ()

D'après Alphonse Daudet, *Le Petit Chose.*

score
sur 12

**6. Mets la ponctuation qui manque.**

Pierre s'adressa à l'oiseau Vole très bas et tourne autour de la tête du loup, mais prends garde qu'il ne t'attrape L'oiseau touchait presque la gueule du loup Que l'oiseau agaçait le loup Que le loup avait envie de l'attraper

D'après Serge Prokofiev, *Pierre et le Loup, un conte musical.*

score
sur 7

**7. Écris un petit dialogue entre Gaspard et Thomas. Utilise des points d'exclamation et des points d'interrogation.**

1 point
par signe
de ponctuation

# S'exercer
### pour mieux lire et mieux écrire

*Objectif*
Orthographier les sons [aj], [ɛj], [uj], [œj]
quand ils terminent un mot.

# Les mots terminés par le son [j]

## 1re étape *Cherchons ensemble*

◆ **Trouve la terminaison des mots suivants :** *un faut… – une f… – je me rév…*

◆ **Lis le texte suivant.**
Julien court jusqu'à la mare. Des grenouilles y pataugent et farfouillent dedans comme des folles. Dans un arbre un écureuil saute de branche en branche puis se cache derrière des feuilles. Le petit garçon cueille des fleurs mais des abeilles butinent. Julien les regarde, il ne veut pas interrompre leur travail.

Relève les mots qui se terminent par le son [j] et classe-les dans un tableau de deux colonnes selon qu'ils s'écrivent avec un ou deux ℓ. Que remarques-tu ?

◆ **Compare les noms :** *feuille, portefeuille, millefeuille, chèvrefeuille.*
Que remarques-tu ?

◆ **Observe les mots suivants :** *la feuille, l'écureuil, il cueille.*
Quelles sont les lettres qui se lisent [œj] ? Pourquoi ne peut-on pas écrire *euil* dans *il cueille* ?
Cherche d'autres mots où le son [œj] s'écrit *-ueil* et classe-les.

◆ **Cherche d'autres mots terminés par les sons [aj], [ɛj], [uj] et [œj]** et ajoute-les dans ton tableau.

### Je retiens

*Un écur**euil**, l'ab**eille**, il mâch**ouille**.*
Les mots terminés par les sons [aj], [ɛj], [uj] et [œj] s'écrivent :
— *-ail, -eil, -ouil, -euil* quand ce sont des noms masculins,
— *-aille, -eille, -ouille, -euille* quand ce sont des noms féminins, des verbes, ou des noms masculins formés à partir de *feuille*.

*L'org**ueil**, je c**ueille**.*
Après **c** ou **g**, le son [œj] s'écrit **-ueil**.

On écrit : *un **œil**.*

## 2e étape *Je m'entraîne*

1. **Classe ces noms selon leur genre. Que remarques-tu ?**

   a) ratatouille      d) groseille      g) deuil

   b) seuil      e) appareil      h) nouille

   c) rail      f) rouille      i) réveil

**2.** Recopie les mots suivants qui se terminent par le son [aj] en écrivant la terminaison qui convient.

**a)** le trav...   **d)** de la p...   **g)** le gouvern...

**b)** la roc...   **e)** il trav...   **h)** la t...

**c)** le bét...   **f)** une m...   **i)** je t...

**3.** Recopie les mots suivants en les faisant précéder d'un pronom sujet ou d'un déterminant selon le cas.

**a)** ... réveil   **e)** ... appareils   **i)** ... sommeil

**b)** ... oreille   **f)** ... réveille   **j)** ... veillent

**c)** ... sommeillent   **g)** ... orteils   **k)** ... abeilles

**d)** ... corbeille   **h)** ... oseille   **l)** ... surveilles

**3ᵉ étape** *Je m'évalue* ......................................................

**4.** **Devinettes : trouve le nom qui correspond à ces définitions.**

**a)** Il recouvre nos dents.

**b)** Le train roule dessus.

**c)** La marraine de Cendrillon l'a changée en carrosse.

**d)** Elles nous permettent d'entendre.

**e)** Il a une queue en panache.

*score sur 5*

**5.** **Des lettres ont été effacées, retrouve-les.**
Le chat qui somm... dans le faut... s'év... en entendant la sonnerie du rév... .

*score sur 4*

**6.** **Écris une phrase avec chacun de ces mots :**
accueil – accueille – travail – travaille

*score sur 4*

# Des yeux pour apprendre

Apprends ces mots en observant bien comment s'écrit chacun d'eux. Entraîne-toi à bien les écrire.

| Texte p. 10 | Texte p. 12 | Texte p. 14 | Poème p. 15 | Poème p. 15 |
| --- | --- | --- | --- | --- |
| une merveille | fier, fière | le plan | le bloc | le professeur |
| une abeille | se débrouiller | légèrement | le quartier | le problème |
| le goût | fouiller | sale | le magasin | la date |
| soudain | un volet | sous | un millier | la phrase |
| la taille | la plage | derrière | battre | le bonheur |

# Le dictionnaire

## 1^re étape *Cherchons ensemble*

♦ **Trouve la lettre qui vient avant et celle qui vient après les lettres suivantes.**
F – J – V – Y – M – P

♦ **Lis les mots de chaque liste et range-les dans l'ordre alphabétique.**
**a)** arbre – table – dune – fleur – baignade
**b)** lilas – lune – lac – légume – lycée
**c)** montre – mouton – moto – moderne – mordre
Explique comment tu as fait.

♦ **Lis la phrase suivante et recherche les mots soulignés dans un dictionnaire.**
Les grenouilles pataugent dans la mare comme des folles.

Comment sont écrits ces mots dans le dictionnaire ?
Où as-tu cherché les mots *pataugent* et *folles* ?
Pour chacun des mots trouvés, quels renseignements te donne le dictionnaire ? Comment ces renseignements sont-ils écrits ?
Que signifient *nom m.* ? *adj.* ? *v.* ? *art.* ?

♦ **Cherche dans un dictionnaire la nature des mots** *continuel, continuer, contour, contraindre.* **Quels autres renseignements trouves-tu ?**

♦ **Cherche comment conjuguer le verbe** *contraindre* **à la 1^re personne du singulier du présent de l'indicatif.**
Emploie ces quatre mots dans des phrases.

---

### Je retiens

*continu – contondant – contorsion*
Dans un dictionnaire les mots sont classés par ordre alphabétique.

*continuel,* **adj.** *– continuer,* **v.** *– contour,* **nom m.**
Le dictionnaire indique la nature d'un mot (nom, adjectif, verbe…). Il donne aussi le genre des noms (masculin, féminin).
Dans un dictionnaire les noms sont toujours écrits au singulier, les adjectifs qualificatifs au masculin singulier et les verbes à l'infinitif.

##  Je m'entraîne

**1.** **Observe cet extrait de dictionnaire. Donne la nature des mots**
*trépigner, trésor, tressaillir, tresse.*
**Quelle information supplémentaire peux-tu donner sur** *tressaillir* **?**

---

**trépigner** v. *Cécile est impatiente de recevoir son cadeau ; elle trépigne :* elle frappe des pieds par terre tout en restant sur place.

**très** adv. *Les gazelles courent très vite.* ⇨ *Il est allé très loin,* fort loin, extrêmement loin.

**trésor** nom m. **1** *Les enfants ont déterré un vieux coffre qui contenait un trésor,* des objets précieux (pièces d'or, bijoux, pierres précieuses, etc.). **2** (au plur.) *Les trésors artistiques du musée du Louvre :* les richesses artistiques (peintures, sculptures, etc.).

**trésorerie** nom f. *La trésorerie d'une entreprise commerciale :* ses ressources, ses fonds, ses capitaux.

◆ **trésorier, -ère** nom *Il est trésorier du club de football de la ville :* il s'occupe de l'argent du club, des recettes et des dépenses.

**tressaillement** nom m. Brusque frémissement causé par une émotion ou une sensation inattendue.

◆ **tressaillir** v. *En pénétrant dans l'eau glacée, Marc a tressailli :* il a éprouvé des secousses musculaires dans tout le corps (☞ SYN. frémir). ☞ Conjug. 14.

**tressauter** v. Sursauter, sous l'effet de la surprise. *Il ne pensait pas me voir, il a tressauté.*

**tresse** nom f. Forme donnée aux cheveux qu'on sépare en trois mèches et qu'on entrelace. (☞ SYN. natte).

◆ **tresser** v. **1** *Elle tresse ses cheveux :* elle les entrelace pour former une tresse. **2** *Ce panier d'osier a été tressé :* il a été fabriqué en entrelaçant des brins d'osier.

---

**2.** **À l'aide d'un dictionnaire, cherche la nature des mots suivants.**
cargo – volcanique – des – tréma – gambader – célèbre

**3.** **À quel mot vas-tu chercher les mots suivants ?**
ont vendu – marchera – molle – journaux – attentive – histoires

**4.** **Chasse l'intrus. Cherche ces mots dans le dictionnaire.**
**a)** sureau – cyprès – poêlon – bouleau
**b)** turbot – esturgeon – rascasse – félin

## Je m'évalue

**5.** **Classe les mots suivants dans l'ordre alphabétique.**
bateau – voiture – plateau – bureau – robe – rôti

*score sur 6*

**6.** **Classe les mots suivants dans l'ordre alphabétique.**
a) banane – prune – orange – pomme – cerise
b) bureau – blé – bateau – brioche – bille

*score sur 10*

**7.** **En t'aidant d'un dictionnaire classe les noms suivants selon leur genre.**
glaïeul – amarre – crépuscule – crocus – cèpe – cèdre

*score sur 6*

**8.** **Recherche le sens des mots suivants, puis écris une phrase avec chacun d'eux (n'oublie pas les accords).**
un mas – un mât – une encre – une ancre

*score sur 4*

# S'exercer

*pour mieux lire et mieux écrire*

*Objectifs*
Reconnaître l'infinitif et le groupe d'un verbe.
Donner l'infinitif d'un verbe conjugué
à un temps composé.

# Infinitif et groupe d'un verbe

## 1<sup>re</sup> étape *Cherchons ensemble*

◆ **En combien de groupes classe-t-on les verbes ?**

◆ **Lis le texte suivant.**

Quand Thomas part pour l'école, Gaspard l'accompagne jusqu'à la porte et lui dit au revoir. Le petit chat va ensuite dans le jardin. Il flaire les différentes herbes et en choisit une qui semble avoir très bon goût.

À quel temps est écrit ce texte ?
Relève les verbes conjugués et classe-les selon leur terminaison.
Que remarques-tu ? Combien de colonnes obtiens-tu ?
Cela correspond-il au nombre de groupes ? Pourquoi ?

◆ **Relis le texte ci-dessus en mettant *doit* devant chaque verbe conjugué.**
Fais les transformations nécessaires.
→ Comme tous les matins, Gaspard doit déjeuner avec Thomas. Celui-ci…

Que constates-tu ? Peux-tu classer les verbes selon leur groupe ?

◆ **Donne l'infinitif des verbes des deux phrases suivantes.**
À quel groupe appartient chacun d'eux ? À quel temps sont-ils conjugués ?

**a)** La maîtresse relit la consigne de l'exercice.

**b)** À l'imprimerie, l'ouvrier relie un livre.

Pourquoi n'ont-ils pas les mêmes terminaisons ?

◆ **Recopie ces phrases, souligne les verbes et donne leur infinitif.**

**a)** Samia est arrivée à Paris cet été.   **c)** Maman a reçu une lettre.

**b)** Le livre est sur le bureau.   **d)** Vanessa a neuf ans aujourd'hui.

*Avoir* et *être* ont-ils le même rôle dans chacune des phrases ?

---

### Je retiens

*Il reli**e*** (infinitif *reli**er**,* 1<sup>er</sup> groupe) – *Il reli**t*** (infinitif *reli**re**,* 3<sup>e</sup> groupe).
Pour bien écrire la terminaison d'un verbe conjugué, il faut connaître son groupe.
On trouve le groupe d'un verbe grâce à son infinitif :
**1<sup>er</sup> groupe** : verbes en *-er* (sauf *aller*).
**2<sup>e</sup> groupe** : verbes en *-ir* comme *finir* : *je finis – nous finissons*.
**3<sup>e</sup> groupe** : tous les autres verbes.

*Tu manges* (verbe *manger*) – *Tu as mangé* (verbe *manger*).
Un verbe peut être conjugué avec un auxiliaire (*être* ou *avoir*).

## 2e étape — Je m'entraîne

**1. Parmi ces verbes, quel est l'intrus ?**

courir, partir, grandir, sortir, venir

**2. Transforme ce récit en recette (en écrivant les verbes à l'infinitif).**

**La poule au pot du bon roi Henri**

J'ai choisi une belle poule de 2 kg, j'ai haché le foie, j'ai ajouté une échalote, du persil, du sel et du poivre. J'ai mélangé un jaune d'œuf et j'ai farci ma poule de cette préparation. J'ai cueilli de beaux légumes, j'ai plongé les légumes et la poule dans l'eau bouillante salée, j'ai cuit le tout 3 heures à petit feu.

Quelles remarques peux-tu faire ? Quelles difficultés as-tu rencontrées ?

**3. Recopie ce texte et souligne les verbes.**

Et maintenant, la poule grandissait. Enfin ! C'était ce qu'attendait Georges. Elle fut bientôt quatre ou cinq fois plus grande qu'au début. Georges tout excité sautillait d'un pied sur l'autre, en montrant l'énorme poule.

– Elle a bu ma potion magique. Grand-ma, répétait-il, et elle a grandi comme toi !

D'après Roald Dahl, *La Potion magique de Georges Bouillon.*

**4. Écris la phrase suivante au présent de l'indicatif, à la 3e personne du singulier.**

Choisir son rôle, le jouer, parler bien fort mais ne pas crier, et réussir à faire rire le public.

**5. Imagine ce que fait Olivier après son coup de téléphone.**

Tu peux utiliser les verbes *finir, traverser, bondir, continuer, trouver.*

## 3e étape — Je m'évalue ······················································

**6. Écris le texte suivant à l'infinitif.**

J'ai relu l'énoncé, puis j'ai construit la figure. J'ai choisi trois points non alignés. J'ai relié les points d'un trait fin. J'ai nommé les sommets A, B et C.

*score sur 5*

**7. Donne cinq principes qui feront partie des règles de vie de la classe. Utilise des infinitifs.**

*1 point par infinitif*

**8. Raconte ce que tu fais en complétant les débuts de phrases ci-dessous.**

En rentrant de l'école, je me mets à …
Le mercredi, j'aime …

*1 point par infinitif*

# Mon bilan

Tout au long de ce chapitre, tu as fait différents apprentissages. Tu peux maintenant faire ton bilan.
Sur ton cahier, recopie le numéro des différentes compétences ci-dessous et écris à chaque fois : *oui, pas toujours* ou *pas encore*.

## *Je suis capable :*

**1.** de lire un livre en entier ;

**2.** de dégager la structure d'un poème ;

**3.** d'écrire la suite d'un récit ;

**4.** d'employer des indicateurs de temps ;

**5.** de reconnaître et d'utiliser la ponctuation des phrases ;

**6.** d'orthographier le son [j] à la fin d'un mot ;

**7.** d'écrire les 25 mots de la page 21 ;

**8.** d'utiliser le dictionnaire ;

**9.** de reconnaître l'infinitif et le groupe d'un verbe ;

**10.** de donner l'infinitif d'un verbe conjugué à un temps composé.

# Je vais plus loin

Tu as lu trois extraits de romans. Lequel t'a donné envie de lire l'histoire complète ? Pourquoi ? Peux-tu trouver ce livre dans une bibliothèque ? Parmi les romans que tu as lus, choisis-en trois ou quatre qui t'ont plu et que tu aimerais faire connaître à tes camarades. Fais-en une liste en les classant au moyen d'un symbole qui indiquera tes préférences. Trouve un code pour indiquer le genre du livre.

Pour enrichir la bibliothèque de la classe, tu peux, en accord avec tes camarades, faire circuler tous les ouvrages présentés.

## *Pour présenter la liste des ouvrages qui m'ont plu :*

◆ je cherche un symbole pour exprimer l'ordre de mes préférences ;

◆ je cherche un code pour indiquer leur genre ;

◆ j'établis ma liste pour l'afficher dans la classe ;

◆ j'indique sur la liste la signification des différents signes.

# 2 *Lire des textes poétiques*

Pour s'approprier des procédés poétiques.

**Jules Renard** (né en 1864, mort en 1910). Il a écrit des romans et des pièces de théâtre. Il est l'auteur de *Poil de Carotte*.

**Henri Bosco** (né en 1888, mort en 1976). Il a écrit de nombreuses nouvelles dont *L'Âne Culotte* et *le Mas Théotime* où l'on retrouve à la fois le conte et la poésie.

**Charles-Ferdinand Ramuz** (né en Suisse en 1878, mort en 1947). Écrivain de langue française, il évoque dans ses écrits la poésie et la nature de la vie dans la région du canton de Vaux (en Suisse).

**Victor Hugo** (né en 1802, mort en 1885). Il a publié de nombreux romans dont *Les Misérables* et *Notre Dame de Paris*, des pièces de théâtre et plusieurs recueils de poèmes. La mort de sa fille Léopoldine (en 1843) a beaucoup influencé sa poésie.

**Colette** (née en 1873, morte en 1954). Elle passe son enfance en Bourgogne. Elle a écrit de nombreuses nouvelles dont la série des *Claudine*.

**Robert Desnos** (né en 1900, mort en 1945 dans un camp de concentration). Il a publié plusieurs recueils de poèmes (*Fortunes*, *Corps et Biens*…).

## Objectifs
Découvrir la poésie d'un texte en prose.
Comprendre le procédé de personnification.
Lire en respectant la ponctuation.

### *Avant de lire*

Lis le titre, observe l'illustration.
◆ Quel est le sujet de ce texte ?

# Le Petit Train

Le Petit Train nous emmène, sorte de jouet mécanique, assez solide pour porter une dizaine de voyageurs et quelques paniers de poissons.

Il s'arrête quand il veut, quand les voyageurs lui font signe… Au passage à niveau point de barrière : le train laisse aux rares voitures le temps nécessaire, regarde
5 prudemment à droite et à gauche, siffle longuement, s'assure s'il n'y a plus personne et repart.

À chaque gare il s'amuse, lâche un wagon, en accroche un autre, en tamponne un troisième par mégarde, feint de manœuvrer et, vite essoufflé, se désaltère à la prise d'eau.

Jules Renard,
*Œuvres complètes.*

### *Après avoir lu*

**Décrire le petit train**
◆ À ton avis, pourquoi l'auteur a-t-il écrit *Petit Train* avec des majuscules ? S'agit-il d'un train quelconque ?
◆ Relève les verbes qui indiquent ce que fait le train. Qui fait habituellement tout cela ?
◆ Relis le deuxième paragraphe. Que se passe-t-il habituellement dans cette situation ?
◆ Que fait le Petit Train dans le dernier paragraphe ? A-t-il le même comportement que dans le paragraphe précédent ?

**La poésie du texte**
◆ Comment imagines-tu le Petit Train ? Existe-t-il vraiment ?
◆ Essaie de décrire le caractère de ce Petit Train. Aurais-tu envie de voyager avec lui ?
◆ Ce texte a-t-il la présentation d'un poème ? Pourquoi peut-on dire qu'il s'agit tout de même d'un texte poétique ?

**Lire le texte à voix haute**
◆ Entraîne-toi à lire ce texte à haute voix, en respectant la ponctuation.

## *Avant de lire*

◆ Qui est l'auteur de ce poème ?
◆ Cherche dans ton dictionnaire ou regarde à la page 27 pour en savoir davantage.

# Le pays

C'est un petit pays qui se cache parmi
ses bois et ses collines ;
il est paisible, il va sa vie
sans se presser sous ses noyers ;
5    il a de beaux vergers et de beaux champs de blé,
des champs de trèfle et de luzerne,
roses et jaunes dans les prés,
par grands carrés mal arrangés ;
il monte vers les bois, il s'abandonne aux pentes
10   vers les vallons étroits où coulent des ruisseaux
et, la nuit, leurs musiques d'eau
sont là comme un autre silence.

Charles-Ferdinand Ramuz

## *Après avoir lu*

◆ De quoi nous parle Charles-Ferdinand Ramuz ?
◆ Relève les verbes choisis pour parler du pays. Qu'en penses-tu ?
◆ Relis les quatre premiers vers en remplaçant *ses* par *les*.
   Que préfères-tu ? Pourquoi ?
◆ Observe le titre. Pourquoi l'auteur ne donne-t-il pas le nom du pays ?
   Que penses-tu du déterminant qu'il utilise ?

# L i r e

*Objectifs*

Découvrir des procédés poétiques (répétitions, personnification, connotation des mots). Lire à haute voix de façon expressive.

## *Avant de lire*

◆ Quel est le sujet de ce texte ?

◆ A-t-il la présentation d'un poème ?

## L'âne Culotte

C'était bien l'âne le plus singulier qu'on pût rencontrer [...]
un âne discret, un âne un peu sur le retour, peut-être,
le poil gris, bien brossé ; un âne à l'oreille
nonchalante, un âne à l'œil modeste ; un âne
5   à la démarche mesurée ; un âne sans insolence
ni bassesse ; un âne qui se savait âne et ne
rougissait point de l'être, mais qui l'était bien ;
qui savait marcher, s'arrêter, repartir, tourner,
boire, brouter, regarder, écouter, obéir, tout comme
10   un âne ; un âne qui aimait certainement
la réflexion ; un âne qui avait beaucoup vu,
beaucoup appris, beaucoup retenu dans sa vie ;
un âne qui avait beaucoup pardonné ; un âne affectueux, sensible aux bonnes
manières, poli dans ses contacts avec les ânes et déférent sans platitude dans
15   ses relations avec les hommes ; un âne qui pouvait se présenter partout, chez
l'épicier, à la porte de l'auberge, devant l'Hôtel de Ville, sans causer un de
ces bruyants scandales comme en provoquent quelquefois par leurs cris et leur
attitude incongrue les autres ânes ; un âne pour tout dire qui se trouvait à sa place
aussi bien dans son écurie que sur le parvis de l'église ; un âne doué d'âme, bon
20   aux faibles, honorant ses dieux ; un âne qui pouvait passer partout la tête haute,
car il était honnête, un âne qui, s'il y avait une justice parmi les ânes, eût été
la gloire de sa race.

Henri Bosco, *L'Âne Culotte*, Gallimard.

## *Après avoir lu*

### Comprendre le texte

◆ De qui parle-t-on dans ce texte ?

◆ Tu connais les expressions : *un bonnet d'âne, des oreilles d'âne, aussi bête qu'un âne*. Qu'évoque le mot *âne* dans ces expressions ?
   L'âne décrit par Henri Bosco évoque-t-il la même chose ?

◆ Quelles qualités l'auteur attribue-t-il à l'âne Culotte ?

### La poésie du texte

◆ Combien de fois le mot *âne* apparaît-il ? Quel effet, produisent ces répétitions sur le rythme du texte ?

◆ Henri Bosco écrit « un âne qui savait marcher, boire, écouter, obéir ». Est-ce étonnant ? Que penses-tu de cette description ?

### Lire à voix haute

◆ Entraîne-toi à lire ce texte à haute voix.

*Objectifs*

Revoir la silhouette d'un texte poétique.
Revoir le vocabulaire de la versification.
Reconnaître des vers réguliers.

## *Avant de lire*

◆ Dans quelle catégorie ranges-tu ce texte ? Justifie ta réponse.

# Demain dès l'aube

Demain, dès l'aube, à l'heure où blanchit la campagne,
Je partirai. Vois-tu, je sais que tu m'attends.
J'irai par la forêt, j'irai par la montagne.
Je ne puis demeurer loin de toi plus longtemps.

5  Je marcherai les yeux fixés sur mes pensées,
Sans rien voir au dehors, sans entendre aucun bruit,
Seul, inconnu, le dos courbé, les mains croisées,
Triste, et le jour pour moi sera comme la nuit.

Je ne regarderai ni l'or du soir qui tombe,
10  Ni les voiles au loin descendant vers Harfleur,
Et, quand j'arriverai, je mettrai sur ta tombe
Un bouquet de houx vert et de bruyère en fleur.

Victor Hugo, *Les Contemplations*.

## *Après avoir lu*

**Comprendre le poème**

◆ Qui le pronom *je* désigne-t-il ?

◆ À ton avis qui le pronom *tu* désigne-t-il ? Quels sont les sentiments du poète pour cette personne ?

◆ Quel émotion ressens-tu en lisant ce poème ?

**La structure du poème**

◆ Combien y a-t-il de parties dans ce poème ? Comment s'appellent ces parties ? Ont-elles toutes la même longueur ?

◆ Observe le début des vers, les rimes. Que constates-tu ?

◆ Compte les syllabes de chaque vers. Que remarques-tu ?

◆ Relève les images poétiques qu'utilise le poète.

**Lire le poème à voix haute**

◆ Comment diras-tu ce poème (sur quel ton, à quel vitesse…) ? Explique ton choix.

# Lire

*Objectifs*
Sensibiliser les enfants à un texte
exprimant des sensations.
Découvrir la poésie dans un texte en prose.

## *Avant de lire*

◆ Quel est l'auteur de ce texte ? Quel est son « pays » ?

# Mon pays

Et si tu passais, en juin, entre les prairies
fauchées, à l'heure où la lune ruisselle sur les
meules rondes qui sont les dunes de mon pays,
tu sentirais, à leur parfum, s'ouvrir ton cœur. [...]

5  Et si tu arrivais, un jour d'été, dans mon pays,
au fond d'un jardin que je connais, un jardin noir
de verdure et sans fleurs, si tu regardais bleuir,
au lointain, une montagne ronde où les cailloux,
les papillons et les chardons se teignent du même
10  azur mauve et poussiéreux, tu m'oublierais,
et tu t'assoirais là, pour n'en plus bouger
jusqu'au terme de ta vie. [...]

Si tu suivais, dans mon pays, un petit
chemin que je connais, jaune et bordé de
15  digitales d'un rose brûlant, tu croirais gravir
le sentier enchanté qui mène hors de la vie...
Le chant bondissant de frelons fourrés de velours
t'y entraîne et bat à tes oreilles comme le sang
même de ton cœur, jusqu'à la forêt, là-haut,
20  où finit le monde.

Colette, *Les Vrilles de la vigne*, Hachette.

## *Après avoir lu*

◆ Comment commence chaque paragraphe ? À qui Colette s'adresse-t-elle ?
◆ À quels différents sens fait appel chaque paragraphe ?
◆ Relève les mots ou expressions qui évoquent une couleur.
◆ Relis le premier paragraphe. Cherche dans ton dictionnaire les verbes *ruisseler*
et *sentir*. Peux-tu à présent expliquer « la lune ruisselle » et « tu sentirais
à leur parfum, s'ouvrir ton cœur » ? Comment Colette a-t-elle joué avec
le verbe *sentir* ?

*Objectifs*

Apprendre à compter le nombre de syllabes d'un vers.
Sensibiliser à la structure sonore d'un poème.

## *Avant de lire*

Observe la disposition du poème.

◆ Qu'a-t-elle de particulier ?

**1.**

**2.**

**3.**

# Le pélican

Le capitaine Jonathan,
Étant âgé de dix-huit ans,
Capture un jour un pélican
Dans une île d'Extrême-Orient.

5      Le pélican de Jonathan,
Au matin, pond un œuf tout blanc
Et il en sort un pélican
Lui ressemblant étonnamment.

Et ce deuxième pélican
10  Pond, à son tour, un œuf tout blanc
D'où sort, inévitablement
Un autre qui en fait autant.

Cela peut durer pendant très longtemps
Si l'on ne fait pas d'omelette avant.

Robert Desnos, *Contes et Fables de toujours,*
*Chantefables et Chantefleurs,* Gründ.

**4.**

## *Après avoir lu*

◆ Comment se terminent les vers ? Retrouve ce son à d'autres endroits dans le poème.

◆ Relis la première strophe et compte le nombre de syllabes de chaque vers. Retrouves-tu ce nombre dans les autres strophes ?

◆ Comment comprends-tu ce poème ?

◆ Écris une strophe qui commence par « Et ce troisième pélican ».

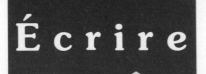

# Écrire

**Objectifs**
Utiliser des procédés d'écriture poétique.
Créer des associations imagées de mots.

# Écrire un poème

**Tu vas écrire un poème que tu pourras lire à tes camarades. Il sera mis ensuite dans un recueil de poésies placé soit dans la bibliothèque de classe, soit dans la bibliothèque de l'école.**

## 1re étape  Cherchons ensemble

◆ Ferme les yeux et écoute ce début de phrase :
Soudain quand l'orage éclate...

◆ Écris les mots auxquels tu penses en entendant ce début de phrase.

◆ Compare ta liste avec celles de tes camarades afin de constituer une liste collective. Classe tous ces mots selon leur nature (noms, verbes, adjectifs qualificatifs).

◆ Essaie de répondre rapidement par un mot :
Si je te dis *éclair*, tu réponds ...
Si je te dis *pluie*, ...
Si je te dis *sombre*, ...
Ajoute les mots trouvés à ceux de la liste collective.

## À mon stylo

En te servant de ta liste de mots et de la liste collective, écris un poème à partir de la phrase : *Soudain quand l'orage éclate...*
Aide-toi d'un dictionnaire.
Tu peux choisir d'écrire ton poème avec ou sans vers.

## 2e étape  Pour améliorer mon texte, j'écris des phrases poétiques

**a) J'observe**
Voici des poèmes écrits par des enfants.

### IMAGINONS

Le temps que le soleil se lève
Le temps que le soleil se couche
Le temps que l'avion décolle
Le temps que la pluie tombe
Le temps que la nuit tombe
Imaginons ce qu'on fera de tout ce temps.

Mamadou

## CE QUI FAIT PEUR

Savez-vous ce qui fait peur ?
Une horreur,
Une maison vide avec un
voleur,
Un énorme malheur,
Quand sonne la douzième
heure.
Mais ce qui est le plus étrange
c'est de voir une maison
dévorer un rongeur.

Yasmine, Célia, Williams et Chrystelle

## SOUDAIN QUAND LA NUIT SURGIT

Le soleil se cache, les étoiles rient
La nuit se réveille, le jour s'endort
La nuit apparaît
Au loin
Tout s'endort
Le jour
Les animaux
Les hommes
La nature
Soudain quand la nuit s'endort
tout est immobile.

Kristen

Y a-t-il des répétitions ? des rimes ?
Relève les verbes utilisés. Cherche les sujets. Qu'en penses-tu ?
Relève les signes de ponctuation. Où sont-ils placés ? Pourquoi ?

### b) Je m'entraîne

◆ Trouve pour chacun des verbes suivants des sujets non animés et écris
des phrases poétiques.
trembler – jaillir – gronder – dessiner – claquer

◆ Cherche des verbes d'action afin de rendre ces phrases poétiques.
Le vent … dans les branches.
La lune … les montagnes.
Brusquement, la pluie … le jardin.
Les feuilles … dans les airs.

## 3ᵉ étape — J'améliore mon texte

◆ Relis ton texte.
As-tu utilisé des mots de ta liste ou de la liste collective ?
As-tu associé des sujets non animés à des verbes d'action ?
Ton poème est-il agréable à entendre ? Certains mots ont-ils été répétés ?
As-tu pensé à la ponctuation ? (Tu peux choisir de ne pas l'utiliser.)
Choisis un titre.

◆ Mets ton texte au point.
Vérifie l'orthographe des mots en utilisant un dictionnaire.
Si tu as écrit des vers, tu peux mettre des majuscules en début de vers.
Pense à la mise en page de ton poème.
Choisis un papier qui convient au texte (format, couleur).

◆ Recopie ton texte en choisissant une présentation agréable.
Tu peux illustrer ton poème (dessins, collages…).

# S'exercer
*pour mieux lire et mieux écrire*

*Objectifs*
Reconnaître la ponctuation
à l'intérieur de la phrase.
Comprendre son rôle et savoir l'utiliser.

# La ponctuation (2)

## 1re étape *Cherchons ensemble*

◆ **Relis le deuxième paragraphe du texte *Le Petit Train*, page 28
et relève les différents signes de ponctuation.**

Combien y a-t-il de phrases dans ce paragraphe ?
Quels signes marquent la fin de ces phrases ?

◆ **Lis le texte suivant.**

Le train laisse aux rares voitures le temps nécessaire. Il regarde
prudemment à droite et à gauche. Il siffle longuement. Il s'assure
s'il n'y a plus personne et repart.

Quels changements observes-tu par rapport au texte de Jules Renard ?
Qu'est-ce qui a été ajouté ? Que permettent d'éviter les virgules
dans le texte de l'auteur ?

◆ **Observe la première strophe du poème *Le pélican,* page 33.
Quels renseignements le groupe de mots entre virgules nous
donne-t-il ?**

◆ **Lis les deux phrases suivantes.**

**a)** Bean dit : « Le renard est un voleur. »

**b)** « Bean, dit le renard, est un voleur. »

Quel est le sens de chacune ?
Qu'est-ce qui a changé ?

◆ **Observe les points-virgules dans le texte *L'âne Culotte*, page 30.
Par quel autre signe de ponctuation pourrait-on les remplacer ?**

◆ **Dans ce texte, on a oublié la ponctuation. Remets-la.**

Georges ne pouvait pas s'empêcher de penser aux ingrédients de la
potion magique () la mousse à raser () la crème dépilatoire () la lotion
antipelliculaire sans oublier les liquides et les poudres pour animaux ()
ni la peinture marron()

D'après Roald Dahl, *La Potion magique de Georges Bouillon.*

## Je retiens

*Le Petit Train siffle, regarde et repart. – Bean, dit le renard, est un voleur.*
On utilise la **virgule** dans une énumération ou pour encadrer un renseignement
supplémentaire.

*On entendait les poules ; le capitaine jurait.*
Le **point-virgule** marque une pause plus longue. Il peut être remplacé par un point.

*Bean dit : « Le renard est un voleur. »*
Les **deux points** annoncent une énumération ou les paroles d'un personnage.

*Soudain quand la nuit surgit…*
Les **points de suspension** indiquent que tout n'est pas dit.

## 2e étape Je m'entraîne

**1. La ponctuation a été supprimée, remets-la.**

Pour faire un gâteau () je dois acheter () 250 g de chocolat noir ()
100 g de farine () 1 paquet de levure () 75 g de beurre()

**2. Mets la ponctuation dans l'article suivant (il y a des points de suspension).**

Sauvez Willy est une histoire toute simple () celle de l'amitié qui unit Jesse ()
un garçon de douze ans et Willy () un orque () Entre eux naît
une grande complicité () comme si chacun lisait dans les pensées de l'autre ()

D'après Claire Laurens, *Infos Junior*, n° 23.

**3. Change la ponctuation afin d'obtenir une phrase de sens différent.**

Thomas pensait : « Gaspard est mon ami. »

**4. Observe la ponctuation de cette phrase. Explique le rôle des points de suspension et des virgules.**

La sonnerie retentit presque aussitôt, une fois, deux fois, trois fois…

## 3e étape Je m'évalue

**5. Mets la ponctuation puis vérifie page 10.**

Une seconde plus tard un papillon voleta près de ses
moustaches et Gaspard () pendant qu'il sautait pour
l'attraper () entendit une petite voix qui ressemblait au son
d'un violon de poupée () Cette petite voix disait () ()
Toi () mon vieux () si je t'attrape () je te mange() ()

D'après Claude Roy, *Le Chat qui parlait malgré lui.*

*score sur 10*

**6. Mets la ponctuation de deux façons différentes pour obtenir des phrases de sens différents.**

**a)** Julie dit papa regarde cet oiseau

**b)** Hugo demande Léa veux-tu jouer avec moi

*score sur 4*

**7. Tu racontes à ta famille comment s'est passé ta première séance à la piscine. Écris ton récit en pensant à la ponctuation à l'intérieur des phrases.**

*1 point par signe*

**S'exercer**

*pour mieux lire et mieux écrire*

*Objectif*
Placer correctement les accents
sur la lettre *e*.

# La lettre *e* et ses accents

## 1re étape *Cherchons ensemble*

◆ **Dans le texte *Le Petit Train*, page 28, relève les mots avec un accent. Classe-les. Combien d'accents différents trouves-tu ?**

◆ **Écris la phrase suivante en remplaçant *Le petit train* par *nous*.**
Le petit train se désaltère.
Quelle remarque peux-tu faire ? À quoi servent les accents sur le *e* ?

◆ **Classe les mots suivants selon qu'ils ont un *é* ou un *è*.**
un cèpe – la démarche – le poème – il a marché – une école – la santé
– j'ai mangé – un légume – elle achète
Accent grave : observe la syllabe qui suit le *è*. Que remarques-tu ?
Accent aigu : où est-il placé ?

◆ **Cherche des mots de la famille de *s'arrêter* et de *fête*. Que constates-tu ? Pourquoi certains de ces mots n'ont-ils pas d'accent ?**

◆ **Dans le texte de Jules Renard, relève des mots avec un *e* sans accent, qui se prononcent [ɛ] ou [e]. Pourquoi n'y a-t-il pas d'accent ? Cherche d'autres mots dans le même cas (tu peux t'aider d'un dictionnaire).**

◆ **Recopie le tableau suivant et complète-le avec des mots que tu as trouvés dans cette étape.**

| *è* avant un *e* muet | *é* avant une voyelle (sauf *e* muet) | *é* en fin de mot | *ê* | *e* sans accent |
|---|---|---|---|---|
| le poème … | la démarche … | la santé … | arrêt … | la personne … |

---

### Je retiens

*Il se désaltère ; nous nous désaltérons ; il s'est désaltéré.*
L'accent sur le *e* indique qu'il se prononce [ɛ] ou [e].

Le *e* peut avoir trois sortes d'accents :
— l'accent aigu (**é**) : *la santé, un légume, l'école* ;
— l'accent grave (**è**) est avant une syllabe qui contient un *e* muet : *le poème* ;
— l'accent circonflexe (**ê**) est souvent la trace d'un *s* disparu : *la fête, le festin.*

*Quelques personnes ; nécessaire, essoufflé.*
Il n'y a généralement pas d'accent sur le **e** placé avant deux consonnes.
Il n'y a jamais d'accent devant une consonne double.

## 2e étape — Je m'entraîne

**1. Écris les noms soulignés au féminin. Que constates-tu ?**

a) Le <u>couturier</u> présente une nouvelle robe.

b) Le <u>sorcier</u> jette un sort à la princesse.

c) Le <u>dernier</u> arrivé aura gagné.

**2. Dans ce texte, les accents sur le *e* ont été supprimés. Remets-les.**

Onze navettes Jet traverserent les nuages cotonneux. Elles descendirent
en ligne droite vers le lieu de l'atterrissage de la premiere expedition
disparue. La memoire des machines etait sans faille : le point de cet
atterrissage avait ete enregistre tres precisement.

D'après Pierre Pelot, *L'Expédition perdue.*

**3. Écris ces verbes à la 3e personne du singulier et à la 1re personne du
pluriel, au présent de l'indicatif. Tu peux vérifier dans un dictionnaire.**

acheter – peler – geler – modeler – fureter

## 3e étape — Je m'évalue

**4. Cherche un mot de la famille de *forestier, arrestation, veste,
bestiole, festival*, qui n'a plus de *s*.**

score
sur 5

**5. Mets les accents oubliés sur la lettre *e*.**

Les retroreacteurs coupes, un silence epais retomba sur la
vallee. Un certain temps s'ecoula, et rien ne se produisit.
La foret restait impenetrable. Une riviere chantait à moins
de cent pas. Le village paraissait desert. Puis d'invisibles
oiseaux recommencerent à pepier.

D'après Pierre Pelot, *L'Expédition perdue.*

score
sur 12

**6. Écris ces noms au féminin puis utilise-les dans des phrases.**

boulanger – ouvrier – boucher – écolier – caissier

score
sur 10

# Des yeux pour apprendre

Apprends ces mots en observant bien comment s'écrit chacun d'eux.
Entraîne-toi à bien les écrire.

| Texte p. 28 | Poème p. 29 | Texte p. 30 | Poème p. 31 | Textes p. 32-33 |
|---|---|---|---|---|
| un train | parmi | discret | l'aube | une île |
| un voyageur | couler | l'insolence | la campagne | blanc |
| nécessaire | arranger | la manière | fixer | haut, haute |
| un wagon | étroit, étroite | honnête | aucun | un pays |
| siffler | se presser | un âne | le bouquet | le parfum |

# S'exercer

*pour mieux lire et mieux écrire*

*Objectif*
Différencier animé/non animé
et humain/non humain.

# Animé/non animé
# Humain/non humain

## 1<sup>re</sup> étape *Cherchons ensemble*

◆ **Voici des mots que tu as rencontrés dans tes lectures.
Classe-les et explique ton classement.**

œuf – soir – arbre – fleur – chat – Boggis – oiseau – Maître Renard –
poisson – le train – rue – école – âne – voyageurs – pélican – Olivier
Regroupe maintenant ce qui est animé et ce qui ne l'est pas.

◆ **Parmi les mots que tu viens de classer, quels sont ceux qui peuvent
être sujets de ces verbes ?**

marcher – travailler – téléphoner – courir – boire – compter – lire – respirer

Que constates-tu ? Peux-tu maintenant proposer un autre classement
pour ces mots ?

◆ **Lis les phrases suivantes.
Qu'en penses-tu ? Où pourrais-tu
rencontrer ces phrases ?**

**a)** L'éléphant téléphone à son ami.

**b)** Près de l'arbre, la rose repasse ses pétales.

**c)** Dans le ciel, la lune sourit aux étoiles.

◆ **Lis le premier paragraphe du texte *Le rendez-vous d'Olivier,* page 12.
Remplace *Olivier* par *l'ours.* Quel effet cela produit-il ?**

◆ **Lis le deuxième paragraphe du texte *Le Petit Train,* page 28.
Remplace *le train* par *le conducteur.* Compare la phrase obtenue
avec la phrase écrite par Jules Renard.**

◆ **Écris cinq phrases qui associent un nom d'objet ou d'animal
à un verbe d'action utilisé habituellement pour des humains.**

---

### Je retiens

*Un ours – la pluie.*
Certains noms désignent des êtres animés, d'autres des êtres non animés.

*Le Petit Train s'amuse.*
Dans les textes poétiques, un nom désignant un objet ou un animal peut être le sujet
d'un verbe d'action habituellement utilisé pour des humains.

## 2e étape — Je m'entraîne

**1. Classe ces noms en animés et non animés.**

table – garage – hirondelle – fille – robot – livre – boulangère – crayon – conducteur – chaton

**2. Classe ces noms en humains et non humains.**

élève – chaton – léopard – rose – homme – pélican – médecin – peintre

**3. Donne à ces phrases un sujet non animé.**

**a)** … arrose les fleurs du jardin.

**b)** … prend son élan et saute.

**c)** … part en voyage.

**d)** … chante dans son lit.

**4. Écris en quelques phrases la suite du texte *Le Petit Train*. N'oublie pas qu'il s'agit d'un texte poétique.**

## 3e étape — Je m'évalue

**5. Classe ces noms selon qu'ils sont animés ou non animés.**

orange – renard – pharmacien – vendeur – girafe – volet – sapin – plante – téléphone – voyageur – ordinateur – cheval

*score sur 12*

**6. Associe un nom à un verbe et écris des phrases où les actions sont possibles dans le monde réel.**

**a)** mouton      **1)** fleurir

**b)** cerisier      **2)** lire

**c)** enfants      **3)** parler

**d)** frère      **4)** boire

Fais ensuite d'autres associations, possibles seulement dans un monde imaginaire.

*score sur 8*

**7. Recopie uniquement les phrases qui associent un verbe d'action et un sujet non animé.**

**a)** As-tu vu la grande ombre qui tremble sur le mur ?

**b)** L'oiseau se déguise en courant d'air.

**c)** La girafe allonge son cou et attrape une feuille.

**d)** Tout à coup l'orage accourt avec ses grosses bottes mauves.

**e)** L'averse fut si violente que les rosiers se sont cassés.

**f)** Mon perroquet est rouge et gris, il est joli comme un bouquet !

*score sur 2*

**8. Dans les textes que tu as étudiés, le chat Gaspard parle, le Petit Train se désaltère. À ton tour, associe un sujet et des verbes de façon insolite pour écrire un petit texte poétique.**

*1 point par association*

# S'exercer

*pour mieux lire et mieux écrire*

**Objectifs**
Reconnaître les verbes du 1er groupe.
Savoir les écrire au présent de l'indicatif.

# Les verbes du 1er groupe au présent de l'indicatif

## 1re étape  *Cherchons ensemble*

◆ **À quel temps est écrit le texte *Le Petit Train,* page 28 ?**
Relève tous les verbes conjugués et donne leur infinitif.
Fais-en un classement par groupe.

◆ **Présente les terminaisons des verbes du 1er groupe au présent de l'indicatif dans un tableau. Tu peux t'aider des tableaux de conjugaison pages 248 à 251.**

◆ **Dans ton dictionnaire, cherche comment s'écrivent au présent de l'indicatif les verbes comme *acheter* et *appeler.***
Que remarques-tu ?

◆ **Écris cette phrase en remplaçant *Arthur* par *nous.***
Pendant les vacances, Arthur voyage
souvent en avion.
Il se place toujours près du hublot.
Comment as-tu écrit les verbes ?
Pourquoi ?

◆ **Écris cette phrase à la 3e personne du singulier, puis à la 3e personne du pluriel.**
À la récréation, nous jouons aux billes, nous crions, nous sautons
à la corde.

---

### Je retiens

Les terminaisons du présent de l'indicatif des verbes du 1er groupe sont :
*-e, -es, -e, -ons, -ez, -ent.*

Pour traduire le son [ɛ] dans la conjugaison des verbes en *-eter* et *-eler* :
– on met un accent grave sur le *e* (devant le *t* ou le *l*) : *j'ach**è**te, je cong**è**le ;*
– ou on double le *t* ou le *l* : *j'app**ell**e, je j**ett**e.*

*Nous pla**ç**ons.*
Les verbes en *-cer* gardent le son [s] dans toute la conjugaison :
il faut donc mettre une cédille devant le *o* de la 1re personne du pluriel.

*Nous voya**ge**ons.*
Les verbes en *-ger* gardent le son [ʒ] dans toute la conjugaison :
il faut donc mettre un *e* après le *g* à la 1re personne du pluriel.

**1. Recopie la phrase suivante en prenant pour sujet *Mathilde* puis le pronom *tu*.**

Nous posons le bol sur la table, nous versons doucement le lait, nous ajoutons du chocolat et nous remuons lentement.

**2. Écris la phrase suivante au présent de l'indicatif.**

Olivier retourna à la voiture chercher la sacoche de son appareil photo, vérifia la présence du bloc-notes et de son stylo à bille dans la poche à soufflet, puis il gagna le ponton.

Michel Grimaud, *L'Assassin crève l'écran.*

**3. Recopie le texte suivant en mettant les verbes au présent de l'indicatif.**

Chaque été, le feu (ravager) les collines. Les habitants (surveiller) sans arrêt la campagne. Les jours où le vent (souffler) fort, les incendies (se déclarer) rapidement et (menacer) les habitations.

**4. Recopie le texte suivant en mettant les verbes au présent de l'indicatif.**

Bonjour, je (s'appeler) Olivier. Votre bateau, je vous le (louer) ou je vous l' (acheter) si vous (préférer).

### 3ᵉ étape *Je m'évalue* ...............................................

**5. Transforme la phrase suivante selon le modèle proposé.**

L'âne Culotte savait marcher, s'arrêter, tourner, brouter, regarder, écouter, jouer.

**a)** L'âne Culotte marche, …     **b)** Les ânes …

*score sur 14*

**6. Recopie le texte suivant au présent de l'indicatif en remplaçant le sujet *je* par le sujet *nous*.**

Je saute dans la carlingue, fixe la ceinture. Le moteur encore chaud tourne rond. Je roule au bout du terrain pour prendre le vent. Je tire la manette des gaz, l'avion s'élance. Je jette un regard autour de moi et j'amorce un virage.

D'après Jean Mermoz, *Mes vols.*

*score sur 6*

**7. Écris les verbes au présent de l'indicatif :**

**a)** Tu (jouer) au tennis chaque samedi.

**b)** Mes parents (acheter) des livres.

**c)** Nous (lancer) la balle à nos camarades.

**d)** Nous (manger) des fraises.

*score sur 4*

**8. Raconte ce que tu as l'habitude de faire chaque matin avant de venir à l'école. Souligne les verbes du 1ᵉʳ groupe.**

*1 point par verbe*

# Mon bilan

Tout au long de ce chapitre, tu as fait de nombreux apprentissages.
Tu peux maintenant faire ton bilan.

Sur ton cahier, recopie le numéro des différentes compétences ci-dessous
et écris à chaque fois : *oui, pas toujours* ou *pas encore*.

## *Je suis capable :*

1. de reconnaître un texte poétique ;
2. de lire à haute voix de façon expressive un texte poétique ;
3. de compter les strophes, les vers, les syllabes d'un poèmes ;
4. d'écrire un texte poétique ;
5. d'utiliser les signes de ponctuation à l'intérieur d'une phrase ;
6. de mettre le bon accent sur le *e* ;
7. d'écrire les 25 mots de la page 39 ;
8. de faire la différence entre animés et non animés, entre humain et non humain ;
9. de reconnaître les verbes du 1er groupe ;
10. d'écrire les verbes du 1er groupe au présent de l'indicatif.

# Je vais plus loin

Tu as lu différents textes poétiques, différents poèmes. Lequel préfères-tu ?

Tu as écrit une poésie. Avec tes camarades, écrivez, tout au long de l'année,
des poèmes qui seront lus en classe, puis rangés dans la bibliothèque.

## *Pour constituer un coin poésie :*

- je choisis le format des fiches où seront écrits les poèmes ;
- je choisis une boîte qui recevra ces fiches, je peux la décorer ;
- je cherche des poésies qui me plaisent ;
- je les recopie, les illustre ;
- je peux écrire moi-même des poésies ;
- je lis les poésies à mes camarades.

# 3 *Lire un début de roman*

Pour entrer dans un roman.

**Catherine Missonnier** (née en 1941). Elle publie
son premier roman en 1988 et consacre toute
son œuvre à la littérature pour la jeunesse.

EXTRATERRESTRE APPELLE CM1
*Catherine Missonnier*

À force de faire des bêtises sur
sa lointaine planète, Galanor est
envoyé en exil sur la Terre. Il
devient Bastien, un écolier de
CM1 presque comme les autres.
Mais dès son arrivée, d'étranges
phénomènes se succèdent dans
le village. Que manigance-t-il
exactement et d'où lui viennent
ses étranges pouvoirs ?
Laure, Quentin et toute la bande
ne sont pas au bout de leurs
surprises...
Une enquête à sensations pour
les héros de "Superman contre
CE2".
**

RAGEOT-ÉDITEUR
*Diffusion Hatier*

# Lire

*Objectifs*
Situer le lieu, les personnages d'un récit.
Rétablir la chronologie d'un récit.

## *Avant de lire*

◆ À ton avis, de quel genre de roman
s'agit-il ?

# En exil chez les sauvages (1)

Cette fois les Sages du Conseil vont croire que je me paie leur tête.

Mais aussi pourquoi ont-ils voulu m'envoyer en corvée de déchets sur le troisième anneau ?

Le troisième anneau est notre poubelle.

5 On y expédie les ordures de la planète
et de temps en temps quelqu'un doit
aller les trier ou récupérer des pièces
détachées devenues introuvables.
Ça pue, on circule dans une purée
10 de cochonneries verdâtres à moitié
décomposées qui vous dégoulinent dessus,
on se fait mordre par les amibis trop contents
de trouver un bout de fesse fraîche à se mettre
sous la dent, on attrape des boutons, et en plus on risque de se faire enlever
15 par des Bruzoriens camouflés derrière les vieilles carcasses de navettes.

La corvée du troisième anneau est réservée à ceux qui ont réussi à exaspérer
le Conseil des Sages. Comme moi.

– Insolent, irresponsable et paresseux, ont-ils décrété.

Ils exagèrent beaucoup. Je suis seulement un peu plus malin que les autres.

20 Leurs montagnes de consignes : prudence, contrôle de soi… finissent par me
donner de l'urticaire.

Un peu de sérieux, d'accord. Il en faut pour devenir chasseur intersidéral dans
la Garde Pourpre (mon rêve !), mais sans arrêt, c'est déprimant.

– Tu n'es pas tout à fait Sempicorien, pense Solon, mon chef de fratrie.

25 Quand ils t'ont fabriqué au laboratoire
de génétique, ils ont dû faire une erreur
de manipulation.

Sempicor est peut-être la planète idéale :
la plus sûre, la plus riche, la plus paisible.
30 Mais on y meurt d'ennui. Moi en tout cas.

Les seuls qui ont une vie amusante sont
les membres de la Garde Pourpre. Ils sont
chargés de la sécurité de Sempicor. Eux sont
autorisés à prendre des risques. Certains sont
35 basés sur la planète, d'autres circulent dans
tout le système de Simarion (notre soleil)
et même au-delà dans la galaxie. Ils protègent

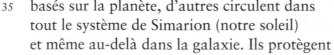

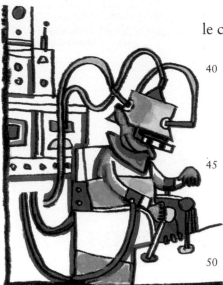

le convoi des vaisseaux marchands contre les pirates
de Bruzor. Ils portent des uniformes rouge
40  sombre et argent, et ont droit au matériel
le plus perfectionné.

Nous étions chargés, justement, de livrer deux
simulateurs de vol à leur centre d'entraînement :
dernier modèle, hypersensible, ultra-perfectionné,
45  à commande télépathique, spatio-temporel,
et tout… et tout.

Je n'ai pas résisté. Pendant qu'ils étaient
entreposés dans notre hangar, je me suis glissé
à l'intérieur d'une des cabines.

50  Les simulateurs reproduisent ce que vont
vivre les pilotes en mission. On est dans
la même situation : on voit les paysages,

les objectifs, les vaisseaux ennemis, comme s'ils étaient vrais. Nous nous exerçons
parfois sur de vieux modèles.

55  J'ai juste fait un petit tour : le temps de quitter l'atmosphère de Sempicor, de
longer prudemment Bruzor, et de jeter un coup d'œil à Ellora, la petite
planète des vacances. Un rêve ! Il faut croire que malgré mes précautions
j'ai déréglé quelque chose, car le pilote qui
s'en est servi après moi s'est trouvé bloqué
60  en - 40 000 solstènes, en pleine guerre
des tribus. On a eu un mal de chien
à le faire revenir et il a eu tellement
peur qu'on a dû le placer en caisson
de reconstitution.

65  C'est ainsi que j'ai récolté
la corvée du troisième anneau.

Catherine Missonnier,
*Extraterrestre appelle CM1*, « Cascade »,
Rageot Éditeur.

---

## *Après avoir lu*

### Le lieu, les personnages

◆ Où se passe cette histoire ? Que sait-on de cette planète ?
Quelle partie de la planète est décrite ?

◆ Quels sont les différents personnages ? Comment le héros est-il présenté ?

◆ Que peux-tu dire du caractère du héros ?

### L'histoire

◆ Qu'apprend-on dans ce début de récit ?

◆ Le héros est-il content de son sort ? Pourquoi ? Quel est son « rêve » ?

◆ Rétablis l'ordre dans lequel se sont passés les événements de ce début de récit.

# Lire

**Objectifs**
Se servir des éléments découverts
dans un premier texte pour comprendre la suite.
Reconnaître l'élément déclencheur de l'histoire.

## *Avant de lire*

◆ Quels personnages connais-tu déjà ?
◆ Qu'est-il arrivé au héros ?

# En exil chez les sauvages (2)

Et comme j'en ai assez de leurs punitions ridicules, j'ai décidé que je n'irai pas. J'ai trafiqué mon pulseur d'ozone et je suis devenu pâle et transparent comme si j'entrais en mue : chez nous on ne déplace jamais celui qui mue, ça pourrait le tuer.

Les mues sont des moments très importants de l'existence.

5  On s'endort doucement et on perd son enveloppe de peau
qui se dessèche et tombe, telle une coquille. Dessous on a
une belle peau bleu pâle toute neuve, qu'il faut protéger
un certain temps car elle est fragile. En abandonnant
notre vieille enveloppe, on y laisse aussi les traces des maladies,
10  des blessures, et de ses peines. On repart à neuf pour une nouvelle
étape de la vie.

Chaque fois que cela m'arrive, Solon espère que j'en sortirai assagi, débarrassé de mes défauts. Mais la mue n'a jamais eu cet effet sur moi. Je perds mes cicatrices, et je garde mon esprit rebelle.

15  Ils ont cru à mon histoire de mue pendant deux cyclons. Au troisième, ils ont eu des doutes, ils m'ont passé aux rayons gamma et se sont aperçus de la supercherie. J'étais de nouveau bon pour le conseil de discipline.

– Tu risques gros cette fois, s'inquiète Solon qui m'a accompagné.

Le Grand Statuor en personne a présidé la séance. Il est grave, plus encore que
20  d'ordinaire.

– Galanor, m'explique-t-il, tu nous poses un sérieux problème. Tu es un brillant apprenti pilote, tu montres des qualités certaines en radio-magnétisme mais tu te conduis de façon beaucoup trop irresponsable. Tu sais bien pourtant que si nous sommes devenus une planète puissante où il fait bon vivre
25  en paix, c'est parce que chacun de nous respecte
les règles de prudence et de sécurité.
Comme tu es jeune, tu peux encore
changer. Nous voulons que
tu comprennes les risques
30  que des comportements comme
le tien nous font courir
et que tu en voies de près
les conséquences catastrophiques.
Nous allons donc t'envoyer,
35  pour une bonne période,

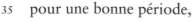

sur une planète encore préhistorique, où les habitants vivent comme nous
il y a 40 000 solstènes, sans égard pour leur univers, entrant en guerre au moindre
désaccord. Nous espérons qu'un séjour chez eux te mettra du plomb
dans la cervelle.

40    L'exil… voilà ce qu'ils ont trouvé dans leurs têtes de Sages. M'envoyer loin
de Solon, de ma fratrie, de mon entraînement de pilote, de Zémor mon instructeur.
Ce n'est pas parce que je passe mon temps à les critiquer que j'ai envie d'aller vivre
ailleurs, chez des sauvages en plus.

      – Elle se trouve où, cette planète ? dis-je, la mort dans l'âme.

45    – À environ huit mille solstènes-lumière d'ici, dans un coin assez vide
de la galaxie. Elle paraît bleue tant son atmosphère est épaisse et ses océans étendus.
Ses habitants l'appellent la Terre.

      Le laboratoire de génétique m'a un peu bricolé pour
me transformer en Terrien. Ils sont contents
50    de leur travail : il paraît que je suis très réussi.
J'ai gardé ma taille : 1 m 35 (en mesure terrienne),
j'ai des cheveux blonds bien raides qui me tombent
sur le nez, une peau rose (que je trouve affreuse),
des yeux noisette au regard malicieux, des genoux
55    écorchés et des dons de footballeur. Tout ce qu'il faut
pour passer pour un garçon de neuf ans ordinaire,
dans un village ordinaire (il s'appelle Montaigu), d'un pays
ordinaire (mais pas trop arriéré, m'a quand même promis
le Grand Statuor) de cette espèce de planète bleue perdue
60    à l'autre bout de la galaxie.

      Ils n'ont pas pu supprimer mes antennes.
Mais ils sont parvenus à les rendre rétractables. Elles forment deux petites bosses
sous mes cheveux, on s'en aperçoit à peine.

      Les consignes du Statuor sont formelles : rester là-bas deux solstènes (un an
65    terrien) sans perturber leur monde et surtout sans me faire remarquer.
Cette expérience doit aussi m'apprendre la discrétion.

      Je vais habiter dans une famille. Sur cette planète, les gens vivent en familles.
Ça doit être drôlement pesant d'avoir deux adultes qui vous surveillent
constamment. Déjà qu'un chef de fratrie pour douze me paraît beaucoup !
70    Cette famille comporte trois individus : oncle Gaspard, tante Lucie et le chien
Raspoutine.

Catherine Missonnier, *Extraterrestre appelle CM1*, « Cascade », Rageot Éditeur

## *Après avoir lu*

**Les personnages**
   ◆   Quel est le nom du héros ? Comment l'as-tu appris ?
   ◆   Quels sont les nouveaux personnages qui apparaissent, quel est leur rôle ?
   ◆   Quel passage permet de savoir que le héros ne sera pas un Terrien comme
       les autres ?

**L'histoire**
   ◆   Pourquoi le héros est-il passé une première fois devant le Conseil des Sages ?
       Pourquoi y est-il passé à nouveau ? Quelle va être sa sanction ?
   ◆   Où va se passer la suite du récit ?

# L i r e

*Objectifs*

Découvrir une nouvelle situation initiale.
Établir les relations entre les personnages.

## *Avant de lire*

À partir de ce que tu connais déjà de l'histoire, donne un titre à ce texte.

# En exil chez les sauvages (3)

Ils m'ont vu arriver un jour, accompagné d'une assistante sociale, car mes parents ont été tués dans un accident de voiture (ça arrive souvent dans ce pays), et moi par miracle j'ai survécu. En fait, j'ai pris la place du garçon disparu. Je m'appelle Bastien et tante Lucie est la sœur de ma mère qui est morte.

5    Tante Lucie est blonde, douce et triste parce qu'elle n'a pas pu avoir d'enfant. Elle me regarde comme un cadeau inespéré, qui lui fait briller les yeux, mais dont elle a un peu honte car elle croit que sans la mort de sa sœur je ne serais pas là… Si elle savait qu'elle doit mon arrivée à la corvée de déchets du troisième anneau, elle n'aurait plus honte du tout.

10    Oncle Gaspard est grand et large, il rit fort, il aime bien prendre l'apéritif et raconter des blagues. Mais il aime surtout tante Lucie : il la traite comme une poupée fragile et précieuse qu'il aurait peur de casser. Il n'en revient pas de me voir là, dans l'entrée, à côté de Raspoutine.

15     Lui, le chien, me tourne autour avec suspicion. Heureusement qu'il ne parle pas humain, parce que je suis sûr qu'il a flairé sur moi des molécules de Sempicor mal camouflées.

   Tante Lucie m'embrasse timidement. Quelle curieuse impression ! Un visage qui se rapproche du vôtre, des cheveux qui vous chatouillent, et l'odeur légère et parfumée de tante
20 Lucie qui vous pénètre dans les narines. Sur Sempicor, personne n'embrasse jamais personne. Pour quoi faire, puisque tout le monde estime tout le monde et que chacun le sait ? Il va falloir que je m'habitue à ces nouvelles coutumes…

25    Voilà, mon exil commence. Je vais vivre ici, avec ces gens, et aller à l'école, une institution bizarre. Sur cette planète, les individus mettent longtemps à mûrir : il faut qu'ils passent de longues années à apprendre avant de pouvoir servir à quelque chose.

   Chez nous, dès qu'il sait marcher, courir et nager, le petit Sempicorien est connecté sur les programmes de base, puis sur les spécialités de son choix. Après, il lui suffit
30 de s'entraîner et de s'exercer.

   Sur le monde où j'ai atterri, les enfants doivent étudier pendant quinze ans, c'est-à-dire trente solstènes. Leur existence ne doit pas être drôle !

Catherine Missonnier, *Extraterrestre appelle CM1*, « Cascade », Rageot Éditeur.

## *Après avoir lu*

◆ Quels sont les nouveaux personnages ? Présente-les.
◆ Qu'est devenu Galanor ? Dans quel monde va-t-il vivre désormais ?
◆ Quelles sont ses premières impressions en arrivant sur Terre ?

*Objectifs*
Apprendre à lire ou à dire un poème à voix haute.
Comprendre les images poétiques.

# Ballade à la Lune

C'était, dans la nuit brune,
Sur le clocher jauni,
La lune,
Comme un point sur un i.

5  Lune, quel esprit sombre
Promène au bout d'un fil,
Dans l'ombre,
Ta face et ton profil ?

N'es-tu rien qu'une boule ?
10  Qu'un grand faucheux bien gras
Qui roule
Sans pattes et sans bras ?

Est-ce un ver qui te ronge,
Quand ton disque noirci
15  S'allonge
En croissant rétréci ?

Qui t'avait éborgnée
L'autre nuit ? t'étais-tu
Cognée
20  À quelque arbre pointu ?

Je viens voir à la brune
Sur le clocher jauni,
La lune
Comme un point sur un i
Alfred de Musset.

# Chevauchée sidérale

À cheval sur ma fusée
Partons pour les galaxies
Cueillir des fleurs étoilées
Dans les nocturnes prairies.

5  Adieu, les maisons, les prés
L'HLM et le verger !

À cheval sur ma fusée
Partons sur les nébuleuses
Cueillir des pommes dorées
10  Dans les régions ténébreuses.

Adieu, l'école et l'hiver
La rue, le chemin de fer

À cheval sur ma fusée
Partons pour le fond du ciel
15  Cueillir la roue du soleil
Qui fabrique les années.

Georges Jean,
*Les plus beaux poèmes
pour les enfants,*
Le Cherche Midi Éditeur.

## Après avoir lu

### Ballade à la Lune

◆ À qui le poète s'adresse-t-il ?
◆ Quelles images poétiques le poète utilise-t-il pour parler de la lune ?
◆ Observe la ponctuation. Utilise-la pour lire le poème à voix haute.
◆ Recherche le ton qui pourra rendre amusant ce poème.

### Chevauchée sidérale

◆ Explique le titre du poème.
◆ Par quelles images le poète représente-t-il le ciel et les étoiles ?
◆ Compare les vers des deux poèmes, que remarques-tu ?
◆ Avec un camarade, imagine comment vous pourriez dire ce poème.

# ÉCRIRE

*Objectifs*
Imaginer la situation initiale d'un récit.
Savoir préciser le lieu et le temps.
Présenter les personnages.

# Écrire le début d'un récit

Lorsque tu lis un récit, il faut très vite que le début de l'histoire te donne envie de lire la suite. Pour cela, il faut que tu saches où l'histoire se passe, à quel moment, quels en sont les personnages.

## 1re étape *Cherchons ensemble*

◆ Relis le texte *En exil chez les sauvages (1)*, page 46.
As-tu des précisions sur le lieu où se passe l'histoire ?
Peux-tu dire quel est le personnage important de l'histoire ? Pourquoi ?
Peux-tu situer à quel moment se passe cette histoire ? Justifie ta réponse.
Explique, en une ou deux phrases, dans quelle situation se trouve le héros au début de l'histoire.

◆ Observe l'illustration ci-contre.
À quel moment de la journée et à quel endroit cette scène peut-elle se passer ?

◆ Quel personnage te semble être le héros : l'animal ou les humains ? Pourquoi ?
Imagine dans quelle situation il se trouve : pourquoi il est là, ce qu'il sent, ce qu'il voit, ce qu'il pense…

◆ Raconte le début de ton histoire. À quel temps vas-tu l'écrire ?
Combien de paragraphes vas-tu écrire ?

## À mon stylo

Écris maintenant l'histoire que tu as imaginée. Donne bien toutes les précisions qui concernent le lieu, le moment, les personnages.

## 2e étape *Pour améliorer mon texte, je vérifie les terminaisons des verbes*

### a) J'observe

Félix n'est pas sûr de la terminaison des verbes qu'il a utilisés : il a mis des parenthèses à la place.

### Une rencontre dangereuse

Cet après-midi-là, en revenant de la chasse,
Gara pass() devant une caverne. Il aperçoi()
une ombre : un gros ours brun !
Il compren() le danger car la bête le regard()
en grognant, la gueule ouverte, toutes griffes
dehors, prête à bondir. D'un mouvement lent,
le chasseur épaul() son fusil. Mais la bête agile…

Tous les verbes sont-ils au même temps ?
Quels sont ces temps ?
Où vas-tu trouver les terminaisons
que tu ne connais pas ? Où peux-tu trouver
les verbes qui ne sont pas dans les tableaux
pages 248 à 251 ?

### b) Je m'entraîne

◆ Recopie le texte de Félix en complétant les verbes. Souligne les verbes
après avoir vérifié leur terminaison.

◆ Mylène propose d'écrire le texte de Félix au passé composé. Propose-lui
une méthode qui lui permettra d'écrire sans erreur les verbes.
Écris le texte obtenu.

## 3ᵉ étape J'améliore mon texte

◆ Relis ton texte.
Compare ton texte avec celui d'un camarade. Quel est celui des deux
qui donne envie de lire l'histoire ? Pourquoi ?

◆ Mets ton texte au point.
Combien de paragraphes as-tu écrits ?
As-tu donné toutes les précisions sur les personnages, leur rôle,
la situation dans laquelle ils se trouvent ?
As-tu présenté le lieu, le moment où se passe l'histoire ?

◆ Recopie ton texte.
Si tu as utilisé des phrases à la forme négative, vérifie que tu as bien écrit
la négation.
As-tu mis correctement la ponctuation ?
As-tu écrit lisiblement ?
Vérifie dans un dictionnaire les mots dont tu n'es pas sûr.

## S'exercer
*pour mieux lire et mieux écrire*

**Objectifs**
Mettre à la forme négative.
Écrire la négation complète.

# La forme négative

## 1re étape *Cherchons ensemble*

◆ **Écris deux phrases à la forme négative.**
**Que sais-tu sur la forme négative ?**

◆ **Observe le texte suivant.**

On vit en paix sur cette planète, mais je m'y ennuie à mourir : je n'ai pas le droit de prendre des risques, il n'y a jamais de dangers, il n'y a rien d'imprévu. On m'envoie toujours en corvée de déchets sur le troisième anneau, mais je ne veux plus y aller.

Quelles sont les phrases du texte qui expliquent pourquoi le héros s'ennuie sur sa planète ?
Comment appelle-t-on la forme de ces phrases ?

◆ **Transforme les phrases en supprimant la négation.**

**a)** Ce chien ne savait pas aboyer.

**b)** N'as-tu pas peur dans le noir ?

**c)** Je n'ai jamais cru à son histoire.

**d)** N'écoutez plus ses conseils.

**e)** Qu'il ne revienne plus me voir, je n'ai rien à lui dire !

**f)** Ni Paul ni sa sœur ne sont revenus de vacances.

Quels mots as-tu supprimés ? Les as-tu remplacés par d'autres mots ? Lesquels ?

◆ **Transforme ces phrases pour dire le contraire.**

**a)** J'ai encore faim.

**b)** J'ai tout compris.

**c)** La maîtresse a toujours le sourire.

**d)** Elle a apporté son maillot de bain et sa serviette.

**e)** Souffle-moi la réponse.

Souligne les mots qui marquent la négation. Combien trouves-tu de mots différents ? Quelles remarques fais-tu sur la place de ces mots ?

---

### Je retiens

*J'ai le droit de prendre des risques. Je **n'**ai **pas** le droit de prendre des risques.*
La forme négative s'écrit le plus souvent avec deux mots qui encadrent le verbe.

Les formes de négation courantes sont : *ne… pas, ne… plus, ne… jamais, ne… rien.*
Il existe d'autres formes de négation : *ni… ni, ne… aucun.*

## 2ᵉ étape Je m'entraîne

**1. Recopie les phrases qui sont à la forme négative.**

### Le chien qui ne savait pas aboyer

Il était une fois un chien qui ne savait pas aboyer. Il n'aboyait pas, ne miaulait pas, ne mugissait pas, ne hennissait pas : il ne savait pousser aucun cri. Il était l'unique représentant de son espèce. Comment était-il arrivé dans ce village sans chien ? Il ne se serait pas aperçu qu'il avait un défaut, si on ne lui avait pas fait remarquer.

*D'après Gianni Rodari, Histoires à la courte paille.*

**2. Mets ces phrases à la forme négative en utilisant la négation qui convient.**

**a)** Sempicor est la planète la plus sûre, la plus riche, la plus paisible.

**b)** Il y a encore un moyen d'éviter la punition, dit Solon.

**c)** Tous ont cru à mon histoire de mue pendant deux cyclons.

**d)** Vous avez déjà décidé mon départ sur terre !

**e)** Il faut tout expliquer au Conseil des Sages.

**3. Corrige ces conseils pour en faire des conseils de prudence.**

### Quand je suis piéton

Pour traverser une rue, je ne regarde pas le feu. Je ne fais jamais attention aux panneaux. Je marche dans le caniveau. Je joue au ballon sur le trottoir. Je traverse toujours hors des passages protégés.

## 3ᵉ étape Je m'évalue .....................................................

**4. Recopie ce texte. Souligne les négations.**

Il y avait quinze jours qu'une goutte de pluie n'était pas tombée. Les parents disaient : « Il ne faudrait pas que ça dure encore longtemps ! Nous n'aurons pas assez de récolte, nous ne pourrons plus nourrir le bétail ! »

*D'après Marcel Aymé, Les Contes rouges du chat perché.*

*score sur 7*

**5. Transforme ces phrases pour dire le contraire.**

**a)** Il y a encore des retouches à faire pour être un Terrien réussi.

**b)** J'irai sur le troisième anneau.

**c)** Ma mue change tout ! elle efface mes cicatrices et je perds mon esprit rebelle.

**d)** Le conseil a déjà décidé de ma punition.

**e)** Galanor a désobéi aux règles de Sempicor.

*score sur 5*

**6. Écris des consignes pour respecter la propreté de ton école. Utilise la forme affirmative et la forme négative.**

*1 point par phrase*

# S'exercer

*pour mieux lire et mieux écrire*

*Objectifs*
Reconnaître la négation *n'* devant *en* et *y*.
Savoir l'écrire quand elle suit *on*.

# Écrire la négation

## 1re étape — *Cherchons ensemble*

◆ **Lis à voix haute le texte suivant.**
Dans le TGV, on n'entend rien. On n'imagine pas
qu'on est à 260 à l'heure.

Observe la façon dont tu lis les différents *on* et ce qui suit.
Que remarques-tu ? Remplace *on* par *il*. Que remarques-tu ?

◆ **Réponds à ces questions en utilisant la forme négative
(il y a plusieurs possibilités).**
As-tu mis du lait et du chocolat dans ton bol ?
Aimes-tu la natation et la marche à pied ?

◆ **Réponds à ces questions en utilisant d'abord la forme affirmative,
puis la forme négative.**
Vas-tu au cinéma ce soir ?
Y a-t-il un dessin animé à la télévision ?
Manges-tu des pop-corn à l'entracte ?

◆ **Réponds aux questions suivantes en utilisant
la forme négative, souligne la négation.**
Est-ce qu'on trouve beaucoup de restaurants
anglais en France ?
Prends-tu du thé et des œufs pour ton petit déjeuner ?
Préfères-tu alors les saucisses ?
Mange-t-on alors des harengs ?

### Je retiens

Il **n'**entend pas. Il **n'**y peut rien. Il **n'**en prend jamais.
Avant une voyelle, *ne* s'écrit **n'**. Il ne faut pas l'oublier, même si on ne l'entend pas.

## 2e étape — *Je m'entraîne*

1. **Remplace *il* par *on*. Souligne la négation.**
   a) Il aperçoit des satellites dans le ciel.
   b) Pour voir la lune, il n'a pas besoin de télescope.
   c) Il assiste en direct au lancement de la fusée.
   d) Il n'est jamais déçu.

**2.** **Réponds à ces questions en employant la forme négative.**

   **a)** Y a-t-il des habitants sur Saturne ?

   **b)** Les cosmonautes y vont-ils ?

   **c)** A-t-on découvert la vie sur Mars ?

**3.** **Monsieur Non répond toujours par la forme négative.**
**Écris les réponses qu'il fera à ces questions.**

   **a)** Voulez-vous une boisson ?

   **b)** Aimez-vous les chats et les chiens ?

   **c)** Avez-vous des amis ?

**4.** **Imagine un dialogue entre un jeune Britannique et un jeune Français.**
**Pose des questions et donne des réponses négatives.**

**3ᵉ étape** *Je m'évalue* ·····································································

**5.** **Complète les phrases suivantes en remplaçant**
**les pointillés par *on* ou *on n'*.**

   **a)** … a toujours besoin d'un plus petit que soi !

   **b)** … a pas toujours envie de manger à la cantine.

   **c)** Le matin … entend les oiseaux chanter.

   **d)** …. a jamais de neige le 14 Juillet.

*score sur 4*

**6.** **Mets ces phrases à la forme négative.**

   **a)** On entre sans frapper.

   **b)** Apportez vos livres et vos cahiers.

   **c)** J'ai trouvé un autobus ou un taxi.

   **d)** Allez-y en bateau.

   **e)** Prenez-en une deuxième tranche.

*score sur 5*

**7.** **En utilisant les négations que tu connais, explique à Galanor**
**devenu Terrien, ce qu'on doit éviter de faire à la cantine pour**
**ne pas être puni. Utilise des phrases avec le pronom sujet *on*.**

*1 point par phrase*

# Des yeux pour apprendre

Apprends ces mots en observant bien comment s'écrit chacun d'eux.
Entraîne-toi à bien les écrire.

| Texte p. 46 | | Texte p. 48 | Texte p. 50 | Poèmes p. 51 |
|---|---|---|---|---|
| un anneau | un hangar | là-bas | une consigne | un clocher |
| une corvée | un paysage | un apprenti | une expérience | un disque |
| paresseux | une précaution | ailleurs | un individu | sombre |
| un laboratoire | d'accord | l'univers | s'exercer | cueillir |
| réussir | envoyer | la maladie | autour | une prairie |

# S'exercer
*pour mieux lire et mieux écrire*

*Objectifs*
Utiliser les mots repères pour trouver
un mot dans un dictionnaire.
Choisir le bon dictionnaire.

# Les mots du dictionnaire

## 1re étape Cherchons ensemble

◆ **Ourda a ouvert son dictionnaire et les mots repères de sa double page sont :** *plan – plat*.
Ourda va-t-elle trouver les mots suivants dans la double page, avant ou après ?
planète – plaisir – planisphère – platine – plexiglas – planche – plastique – platane – plafond – plaire

|  | avant | dans la double page | après |
|---|---|---|---|
| planète plaisir… |  | X |  |

◆ **Relis les 15 premières lignes du texte** *En exil chez les sauvages*, **page 46. Sais-tu ce que sont les amibis ? Comment le sais-tu ?**

◆ **Tu vas chercher le mot** *amibis* **dans un dictionnaire.**
Trouve d'abord la double page dans laquelle doit figurer le mot *amibis*.
Quels sont les mots repères de cette double page ?
Cherche ensuite les deux mots entre lesquels doit se trouver *amibis*.
Quels sont-ils ?
Le mot *amibis* se trouve-t-il dans ton dictionnaire ?

◆ **Que signifie intersidéral ? Se trouve-t-il dans ton dictionnaire ? Si non, se trouve-t-il dans un autre dictionnaire de la classe ?**

◆ **Y a-t-il d'autres mots du texte de la page 46 que tu ne connais pas ou dont tu ignores le sens exact et qui ne sont pas dans ton dictionnaire ?**
Fais-en la liste. Cherche-les dans différents dictionnaires et classe-les selon qu'il s'agit de mots inventés ou non.

### Je retiens

Quand je cherche un mot dans un dictionnaire, j'utilise les mots repères.
Si le mot ne se trouve pas dans un petit dictionnaire, il peut se trouver dans un autre plus important.

Certains mots ne sont dans aucun dictionnaire.
Ce sont des mots inventés. On peut souvent les comprendre par leur contexte.

## Je m'entraîne

**2e étape**

1. **Cherche dans un dictionnaire entre quels mots repères (ou quelles lettres repères) se trouvent les mots suivants.**
   mue – ozone – instructeur

2. **À ton avis, que désignent les expressions suivantes ?**
   des rayons gamma – un pulseur d'ozone – un solstène – un Sempicorien

3. **Cherche les mots suivants dans un dictionnaire et recopie un exemple.**
   irresponsable – galaxie – simulateur – atmosphère

4. **La planète Sempicor est entourée de plusieurs autres planètes. Invente-leur un nom et trouve celui de leurs habitants.**

## Je m'évalue

**3e étape**

5. **Cherche les mots suivants dans un dictionnaire. Indique entre quels mots repères ils se trouvent. S'ils ne sont pas dans ton dictionnaire, écris entre quels mots ils devraient se trouver.**
   corvée – suspicion – molécule – connecter

   *score sur 4*

6. **Les mots repères d'une double page sont *suite – supercherie*. Recopie le tableau de la page 58 et indique si les mots suivants sont dans la double page, avant ou après.**
   sultan – sueur – supersonique – succès – succulent – sujet

   *score sur 6*

7. **Fais une liste de mots qui font penser à la science-fiction. Emploie-les dans une courte phrase.**

   *1 point par mot*

# S'exercer

*pour mieux lire et mieux écrire*

*Objectifs*
Reconnaître les verbes du 2e groupe
et quelques verbes du 3e groupe.
Savoir les conjuguer au présent de l'indicatif.

# Le présent de l'indicatif (3)

## 1re étape *Cherchons ensemble*

◆ **Lis le texte suivant.**

Je ne suis pas assez sage : je franchis les limites
de la galaxie et je prends des risques. Le Conseil
des Sages me promet alors une belle punition :
je pars pour la corvée des déchets. J'ai horreur
de ça : on descend au milieu d'un tas d'ordures
qui pourrit, ça sent mauvais, c'est sale.
Je ne veux pas y aller.

Relève les verbes conjugués. À quel temps ces verbes sont-ils conjugués ?
Trouve l'infinitif des verbes et classe-les dans un tableau selon leur groupe.
Comment reconnais-tu les verbes du 2e groupe ?

◆ **Recopie ton tableau en écrivant tous ces verbes à la 1re personne
du singulier au présent de l'indicatif. Aide-toi du tableau
d'un dictionnaire. Observe les terminaisons. Que constates-tu ?**

◆ **Reprends ton tableau et écris maintenant les verbes à la 3e personne
du singulier puis à la 3e personne du pluriel.
Observe les terminaisons. Que constates-tu ?**

◆ **Cherche dans un dictionnaire les verbes *grandir* et *partir*.
Quelles indications trouves-tu ?**

◆ **Tu veux expliquer comment tu te prépares à une course d'obstacles.**
Pour cela, utilise les expressions suivantes en conjuguant les verbes
à la 1re personne au présent de l'indicatif : *franchir des obstacles,
prendre son temps, vouloir gagner.*
Recopie ton texte en mettant les verbes à la 3e personne du singulier
du présent de l'indicatif.

---

## Je retiens

*Je franchis, ils punissent.*
Les verbes du 2e groupe se conjuguent comme le verbe *finir*. Les terminaisons
du présent de l'indicatif sont : *-s, -s -t, -ons, -ez, -ent.*

*Je veux, je sens, il sent, il prend.*
Les verbes du 3e groupe ont des terminaisons différentes au singulier du présent
de l'indicatif.

Les tableaux de conjugaison pages 248 à 251 donnent les verbes les plus courants.
Pour vérifier les autres verbes irréguliers, il faut se servir d'un dictionnaire.

## 2ᵉ étape Je m'entraîne

**1.** **Écris un sujet qui convient dans les phrases suivantes.**

   **a)** … remplis mon verre d'eau.

   **b)** … vient avec moi au cinéma.

   **c)** … court en forêt tous les soirs.

   **d)** … peux aller en récréation.

   **e)** … met toujours le même gilet.

   **f)** … garnissons les paniers.

**2.** **Écris ce texte au présent.**
   Le grand Statuor m'a dit : « Tu savais que nous étions une planète puissante où il faisait bon vivre. Je pensais que tu pouvais encore changer. Tu devais comprendre les risques de tes sottises.
   Nous t'avons puni en t'envoyant sur la Terre ».

**3.** **Écris les phrases suivantes au singulier.**

   **a)** Nous allons au judo.

   **b)** Ces garçons croient être les plus forts.

   **c)** Vous prenez le bus à huit heures.

   **d)** Les fruits mûrissent au soleil.

   **e)** Nous agissons toujours avec réflexion.

   **f)** Nous faisons nos devoirs.

**4.** **En employant les verbes suivants, explique comment tu t'y prends pour choisir un livre :** *choisir, lire, prendre, regarder.*

## 3ᵉ étape Je m'évalue ·······················································

**5.** **Écris les trois personnes du singulier des verbes suivants au présent de l'indicatif.**
   écrire – rougir – comprendre – vouloir – saisir – promettre

*score sur 18*

**6.** **Écris ce texte au présent.**
   Boggis, Bunce et Bean savaient très bien ce qui se passait et cela les rendait fous de rage. C'est pourquoi toutes les nuits chacun prenait son fusil de chasse et se cachait dans un recoin sombre de la ferme, mais Maître Renard sentait de très loin leur odeur.

*score sur 6*

**7.** **Explique comment tu joues à un jeu que tu aimes bien. Souligne les verbes du 2ᵉ et du 3ᵉ groupe.**

*1 point par verbe*

# Mon bilan

Tout au long de ce chapitre, tu as fait de nombreux apprentissages. Tu peux maintenant faire ton bilan.

Sur ton cahier, recopie le numéro des différentes compétences ci-dessous et écris à chaque fois : *oui, pas toujours* ou *pas encore*.

## Je suis capable :

1. de rétablir l'ordre des événements d'un récit ;
2. de reconnaître l'événement qui va déclencher l'histoire ;
3. de découvrir la situation initiale d'un récit ;
4. de reconnaître et comprendre une image poétique ;
5. d'imaginer la situation initiale d'un récit ;
6. de reconnaître et d'écrire correctement une phrase à la forme négative ;
7. de reconnaître quand il faut écrire *n'* dans une négation ;
8. d'écrire sans erreur les 25 mots de la page 57 ;
9. de trouver rapidement un mot dans le dictionnaire ;
10. de conjuguer des verbes courants des 2e et 3e groupes à toutes les personnes au présent de l'indicatif.

# Je vais plus loin

Voici cinq romans que les enfants de CM1 aiment lire :
*Les Aventures d'un chien perdu*, Dagmar Gatin, coll. « Cascade », Rageot.
*SOS grands-pères*, Anne-Marie Desplat-Duc, coll. « Cadet », Le Livre de poche Jeunesse, Hachette.
*P.P. Cul-vert détective privé*, Jean-Philippe Arrou-Vignod, « Folio junior », Gallimard.
*Les Mange-Forêts*, Kim Aldany, coll. « Pleine lune », Nathan.
*Le Mystère de la grange aux loups*, Catherine Missonier, collection Zanzibar, Milan.

Essaie de lire ces romans en six semaines. Choisis celui que tu as préféré ou qui t'a le moins plu. Organise un débat avec tes camarades pour en parler.

## Pour préparer un débat :

◆ je m'entraîne à présenter l'histoire en quelques phrases,
◆ je cherche les idées importantes de l'histoire (elle traite de la valeur de l'amitié, de la réalité d'une aventure, d'un récit de science-fiction, d'une enquête policière, d'histoires de famille…),
◆ je donne mon avis et je présente mes arguments,
◆ je choisis un passage que j'ai aimé ou détesté afin de le lire à mes camarades,
◆ pour retrouver ce passage, je n'oublie pas de faire un repère dans mon livre avec un marque-page.

# 4 *Lire des affiches*

Lire des images avec leur texte.

Apprenez-leur le caniveau avant qu'il ne soit trottoir !

*Sartrouville propre*

Ne tuons pas la forêt une seconde fois ! Récupérons le papier

Rien ne se perd, tout se transforme

Ayez le réflexe déchetterie
Déchets verts, gravats, ferrailles peuvent être déposés gratuitement 7 jours sur 7 de 10h à 18h (jusqu'à 20h de Juin à Septembre). Réservé aux particuliers.
*Azur*, rue du Chemin-Vert, Argenteuil. Tél. : 30 25 23 15

Pour la sécurité de tous **ouvre l'œil**

Même les enfants qui se taisent, ont quelque chose à dire
FONDATION POUR L'ENFANCE

**SAC A SAPIN**
■ Décore le pied du sapin !
■ Protège le sol des aiguilles !
■ Emballe le sapin à jeter après Noël !
25F dont 10F

# Lire

**Objectifs**
Interpréter l'image.
Mettre en relation écrit et image.

A

**Apprenez-leur le caniveau avant qu'il ne soit trottoir !**

B

**Ne tuons pas la forêt une seconde fois ! Récupérons le papier**

# Rien ne se perd, tout se transforme

## Ayez le réflexe déchetterie

**Déchets verts, gravats, ferrailles peuvent être déposés gratuitement 7 jours sur 7 de 10h à 18h (jusqu'à 20h de Juin à Septembre). Réservé aux particuliers.**

**Azur**, rue du Chemin-Vert, Argenteuil. Tél. : **30 25 23 15**

*Sartrouville*

---

## *Après avoir lu*

### Affiche A

◆ Cache le texte. Décris l'image, dis ce qu'elle signifie pour toi.

◆ À qui s'adresse le texte de cette affiche ? Explique ta réponse.

◆ Où les chiens font-ils leurs besoins en ville ?
Relis le texte ; explique le lien entre l'écrit et l'image.

### Affiche B

◆ Qu'est-ce qui est représenté sur cette affiche ?
Relis le texte et explique le lien entre l'écrit et l'image.

### Affiche C

◆ Comment comprends-tu la phrase : « Rien ne se perd, tout se transforme » ?

◆ Où peut-on déposer les détritus ? Comment appelle-t-on ce lieu ?

### À propos des trois affiches

◆ À quoi servent ces affiches ?

◆ Sur les murs de quelle ville ces affiches ont-elles été placardées ?
Quelles sont les couleurs employées pour le logo ?
À quoi te font penser ces couleurs ?

◆ Quelle affiche te semble la plus amusante ? Pourquoi ?

◆ Quelle affiche peut faire penser à un conte ? Lequel ?

◆ Relis attentivement ces affiches. Donne un titre à cette campagne d'affichage.

# Lire

**Objectifs**

Trouver à qui s'adresse une affiche.
Émettre des hypothèses, les vérifier.

Affiche éditée dans le cadre du plan « Vigie-Pirate » à la suite d'une série d'attentats dans plusieurs grandes villes de France.

## *Après avoir lu*

◆ Qui a fait éditer cette affiche ? À quoi sert-elle ?

◆ Où pourrais-tu voir cette affiche ? Quels signes, quels indices te permettent de faire ces suppositions ?

◆ Que veut dire l'expression « Ouvre l'œil » ?

*Objectifs*
Trouver la fonction d'une affiche.
Interpréter l'image.

FONDATION
POUR
L'ENFANCE

# Même les enfants qui se taisent ont quelque chose à dire

FONDATION
POUR
L'ENFANCE

17, rue Castagnary - 75015 Paris
Tél. (33) 01 53 68 16 50 - Fax (33) 01 53 68 16 59
3615 Enfance

## *Après avoir lu*

- ◆ Regarde la photo. Que signifie-t-elle pour toi ?
- ◆ Que peut-il avoir à dire ?
- ◆ Qui a fait éditer cette affiche ? À qui s'adresse-t-elle ?
  Quelle est son utilité ?

*Objectif*
Observer le rôle des couleurs.
Comprendre un texte argumentatif.

## Qu'est-ce qui est pratique et malin ?

- **Qui décore le pied du sapin de Noël ?**

- **Qui protège le sol des aiguilles ?**

- **Qui emballe le sapin à jeter après Noël ?**

- **Et qui permet de redonner le sourire aux enfants handicapés ?**

SAC À SAPIN

■ Décore le pied du sapin !

■ Protège le sol des aiguilles !

■ Emballe le sapin à jeter après Noël !

25F dont 10F au profit des enfants handicapés avec HANDICAP INTERNATIONAL

Couleur OR

Grande taille : hauteur 2 m x largeur 1,36 m.

## C'est LE SAC À SAPIN

### *Mais c'est plus encore !*

**Quand on achète un Sac à Sapin 25F, 10F sont reversés à Handicap International pour l'aider dans le financement de ses actions en faveur des enfants handicapés, sur le terrain et en France.**

*Le Sac à Sapin, c'est le produit utile et solidaire de la fin d'année.*

Pour tout renseignement : Handicap International
14, avenue Berthelot – 69381 Lyon Cedex 07.

## Après avoir lu

◆ Observe les images, leurs couleurs ; qu'évoquent-elles ? Est-ce important ?

◆ En quoi le sac est-il utile à celui qui l'achète ? Quel autre raison nous donne-t-on d'acheter cet objet ?

◆ Quel est le sens du mot *solidaire* ? Quel est le rôle de l'association Handicap International ?

*Objectif*
Observer des procédés poétiques :
jeux de mots, impératif pour suggérer.

# Odile

Odile rêve au bord de l'île,
Lorsqu'un crocodile surgit ;
Odile a peur du crocodile
Et, lui évitant un «ci-gît »,
5   Le crocodile croque Odile.

Caï raconte ce roman,
Mais sans doute Caï l'invente,
Odile alors serait vivante
Et, dans ce cas-là, Caï ment.

10   Un autre ami d'Odile, Alligue,
Pour faire croire à cette mort,
Se démène, paye et intrigue,
D'aucuns disent qu'Alligue a tort.

Jean Cocteau, *Le Potomak*, Stock.

# Recette

Prenez un toit de vieilles tuiles
Un peu avant midi.
Placez tout à côté
Un tilleul déjà grand
5   Remué par le vent.
Mettez au-dessus d'eux
Un ciel de bleu lavé
Par les nuages blancs.
Laissez-les faire.
10   Regardez-les.

Guillevic, *Avec*, Gallimard.

## Après avoir lu

**Odile**

◆   Comment le poète fait-il sourire ? Quel procédé utilise-t-il ?
◆   Dans le slogan de quelle affiche joue-t-on aussi avec les mots ?

**Recette**

◆   Imagine le paysage décrit par le poète et dessine-le (pense à la lumière particulière, à la couleur des tuiles, au vent, au ciel…).
◆   Où pourrais-tu te situer pour voir tout cela ?
◆   À ton avis, pourquoi ce poème a-t-il pour titre *Recette* ?

# Écrire

**Objectifs**
Associer un slogan et une affiche.
Jouer avec les mots.

# Créer une affiche

Tu as découvert pages 64 et 65 différentes affiches sur l'environnement.
À ton tour, tu vas créer une affiche pour faire connaître l'une des règles de vie
à respecter dans la classe.

## 1re étape Cherchons ensemble

◆ Dresse la liste des règles de vie de ta classe : à quoi faut-il faire attention
en classe ? Que faut-il respecter ? Qu'est-ce qui est autorisé ?
Qu'est-ce qui est interdit ?

◆ Mets ta liste en commun avec tes camarades. Établissez ensemble
la liste des règles de vie de la classe. Évitez les phrases négatives.

## À mon stylo

Choisis une des règles de la liste. Fais-en un slogan. Pour illustrer
ton slogan, réalise un dessin amusant ou colle des photos
que tu découperas dans des catalogues, des magazines…

## 2e étape Pour améliorer mon texte, j'écris un slogan

a) J'observe

◆ Relis les affiches pages 64-65. Quels sont les slogans ?
À quoi les reconnais-tu ?

◆ Dans chaque slogan relève les verbes. À quel mode la plupart d'entre eux
sont-ils conjugués ? Pourquoi les publicitaires ont-ils employé ce mode ?

◆ Comment expliques-tu le choix du publicitaire
pour illustrer le slogan de l'affiche B ?

◆ Lis les slogans suivants.
« Ayez de la cervelle ! Shootez vos papiers dans la poubelle ! »
Marc

« N'en faites pas tout un  »
Marine

Avec quels mots Marc joue-t-il ? Pourquoi le slogan
de Marine est-il amusant ?

## b) Je m'entraîne

◆ Trouve pour chacune des règles suivantes un slogan soit en faisant des rimes, soit en jouant sur les différents sens d'un mot. Écris tes slogans à l'impératif.

Prendre soin des plantes.

Jeter les papiers dans les poubelles.

Éviter les bagarres.

Descendre les escaliers sans courir.

Se déplacer calmement dans les couloirs.

Se ranger dès que la sonnerie retentit.

# 3ᵉ étape J'améliore mon texte

◆ Relis ton texte.
Ton slogan correspond-il bien à une règle de vie ?
As-tu trouvé un slogan avec un jeu de mots ou avec une rime ?

◆ Mets ton texte au point.
Vérifie que tu as bien utilisé l'impératif et que tu bien mis la ponctuation.

◆ Recopie ton texte en pensant à la place de ton dessin ou de tes photos.
Pense à écrire suffisamment gros pour que ton slogan puisse être lu de loin.

# S'exercer
*pour mieux lire et mieux écrire*

*Objectifs*
Reconnaître et utiliser les phrases interrogatives.
Distinguer forme orale et forme écrite
de l'interrogation.

# La forme interrogative

## 1<sup>re</sup> étape *Cherchons ensemble*

◆ **Écris trois questions que tu aimerais poser
au maire de ta ville.**

◆ **Lis les questions suivantes que des CM1 ont préparées pour leur enquête
auprès des enfants élus à un conseil municipal junior.**
– Comment fonctionne le conseil municipal junior ?
– Où les réunions ont-elles lieu ?
– Sont-elles régulières ?
– L'élection aura-t-elle lieu à la mairie ?
– Est-ce que tous les enfants de l'école votent ?

Observe toutes ces phrases écrites. Quel est leur point commun à l'écrit ?
Lis-les à voix haute. Quel est leur point commun à l'oral ?

◆ **Observe la question suivante. Lis-là à voix haute.**
– Le maire participe à ces réunions ?

Comment reconnais-tu à l'écrit que c'est une question ? et à l'oral ?
Remplace le point d'interrogation par un point. Que remarques-tu ?
À quelle occasion rencontres-tu le plus souvent ce type de questions ?

◆ **Recopie les questions de l'enquête en soulignant le sujet
et en écrivant *V* sous le verbe.**

Que remarques-tu sur le nombre de sujets ? et sur leur place ?
Dans la deuxième question, remplace *les réunions* par *la réunion*.
Que remarques-tu ?

◆ **Parmi les questions ci-dessus, lesquelles commencent par un mot
interrogatif ? Connais-tu d'autres mots interrogatifs ?**

◆ **Recopie les questions pour le maire de ta ville en les rectifiant
si nécessaire pour qu'elles soient correctes.**

---

## Je retiens

*Où les réunions ont-elles lieu ? Sont-elles régulières ?*
Une phrase qui pose une question est une phrase interrogative.

*Est-ce que les enfants votent ? Le maire participe aux réunions ?*
Certains types de questions sont plus fréquents à l'oral. Parfois seule l'intonation
montante signale qu'il s'agit d'une phrase interrogative.

À l'écrit, la phrase interrogative :
– se termine toujours par un point d'interrogation ;
– est construite avec un sujet inversé ou repris ;
– peut commencer par un mot interrogatif : *comment, où, que, quel, qui...*

## 2e étape Je m'entraîne

1. **Transforme ces phrases en questions.**

   a) Vanessa participe aux élections.

   b) Cette classe fait souvent de l'éducation civique.

   c) Elle proposera des règles de vie pour la classe et pour l'école.

2. **Écris des phrases interrogatives dans lesquelles le groupe sujet sera repris par le pronom qui convient.**
   Exemple : Le chien aboie → Le chien aboie-t-il ?

   a) La classe reçoit le Journal des enfants.

   b) À la cantine, Laure a mangé du poisson.

   c) De la classe, les élèves entendent les trains.

3. **Trouve une autre façon de poser ces questions sans employer *Est-ce que*.**

   a) Est-ce qu'il y a un conseil municipal junior dans ta ville ?

   b) Est-ce que ta classe travaille avec la télévision ?

   c) Est-ce que tu as participé au concours de la Prévention Routière ?

4. **Pose la question qui permet d'obtenir le renseignement écrit en gras.**
   Exemple : Mon voisin s'appelle **Auguste**. → Comment s'appelle ton voisin ?

   a) Je vérifie les terminaisons dans **les tableaux de conjugaison**.

   b) Nous voulons **un magnétoscope** pour la classe.

   c) **L'instituteur** emmène les CM1 au cinéma.

## 3e étape Je m'évalue ....................................................................

5. **Parmi les phrases suivantes, recopie uniquement les phrases interrogatives.**

   a) Dans l'école, il n'y a ni Anglais ni Américains.

   b) Lui arrive-t-il de parler fort ?

   c) Ma mère ne mange jamais beaucoup.

   d) Quand fais-tu du vélo ?

   e) Avez-vous des rhumatismes ?

   *score sur 5*

6. **Transforme les questions suivantes en supprimant *Est-ce que*.**
   **Pour cela, emploie un pronom qui reprend le sujet.**
   Exemple : Est-ce qu'Olivia avait dompté son chat ?
   → Olivia avait-elle dompté son chat ?

   a) Est-ce qu'Alice prêtera ce roman à ma mère ?

   b) Est-ce que Romain a bien vu un ours brun ?

   c) Est-ce que les filles peuvent jouer au football ?

   *score sur 3*

7. **Écris les questions que tu aimerais poser à un astronaute.**

   *1 point par question*

# S'exercer
*pour mieux lire et mieux écrire*

Objectifs
Accorder verbe et sujet inversé.
Utiliser le trait d'union et le *-t-* dans l'interrogation.
Accorder *quel*.

# Écrire les phrases interrogatives

## 1re étape Cherchons ensemble

◆ **Recopie les questions suivantes.**

Que fait cet hippopotame ?
Qu'as-tu fait de tes bouteilles vides ?
Comment respecterez-vous ces conseils ?
Combien d'arbres sauverons-nous ?

Souligne le verbe et son sujet. Où se trouve le sujet par rapport au verbe ?
Que remarques-tu ? Que dois-tu chercher pour écrire correctement le verbe ?

◆ **Observe le texte suivant. Quel signe trouves-tu entre le verbe et le sujet ?**

Les Sempicoriens condamnent-ils Galanor ? Savent-ils ce que Galanor fera sur Terre ? Ont-ils imaginé les aventures qu'il va y vivre ?

Recopie le texte en remplaçant *les Sempicoriens* par *cette Sempicorienne*. Quels changements as-tu fait ? Pourquoi ? Que peux-tu en conclure sur la présence du *-t-* dans les questions ?

◆ **Lis les questions suivantes et relève le mot interrogatif.**

Quelle atmosphère Galanor quitte-t-il ?
Quels sont les moments importants de la vie des Sempicoriens ?
Quel personnage préside le conseil de discipline ?
Quelles décisions les sages ont-ils prises ?

Observe ce mot interrogatif. A-t-il toujours sous la même forme ? Pourquoi ?

---

### Je retiens

*Où se trouv**e** <u>cette déchetterie</u> ?* – *Où se trouv**ent** <u>ces déchetteries</u> ?*
Le verbe s'accorde avec son sujet. Attention au sujet inversé.

*Combien d'arbres sauverons-nous ?*
Je dois mettre un trait d'union entre le verbe et le pronom sujet inversé.

*A-**t**-il imaginé ses aventures ? Condamne-**t**-elle Galanor ?*
Quand les pronoms sujets *il, elle, on* sont placés après un verbe terminé par une voyelle, je dois écrire *-t-* pour faciliter la prononciation.

***Quelles** <u>décisions</u> les sages ont-ils prises ?*
*Quel* s'accorde avec le nom qu'il accompagne.

## 2ᵉ étape Je m'entraîne

**1.** Recopie les questions suivantes en remplaçant le sujet donné par *elle*.

   **a)** Sommes-nous dans la même situation ?

   **b)** Quittent-ils souvent leur planète ?

   **c)** Ont-ils eu des doutes ?

**2.** Recopie les questions suivantes en les complétant par *quel*.
Trace une flèche entre *quel* et le nom qu'il accompagne.
Fais les accords nécessaires.

   **a)** … sauvages Galanor va-t-il rencontrer ?  **c)** … est la sanction ?

   **b)** … est l'espoir des sages ?  **d)** … sont les consignes de Statuor ?

**3.** Une de tes camarades a quitté l'école. Écris les questions que
tu aimerais poser à ses parents pour savoir ce qu'elle fait maintenant.

## 3ᵉ étape Je m'évalue ·······················································

**4.** Recopie ces phrases en mettant les verbes entre parenthèses
au présent de l'indicatif. Attention au *-t-* possible.

   **a)** Les sages (croire) ils à son histoire de mue ?

   **b)** Ta sœur (trouver) elle ce roman trop long ?

   **c)** Cet enfant (grandir) il encore ?

**5.** Recopie les questions suivantes en les complétant par *quel*.
Trace une flèche entre *quel* et le nom qu'il accompagne.
Fais les accords nécessaires.

   **a)** … jour iras-tu au marché ?

   **b)** … chevaux galopent aujourd'hui ?

   **c)** … connaissances as-tu acquises au cours de ce stage ?

**6.** Remplace le sujet par *il* ou *elle*.

   **a)** Sentez-vous comme cela est parfumé ?

   **b)** As-tu compris cet exemple ?

   **c)** Demandent-elles leur chemin ?

*score sur 3*

# Des yeux pour apprendre

Apprends ces mots en observant bien comment s'écrit chacun d'eux.
Entraîne-toi à bien les écrire.

| Affiches p. 64 | Affiche p. 66 | Affiche p. 67 | Affiches p. 68 | Poèmes p. 69 |
|---|---|---|---|---|
| apprendre | la sécurité | la fondation | protéger | à côté |
| le trottoir | abandonner | même | une aiguille | vieux, vieille |
| transformer | un objet | se taire | le terrain | une tuile |
| avant | devant | quelque chose | un produit | le ciel |
| perdre | ouvrir | l'enfance | en faveur de | eux |

# Sens propre et sens figuré

## 1<sup>re</sup> étape *Cherchons ensemble*

◆ **Compare ces deux expressions :**
Ouvrir une porte. Mettre quelqu'un à la porte.
Le mot *porte* est-il employé dans le même sens ?

◆ **Cherche sur l'extrait de dictionnaire ci-contre ce qu'est un réflexe.**
Lorsque tu reçois un ballon près du visage, fermes-tu les yeux ? Cite quelques autres mouvements réflexes, au sens propre.
Que signifie précisément *Ayez le réflexe déchetterie* ?
Parmi les phrases suivantes, laquelle a le sens le plus proche ?
**a)** Triez vos déchets.
**b)** Les ferrailles, hop, à la déchetterie.
**c)** Les poubelles, ce n'est pas fait pour les produits toxiques.
Invente un autre slogan pour dire la même chose, sans utiliser le mot *réflexe*.
Que signifie dans ce slogan le mot *réflexe* ? Trouves-tu ce sens dans un dictionnaire ?

> **réflexe** n.m. : **1** Réaction involontaire et automatique. *Le médecin percute le genou pour vérifier les réflexes du patient.* **2** Réaction spontanée à une situation nouvelle. *Avoir de bons réflexes au volant.*

◆ **Lis ce slogan d'un grand magasin :**
Les yeux fermés, j'achète tout au Printemps.
Comment le comprends-tu ? Que signifie ici l'expression *Les yeux fermés* ?

◆ **Invente à ton tour des slogans en utilisant les expressions suivantes.**
Partez du bon pied. – Ouvrez l'œil. – La main verte.

◆ **Explique les expressions soulignées (tu peux te servir d'un dictionnaire).**
**a)** <u>À vue de nez</u>, il mesure un mètre quatre-vingts.
**b)** Cette enfant mène ses parents <u>par le bout du nez</u>.
**c)** Si elle <u>met son nez</u> dans mes affaires, ça ira mal !
**d)** Tu ne vois <u>pas plus loin que le bout de ton nez</u>.
Cherche d'autres expressions où le mot *nez* est employé au sens figuré.

## Je retiens

*Saigner du **nez**. – À vue de **nez**.*
Les mots peuvent avoir plusieurs sens :
– au sens propre, ils décrivent une situation concrète, réelle ;
– au sens figuré, ils font une comparaison avec la réalité.
C'est le texte qui entoure le mot ou l'expression qui permet de comprendre dans quel sens il est employé.

## 2ᵉ étape Je m'entraîne

**1. Explique le sens des expressions soulignées.**
Sauve ta vie, <u>lève le pied.</u>
Je l'attends <u>de pied ferme.</u>
Il est tombé dans le piège <u>à pieds joints.</u>
J'ai pourtant fait <u>des pieds et des mains.</u>
Il a <u>mis les pieds dans le plat.</u>
Il ne sortira d'ici que <u>les pieds devant.</u>
Je ne me laisserai pas <u>marcher sur les pieds.</u>
Cherche d'autres expressions qui utilisent le mot *pied* au sens figuré.

**2. Cherche des expressions avec les mots *main, tête, dos* pris au sens figuré.**

**3. Invente un slogan pour une campagne publicitaire (pour la sécurité routière, la promotion du sport, la prévention des accidents domestiques…) en utilisant l'une des expressions de l'exercice 2.**

**4. Cherche des expressions figurées avec des noms d'animaux** *(chat, chien, oiseau, carpe, loup…).*

## 3ᵉ étape Je m'évalue ................................................

**5. Copie ce texte, souligne les expressions au sens figuré.**

**a)** Les Sages vont croire que je me paie leur tête, mais tant pis.

**b)** Leurs montagnes de consignes : prudence, contrôle de soi… finissent par me donner de l'urticaire.

**c)** Le pilote a eu un mal de chien à revenir sur Sempicor après mon excursion.

**d)** Ils espèrent qu'un séjour sur la Terre me mettra un peu de plomb dans la cervelle.

*score sur 5*

**6. Remplace les expressions soulignées par une autre de sens voisin.**
Ce pauvre garçon a <u>perdu la tête</u>, il a <u>fait main basse</u> sur les bijoux puis il a <u>pris ses jambes à son cou</u>. Il n'y avait <u>pas un chat</u> dans le musée, mais le gardien <u>avait l'œil</u>, et il l'a <u>pris la main dans le sac</u> à la sortie.

*score sur 6*

**7. Invente des slogans en rapport avec la vie de l'école à partir des expressions suivantes :**
appétit d'oiseau – garder la tête froide – marcher sur les pieds.

*score sur 3*

S'exercer

*pour mieux lire et mieux écrire*

*Objectifs*

Découvrir les caractéristiques
du mode impératif.
Savoir l'employer au présent.

# Le présent de l'impératif

## 1<sup>re</sup> étape *Cherchons ensemble*

◆ **Relis les textes des affiches pages 64 et 65. Classe-les selon qu'elles donnent des ordres, des conseils ou des interdictions.**

◆ **Lis silencieusement l'étrange recette de Guillevic, page 69.**
Sur ton cahier, trace quatre colonnes (A, B, C, D). Dans la colonne B, note les verbes conjugués. Dans la colonne A, écris l'infinitif de chacun d'eux. À qui s'adresse Guillevic ? Comment s'exprime-t-il ? À quelle personne ces verbes sont-ils conjugués ?

◆ **Relis ce poème à haute voix en imaginant :**
**a)** que tu t'adresses à un autre enfant. À quelle personne les verbes sont-ils conjugués ? Note-les dans la colonne C.
**b)** que tu parles au nom d'un groupe dont tu fais partie. À quelle personne les verbes sont-ils conjugués ? Note-les dans la colonne D.
**c)** que tu fais réellement ce qui est dit. Quel mode vas-tu utiliser ?

◆ **À combien de personnes le mode impératif se conjugue-t-il ? Vérifie ta réponse en comparant avec les tableaux de conjugaison, pages 248 à 251. Quelles sont ces personnes ?**

◆ **Quels sont les verbes du 1<sup>er</sup> groupe ? Compare la 2<sup>e</sup> personne du singulier de l'impératif avec celle du présent de l'indicatif.** À l'aide des tableaux pages 248 à 251, compare les autres personnes.

◆ **Observe les verbes du 2<sup>e</sup> et du 3<sup>e</sup> groupe au présent de l'indicatif et au présent de l'impératif. Que remarques-tu ?**

◆ **En t'aidant des tableaux de conjugaison, écris :**
**a)** l'impératif des verbes *faire* et *dire*,
**b)** l'infinitif du verbe de la phrase « Ayons le réflexe déchetterie. » Conjugue-le aux deux autres personnes de l'impératif présent.

---

### Je retiens

*Regardez-les. Tu les regardes.*
Pour exprimer un **ordre**, un **conseil** ou une **interdiction**, on emploie le mode impératif, alors que l'indicatif indique un fait réel.

*Parle, parlons, parlez.*
Le présent de l'impératif se conjugue seulement à **trois personnes**.

##  2<sup>e</sup> étape **Je m'entraîne**

**1.** Recopie les phrases suivantes en soulignant les verbes conjugués au présent de l'impératif.

    **a)** Ne dites et ne faites donc pas de bêtises ! intervint Éric exaspéré.

    **b)** Ne dégringolez pas par la fenêtre, lui recommande Julie.

    **c)** Bon, écoutez-moi : quel est le plus court chemin pour les mers du Sud ?

    **d)** Essayons de voir à quoi ressemble ce président, propose le journaliste.

    **e)** Ne nous attendrissons pas, dit le cheval.

    **f)** Ne pleure pas, mon petit, dit Papet. Mange plutôt.

**2.** En t'aidant des tableaux de conjugaison pages 248 à 251, reprends les phrases ci-dessus et écris :

    **a)** les cinq premières phrases à la 2<sup>e</sup> personne du singulier du présent de l'impératif,

    **b)** la dernière phrase à la 1<sup>re</sup> personne du pluriel du présent de l'impératif.

**3.** Écris à l'impératif présent ce que le Docteur Gardénal ordonne à Nicolas. (montrer)-moi la langue, (tirer)-la mieux que ça ! (faire) ah ! ah! (dire) 33 ! (répéter) encore une fois. (tousser) doucement, plus fort. Bon, (tenir)-toi tranquille quelques jours et cette mauvaise bronchite ne sera plus qu'un vilain souvenir. Surtout,(ne pas désobéir) si tu veux pouvoir partir en classe transplantée ! Salut, bonhomme, (occuper)-toi calmement et (être) sage pendant deux jours encore.

**4.** Imagine que Nicolas et sa sœur soient malades. Que leur dirait le Docteur Gardénal ?

## 3<sup>e</sup> étape **Je m'évalue** ..................................................

**5.** Recopie les verbes conjugués au présent de l'impératif et écris leur infinitif.

    **a)** Ne te dérange pas, j'en ai pour cinq minutes.

    **b)** Maman, téléphone au vétérinaire, la chienne est malade.

    **c)** Rendez service à madame Lesage, faites-lui les courses et remplissez son réfrigérateur.

*score sur 5*

**6.** Recopie les phrases suivantes en utilisant la 2<sup>e</sup> personne du pluriel du présent de l'impératif.

    **a)** Va, lui dit la reine, mais emporte ce coffret. Et surtout ne l'ouvre pas.

    **b)** Viens. Ne me fuis pas.

    **c)** Le roi Perkunas dit : « Envahis la terre. Capture ma fille et son séducteur, et ramène-les morts ou vifs. »

D'après Bernard Clavel, *Légendes de la mer*.

*score sur 8*

**7.** Écris quelques phrases qui donnent des conseils pour devenir plus tolérant. Utilise l'impératif à la 1<sup>re</sup> personne du pluriel.

*1 point par verbe*

# Mon bilan

Tout au long de ce chapitre, tu as fait de nombreux apprentissages.
Tu peux maintenant faire ton bilan.
Sur ton cahier, recopie le numéro des différentes compétences ci-dessous et
écris à chaque fois : *oui, pas toujours* ou *pas encore*.

## Je suis capable :

1. d'interpréter une image ;
2. de mettre en relation écrit et image ;
3. de trouver à qui est destiné une affiche ;
4. de produire un texte argumentatif ;
5. de jouer avec les mots ;
6. de reconnaître et utiliser les phrases interrogatives ;
7. d'accorder le V et le S inversé ;
8. d'accorder *quel* ;
9. de comprendre et d'utiliser le sens figuré ;
10. d'employer le mode impératif.

# Je vais plus loin

Vous avez réalisé des affiches pour faire connaître les règles de vie de la classe
ou de l'école. Pour qu'elles remplissent leur fonction, il faut maintenant les
montrer à leurs destinataires : les enfants de l'école.

## Pour réussir mon affichage :

◆ je choisis le lieu d'affichage selon le thème abordé par l'affiche
   (bibliothèque, préau, toilettes, cantine…) ;
◆ je sélectionne le support : mur, fenêtre, battant de porte, chevalet, tableau
   mobile… ;
◆ je recouvre ce support d'un papier dont la couleur met l'affiche en valeur ;
◆ j'accroche les affiches à une hauteur qui convienne aux enfants
   destinataires ;
◆ je protège chaque affiche de plastique transparent ou de cellophane.

# 5 *Lire pour jouer*

Pour jouer et s'exprimer en public.

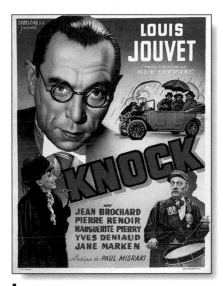

**Jules Romains**
(né en 1885, mort en 1972).
Il a écrit des pièces de théâtre
comme *Knock* et des romans.

**Marcel Aymé**
(né en 1902, mort en 1967).
Il est l'auteur de plusieurs romans
(*le Passe-muraille*,
*les Contes du chat perché*).

**Georges Feydeau**
(né en 1862, mort en 1921).
Il a écrit de nombreuses pièces
qui mettent en scène des événements
de la vie quotidienne.

# Lire

*Objectifs*
Repérer les personnages et les jeux de scène.
Renforcer l'expression verbale par le geste.

## Avant de lire

◆ De quel genre de texte s'agit-il ici ?
◆ Combien de personnages y-a-t-il ? Où vois-tu leur nom ?
◆ Comment sont écrites les indications sur la manière dont il faut jouer la scène ?

# Knock et la dame en noir

*Le docteur Knock, qui vient de s'installer comme médecin de campagne a offert une consultation gratuite pour attirer les patients.*

5   **Knock :**   Ah ! voici les consultants.
    *(À la cantonade.)* Une douzaine
    déjà ? Prévenez les nouveaux
    arrivants qu'après onze heures
    et demie, je ne puis plus recevoir personne, au moins en consultation
10     gratuite. C'est vous qui êtes la première, madame ? *(il fait rentrer la dame en noir et referme la porte.)* Vous êtes bien du canton ?

**La dame :**   Je suis de la commune.

**Knock :**   De Saint-Maurice même ?

**La dame :**   J'habite la grande ferme qui est sur la route de Luchère.

15   **Knock :**   Elle vous appartient ?

**La dame :**   Oui, à mon mari et à moi.

**Knock :**   Si vous l'exploitez vous-même, vous devez avoir beaucoup de travail !

**La dame :**   Pensez, Monsieur ! Dix-huit vaches, deux bœufs, deux taureaux, la jument et le poulain, six chèvres, une bonne douzaine de cochons,
20     sans compter la basse-cour.

**Knock :**   Diable ! Vous n'avez pas de domestiques ?

**La dame :**   Dame si ! Trois valets, une servante et les journaliers dans la belle saison.

**Knock :**   Je vous plains. Il ne doit guère vous rester de temps pour vous soigner ?

25   **La dame :**   Oh ! non.

**Knock :**   Et pourtant, vous souffrez.

**La dame :**   Ce n'est pas le mot.
    J'ai plutôt de la fatigue.

**Knock :**   Oui, appelez ça de la fatigue. *(Il s'approche d'elle.)* Tirez la langue.
30     Vous ne devez pas avoir beaucoup d'appétit ?

**La dame :**   Non.

**Knock :**   *(Il l'ausculte.)* Baissez la tête. Respirez. Toussez. Vous n'êtes jamais tombée d'une échelle étant petite ?

**La dame :**   Je ne me souviens pas.

| 35 | Knock : | *(Il lui palpe et lui percute le dos, lui presse brusquement les reins.)* Vous n'avez jamais mal ici le soir en vous couchant ? |
| 40 | | Une espèce de courbature ? |
| | La dame : | Oui, des fois. |
| | Knock : | Vous aviez déjà consulté le docteur Parpalaid ? |
| | La dame : | Non, jamais. |
| 45 | Knock : | Pourquoi ? |
| | La dame : | Il ne donne pas de consultations gratuites. *(Un silence.)* *(Knock la fait asseoir.)* |
| 50 | Knock : | Vous vous rendez compte de votre état ? |
| | La dame : | Non. *(Knock s'assied en face d'elle.)* |
| | Knock : | Tant mieux. Vous avez envie de guérir ou vous n'avez pas envie ? |
| 55 | La dame : | J'ai envie. |
| | Knock : | J'aime mieux vous prévenir tout de suite que ce sera long et très coûteux. |
| | La dame : | Ah ! mon Dieu ! Et pourquoi ça ? |
| | Knock : | Parce qu'on ne guérit pas en cinq minutes un mal qu'on traîne depuis quarante ans. |
| 60 | La dame : | Depuis quarante ans ? |
| | Knock : | Oui, depuis que vous êtes tombée de votre échelle. |
| | La dame : | Et combien ça me coûterait ? |
| | Knock : | Eh ! bien ! Ça vous coûtera à peu près deux cochons et deux veaux. |
| | La dame : | Ah ! là ! là ! Près de trois mille francs ? C'est une désolation, |
| 65 | | Jésus Marie ! |
| | Knock : | Si vous aimez mieux faire un pèlerinage, je ne vous en empêche pas. |
| | La dame : | Oh ! un pèlerinage ça revient cher aussi et ça ne réussit pas souvent. *(Un silence.)* Mais qu'est-ce que je peux donc avoir de si terrible ? |

Jules Romains, *Knock,* « Folio », Gallimard.

## *Après avoir lu*

◆ Pourquoi la dame est-elle venue consulter le docteur Knock ? Est-elle réellement malade ?

◆ Pourquoi n'a-t-elle jamais consulté le docteur Parpalaid ?

◆ Cette dame est-elle riche ? Relève les répliques qui montrent que Knock se renseigne sur sa richesse. À ton avis, pourquoi veut-il savoir si elle est riche ?

◆ Pourquoi la situation est-elle comique ?

◆ Travaillez ce texte à quatre : deux élèves lisent, deux miment. Cherchez quels gestes, quelles mimiques, quels déplacements feront les acteurs pour rendre la scène vivante et drôle.

*Objectifs*
Comprendre le rôle des didascalies.
Les utiliser pour interpréter un rôle.

## Avant de lire

◆ Qu'appelle t-on
un cabinet de travail ?

◆ Quels sont les personnages
de la scène ?
Comment sont notées
les indications
sur les jeux de scène ?

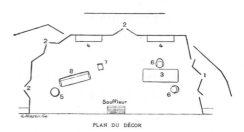

PLAN DU DÉCOR

1. Grande fenêtre à 4 vantaux (où deux fenêtres ordinaires parallèles); 2. Portes à deux vantaux; 3. Grande table-bureau; 4. Bibliothèques; 5. Guéridon; 6. Fauteuils dont un de bureau; 7. Chaise; 8. Canapé.

# Les îles Hébrides

*Le cabinet de travail de Follavoine. Au milieu de la scène, une grande table-bureau face aux spectateurs ; sur la table des dossiers, des livres, un dictionnaire, des papiers épars.*

*Au lever du rideau, Follavoine, penché sur sa table de travail, la jambe gauche*
5 *repliée sur son fauteuil de bureau, assis sur le bras du fauteuil, compulse son dictionnaire.*

Follavoine : *(son dictionnaire ouvert devant lui sur la table.)* Voyons ! « îles Hébrides ?... îles Hébrides ?... îles Hébrides ?... » *(On frappe à la porte. – Sans relever la tête et avec humeur.)* Zut ! Entrez !
10 *(À Rose qui paraît.)* Quoi ? qu'est-ce que vous voulez ?

Rose : *(arrivant du pan coupé de gauche.)* C'est madame qui demande monsieur.

Follavoine : *(se replongeant dans son dictionnaire, et avec brusquerie.)* Eh ! bien, qu'elle vienne !... Si elle a à me parler, elle sait où je suis.

15 Rose : *(qui est descendue jusqu'au milieu de la scène)* Madame est occupée dans son cabinet de toilette ; elle ne peut pas se déranger.

Follavoine : Vraiment ? Eh ! bien, moi non plus ! Je regrette : je travaille.

Rose : Bien, monsieur.
*(Elle fait mine de remonter.)* [...]

20 Follavoine : C'est vrai ça !... *(rappelant Rose au moment où elle va sortir.)* Au fait, dites donc vous... ?

Rose : *(redescendant.)* Monsieur ?

Follavoine : Par hasard, les Hébrides...

Rose : *(qui ne comprend pas.)* Comment ?

25 Follavoine : Les Hébrides ?... Vous ne savez pas où c'est ?

Rose : *(ahurie.)* Les Hébrides ?

Follavoine : Oui ?

Rose : Ah ! non !... non !... *(comme pour se justifier.)* C'est pas moi qui range ici ! C'est madame.

30 Follavoine : *(se redressant en refermant son dictionnaire sur son index de façon à ne pas perdre la page.)* Quoi ! quoi, « qui range ici » !

les Hébrides !... des îles ! bougre d'ignare !... de la terre entourée d'eau... vous ne savez pas ce que c'est ?

Rose : *(ouvrant de grands yeux.)* De la terre entourée d'eau ?

35 Follavoine : Oui ! de la terre entourée d'eau, comment ça s'appelle ?

Rose : De la boue ?

Follavoine : *(haussant les épaules.)* Mais non, pas de la boue ! C'est de la boue quand il n'y a pas beaucoup de terre et pas beaucoup d'eau ; mais, quand il y a beaucoup de terre et beaucoup d'eau, ça s'appelle des îles !

40 Rose : *(abrutie.)* Ah ?

Follavoine : Eh ! bien, les Hébrides, c'est ça ! c'est des îles ! par conséquent, c'est pas dans l'appartement !

Rose : *(voulant avoir compris.)* Ah ! oui !... c'est dehors !

Follavoine : *(haussant les épaules.)* Naturellement ! c'est dehors !

45 Rose : Ah ! ben, non ! Non ! je les ai pas vues.

Follavoine : *(quittant son bureau et poussant familièrement Rose vers la porte.)* Oui, bon, merci ! ça va bien !

Rose : *(comme pour se justifier.)* Y a pas longtemps que je suis à Paris, n'est-ce pas ?...

50 Follavoine : Oui !... oui ! oui !

Rose : Et je sors si peu !

Follavoine : Oui, oui ! ça va bien ! allez ! allez retrouver madame.

Rose : Oui, monsieur !

*Elle sort.*

55 Follavoine : Elle ne sait rien cette fille ! rien ! qu'est-ce qu'on lui a appris à l'école ? *(Redescendant jusque devant la table contre laquelle il s'adosse.)* « C'est pas elle qui a rangé les Hébrides » ! Je te crois parbleu ! *(Se replongeant dans son dictionnaire.)* « Z'Hébrides... Z'Hébrides... » *(Au public.)* C'est extraordinaire ! Je trouve zèbre, zébré, zébrure, zébu... ! Mais de Zhébrides, pas plus que dans mon œil ! Si ça y était, ce serait entre
60 zébré et zébrure. On ne trouve rien dans ce dictionnaire !

*Par acquit de conscience, il parcourt des yeux la colonne qu'il vient de lire.*

Georges Feydeau, *On purge bébé.*

## Après avoir lu

**Le texte**

◆ Pourquoi cette scène est-elle comique ?

◆ Qu'est-ce qui montre que Rose n'a pas du tout compris ce qu'étaient les îles Hébrides ?

◆ Pourquoi monsieur Follavoine ne trouve-t-il pas dans son dictionnaire *Hébrides* ? Pourquoi cherche-t-il à *Zébrides* ?

**Les indications scéniques**

◆ À quoi servent toutes les indications entre parenthèses ?
Classe-les en deux catégories selon qu'elles indiquent des gestes, des déplacements ou sur quel ton il faut donner la réplique.

◆ Par groupe de quatre, entraînez-vous à mimer la scène : pendant que deux lisent les dialogues, deux autres jouent en respectant les jeux de scène imposés par l'auteur.

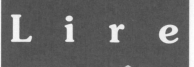
*Objectif*
Observer les similitudes entre un dialogue
et une scène de théâtre.

## Avant de lire

◆ Ce texte se présente-t-il comme ceux que tu as déjà lus
dans ce chapitre ?

# Le loup

Caché derrière la haie, le loup surveillait patiemment les abords de la maison.
Il eut enfin la satisfaction de voir les parents sortir de la cuisine. Comme ils étaient
sur le seuil, ils firent une dernière recommandation.

– Souvenez-vous, disaient-ils, de n'ouvrir la porte à personne, qu'on vous prie ou
5   qu'on vous menace. Nous serons rentrés à la nuit. [...]

Le loup s'approcha de la maison en boitant d'une patte, mais la porte était bien
fermée. Alors il s'arrêta devant la cuisine, posa ses pattes sur le rebord de la fenêtre
et regarda à l'intérieur du logis.

Delphine et Marinette jouaient aux osselets devant
10  le fourneau. Marinette, la plus petite, qui était aussi
la plus blonde, disait à sa sœur Delphine :

– Quand on est toutes les deux, on ne s'amuse
pas bien. On ne peut pas jouer à la ronde.

– C'est vrai, on ne peut jouer ni à la ronde
15  ni à la paume placée.

– Ni au furet ni à la courotte malade.

– Et pourtant, qu'est-ce qu'il y a de plus amusant que de jouer à la ronde
ou à la paume placée ?

– Ah ! si on était trois...

20  Comme les petites lui tournaient le dos, le loup donna un coup de nez
sur le carreau pour faire entendre qu'il était là.

Laissant leur jeu, elles vinrent à la fenêtre en se tenant la main.

– Bonjour, dit le loup. Il ne fait pas chaud dehors. Ça pince vous savez !

Mais Delphine ne s'y trompa point. Elle murmura en serrant la main de la plus petite.

25  – C'est le loup.

– Le loup ? dit Marinette, alors on a peur ?

– Bien sûr, on a peur.

Tremblantes, les petites se prirent par le cou, mêlant leurs cheveux blonds
et leurs chuchotements.

Marcel Aymé, *Les Contes du chat perché*, « Folio », Gallimard.

## Après avoir lu

◆ Quels sont les personnages de ce passage ?
◆ Pourquoi les fillettes s'ennuient-elles ? Penses-tu qu'elles vont faire rentrer le loup ?
Qu'aurais-tu fait à leur place ?
◆ Relève les phrases qui montrent les mouvements des fillettes et ceux du loup.
Comment pourraient apparaître ces phrases dans une scène de théâtre ?
◆ Entraîne-toi à lire le texte à partir de la ligne 11 avec deux autres camarades.
Ne lisez que les dialogues.

*Objectifs*
Travailler la diction et la respiration.
Avoir un texte bien en bouche.

# Phrases à dire

Ciel si ceci se sait, ces soins sont sans succès.
Le feu veut et le bœuf peut peu.
Piano plat et panier plein.
Trois petites truites cuites, trois petites truites crues.

Voilà qui est extraordinaire, le trottoir
n'est pas une place où mettre une montre.

# Ronde

    Entrez dans la ronde,
       Lorelirelé
   Si la pomme est ronde,
  C'est pour mieux rouler.
5    Si la ronde est ronde,
  C'est pour mieux tourner...

Maurice Carême, *À cloche-pied*,
© Fondation Maurice Carême.

# Îles

Îles
îles où l'on ne prendra jamais terre
îles où l'on ne descendra jamais.
Îles couvertes de végétation
5  îles tapies comme des jaguars.
Îles muettes
îles immobiles.
Îles inoubliables et sans nom.
Je lance mes chaussures
10  par dessus bord car
je voudrais bien aller
jusqu'à vous.

Blaise Cendrars,
*Feuilles de route*, Denoël.

## *Après avoir lu*

**Phrases à dire**
◆ Entraîne-toi à dire les quatre premières phrases en articulant très distinctement chaque syllabe. Récite-les ensuite de plus en plus vite.
◆ Lis la cinquième phrase en variant le ton de ta voix : soupçonneux, impatient, ironique, étonné, coléreux, joyeux, moqueur, stupéfait, désolé...

**Les poèmes**
◆ Dans le poème *Îles*, quels sont les endroits où tu vas marquer un temps d'arrêt ?
◆ Lis ces deux poèmes à voix haute en soignant bien l'articulation et la respiration.

# ÉCRIRE

**Objectifs**

Écrire une scène de théâtre à partir d'un dialogue.
Rédiger des didascalies pour pouvoir
jouer la scène.

# Écrire une scène de théâtre

Tu as déjà lu et joué des extraits de pièces de théâtre. En t'aidant des indications données, tu vas à ton tour écrire une scène de théâtre en transformant le texte *Le loup* pour pouvoir le jouer.

## 1re étape  *Cherchons ensemble*

- ◆ Le décor : Où et quand se déroule cette histoire ?
  Comment se présente la scène au début du récit ?

- ◆ Les dialogues : Quels sont les personnages qui parlent ?
  Pour chacune des phrases du dialogue, donne le nom du personnage qui la prononce. Comment vas-tu noter ces dialogues ?
  Auras-tu besoin de les transformer ?

- ◆ Les indications scéniques : Quels sont les passages qui ne font pas partie du dialogue ? Que vas-tu faire de ces passages ?
  Quels sont ceux que tu vas supprimer ? Quels sont ceux que tu vas transformer ? Comment vas-tu les faire apparaître dans ton texte ? Quelle forme verbale vas-tu utiliser ?

## À *mon stylo*

Écris maintenant le texte *Le loup* sous la forme d'une scène de théâtre. Respecte la présentation et le nombre de personnages.

## 2e étape  *Pour améliorer mon texte, je rédige des indications scéniques*

### a) J'observe

Lis ce passage.

Knock : C'est vous qui êtes la première, Madame ? *(faisant rentrer la dame en noir et refermant la porte).* Vous êtes bien du canton ?

La dame : Je suis de la commune.

Quelle est la phrase que tu ne diras pas en jouant. À quoi sert-elle ?
Comment est-elle écrite ? Quelle est la forme des verbes de cette phrase ?

Comment est indiqué le personnage qui parle ?

### b) Je m'entraîne

◆ Recopie la scène suivante en écrivant :
– le nom des personnages : *Knock, le garde-champêtre,*
– les indications scéniques suivantes en mettant ces verbes au participe
présent : *ouvrir la porte – rire – montrer le haut de son ventre
– fermer la porte – réfléchir profondément.*

... :     (...) Est-ce que ça serait un effet
de votre bonté de me donner
ma consultation maintenant ?

... :     (...) Heu ! oui ! Mais dépêchons-nous.
J'ai un rendez-vous avec monsieur Bernard,
l'instituteur, et avec monsieur le pharmacien
Bousquet. De quoi souffrez-vous ?

... :     (...) Attendez que je réfléchisse ! Voilà.
Quand j'ai dîné, il y a des fois que je sens
une espèce de démangeaison ici (...)
Ça me chatouille, ou plutôt ça me gratouille.

... :     (...) Attention. Ne confondons pas. Est-ce que
ça vous chatouille ou est-ce que ça vous gratouille ?

... :     Ça me gratouille. Mais ça me chatouille bien un peu.

◆ Transforme le texte suivant pour obtenir une scène de théâtre.
Utilise la bonne ponctuation. Écris si tu le souhaites
des indications scéniques.
Boggis demande comment attraper le rusé renard. Bean annonce
qu'il a un plan. Mais Bunce lui répond que ses plans n'ont jamais réussi.
Bean explique alors qu'ils se cacheront tous devant le trou où vit
le renard et qu'ils attendront qu'il sorte pour le tuer.

## 3e étape  *J'améliore mon texte*

◆ Relis ta scène.
As-tu bien repris tous les événements du récit ?
As-tu bien mis en scène tous les personnages ?
As-tu précisé les jeux de scène (gestes, attitudes, déplacements,
sentiments, intonations) ?

◆ Mets ton texte au point.
Vérifie que l'on peut jouer la scène, que tout est bien indiqué.

◆ Recopie ton texte.
As-tu vérifié la ponctuation ? As-tu pensé aux accords ?
Le nom des personnages est-il bien indiqué devant chaque réplique ?

*Objectifs*

Identifier les phrases complexes.
Aborder la notion de principale
et de subordonnée.

# Phrase simple
# et phrase complexe

## 1<sup>re</sup> étape *Cherchons ensemble*

◆ **Lis le texte** *La dame en noir*, **pages 82-83. Recopie (lignes 56 à 67) les phrases qui contiennent plusieurs verbes conjugués. Souligne-les.**

◆ **Lis la phrase suivante.**

Gaspard flaira l'herbe, la mâcha,
la mâchouilla et finalement la mangea.

Combien trouves-tu de verbes conjugués ?
Transforme cette phrase en plusieurs
phrases qui contiennent un seul verbe.
Quels mots as-tu ajoutés ?
Quels changements as-tu faits ?

◆ **Observe les phrases suivantes.**

**a)** Il se sentit traversé par une espèce d'électricité bizarre, qui passait de sa bouche à son estomac.

**b)** Il entendit distinctement une petite voix, qui ressemblait au son d'un petit violon de poupée.

Relève les verbes conjugués. Combien trouves-tu de propositions
dans chaque phrase ?
Peux-tu supprimer l'une ou l'autre proposition et obtenir
une phrase simple ?
Entoure le mot qui se trouve au début de chaque proposition
subordonnée.

◆ **Lis les phrases suivantes.**

**a)** Vous ne direz pas que je vous prescris des remèdes coûteux.

**b)** Quand elle était petite, la dame était tombée d'une échelle.

Recopie la proposition subordonnée. Par quel mot commence-t-elle ?

◆ **Transforme ces phrases complexes en phrases simples.**

**a)** J'habite la grande ferme qui est sur la route de Luchère.

**b)** Il fait entrer la dame en noir et referme la porte.

## Je retiens

*Il **fait** entrer la dame en noir.*
La phrase simple ne contient qu'un seul verbe conjugué. Elle n'a qu'une seule proposition.

*Un pèlerinage, ça **revient** cher aussi/et ça ne **réussit** pas toujours.*
Une phrase complexe peut être formée de propositions indépendantes.

*J'**aime** mieux vous prévenir/que ce **sera** long et coûteux.*
Une phrase complexe peut être formée d'une principale et d'une subordonnée.
La proposition qui complète l'autre est la subordonnée.

## 2ᵉ étape  Je m'entraîne

1. **Relis le texte *En exil chez les sauvages*, page 47, lignes 47 à 54.**
   **Copie les phrases complexes.**

2. **Transforme cette suite de phrases en une seule phrase complexe.**
   À chaque gare, le petit train s'amuse. Il lâche un wagon. Il en accroche un autre. Il en tamponne un troisième par mégarde. Le petit train feint de manœuvrer. Vite essoufflé, il se désaltère à la prise d'eau.

3. **Copie ces phrases. Souligne les verbes conjugués,**
   **sépare les propositions.**
   a) Il s'installa sur un vieux fauteuil défoncé qu'il aimait beaucoup.
   b) Cette herbe que j'ai mangée m'a donné la parole.
   c) Rien ne se perd, tout se transforme.
   d) Odile rêve au bord de l'île lorsqu'un crocodile surgit.

4. **Crée un poème en complétant les phrases avec une subordonnée**
   **relative.**
   J'ai vu un château qui…
   J'ai vu un moulin dont…
   J'ai vu le palais que…
   Mais je ne connais pas le pays où…

## 3ᵉ étape  Je m'évalue ························································

5. **Relis le texte *Le loup*, page 86 (lignes 6 à 11).**
   **Recopie uniquement les phrases complexes.**
   **Souligne les verbes conjugués, sépare les propositions.**  *score sur 6*

6. **Transforme cette phrase complexe en plusieurs phrases simples.**
   Au passage à niveau, point de barrière, le train laisse
   aux rares voitures le temps nécessaire, regarde prudemment
   à droite et à gauche, siffle longuement, s'assure s'il n'y a plus
   personne et repart.  *score sur 5*

7. **Donne ton avis sur le docteur Knock.**
   **Utilise des phrases complexes.**   *1 point par phrase complexe*

Objectifs
Respecter les règles de l'élision et de la liaison.
Reconnaître le *h* muet et le *h* aspiré.

# S'exercer
*pour mieux lire et mieux écrire*

# L'initiale des mots : liaison et élision

## 1<sup>re</sup> étape *Cherchons ensemble*

◆ **Lis les groupes de mots suivants en prenant soin de prononcer les liaisons.**

**a)** les abords de la maison

**b)** quand on est toutes les deux

**c)** Ah ! si on était trois

**d)** le petit enfant

**e)** Vous êtes trop aimable

**f)** un homme

Recopie ces phrases et souligne les lettres entre lesquelles se fait la liaison. Y aurait-il eu liaison si le second mot avait commencé par une consonne ? Quelles sont les lettres qui se prononcent de façon inhabituelle ?

◆ **Observe les groupes suivants.**

**a)** le loup s'approcha

**b)** on ne s'amuse pas

**c)** s'il te plaît

**d)** l'homme

**e)** j'arrive

**f)** l'habitude

Pourquoi y a-t-il une apostrophe ? Quelle lettre remplace-t-elle ?
Cherche d'autres mots qui peuvent être élidés.
Quand l'élision est-elle obligatoire ?

◆ **Écoute le maître ou la maîtresse lire les groupes suivants.**
les hannetons – les hirondelles – les hommes – les hiboux – les haltères – les hangars
Classe-les en deux colonnes selon que tu fais la liaison ou non.

◆ **Mets les groupes que tu viens de classer au singulier. Fais un nouveau tableau en deux colonnes selon que l'article s'écrit avec une apostrophe ou non. Compare tes deux tableaux. Que constates-tu ?**

◆ **Cherche dans un dictionnaire des mots commençant par *h* avec lesquels on ne fait pas la liaison.**

◆ **Établis une liste de mots qui commencent par un *h* aspiré.**

---

### Je retiens

*L'ami, les amis – l'homme, les hommes.*
Les mots commençant par une voyelle ou un *h* muet rendent la liaison et l'élision obligatoires.

*Le hanneton – les hannetons. hanneton*, nom masculin.
Pour les mots commençant par un *h* aspiré, la liaison et l'élision ne sont pas possibles.

## 2ᵉ étape *Je m'entraîne*

**1. Recopie ces phrases en marquant les liaisons.**

Quand la vie est un arbre, chaque jour est une branche. (Jacques Prévert, *Fatras.*)

Sans un geste, sans un soupir. (Kipling, *Si.*)

Filer le parfait amour, ne dormir que d'un œil. (Claude Roy, *Proverbes.*)

**2. Parmi les mots suivants, recopie ceux qui commencent par un *h* muet. Vérifie dans un dictionnaire.**

homard – hélicoptère – héros – hélice – héritage – herbe – hauteur

**3. Vérifie dans un dictionnaire si l'élision est nécessaire devant les mots suivants. Classe-les en deux colonnes.**

honte – haddock – hallebarde – halogène – honneur – hiver – herbe – hoquet – hôte – houx – hôpital

**4. Cherche des expressions ou des proverbes avec le plus de liaisons possible.**

## 3ᵉ étape *Je m'évalue* ....................................................

**5. Place le bon article (*le, la, l'*) devant chacun des noms suivants.**

éléphant – adjectif – impératif – haine – hâte – hamburger – hanche – handball – hexagone – hiver – horaire – huile

*score sur 12*

**6. Recopie l'intrus de chaque liste.**

**a)** rien à faire – pour rien au monde – Il n'a jamais rien haï.

**b)** Ils habitent à la campagne. – Ils offrent des cadeaux. – Ils hachent la viande. – Ils arrivent demain.

**c)** tout entier – tout haut – tout à fait – tout hésitant

*score sur 3*

**7. Recopie ces vers de Baudelaire en marquant les liaisons.**

Viens, mon beau chat sur mon cœur amoureux

Lorsque mes doigts caressent à loisir

Ta tête et ton dos élastique. Charles Baudelaire, *Les Fleurs du mal.*

*score sur 3*

# Des yeux pour apprendre

Apprends ces mots en observant bien comment s'écrit chacun d'eux.
Entraîne-toi à bien les écrire.

| Texte p. 86 | Texte p. 82 | Texte p. 85 | Phrases p. 87 | Poèmes p. 87 |
|---|---|---|---|---|
| la haie | beaucoup | un bureau | le soin | couvrir |
| personne | une échelle | comprendre | trois | jusqu'à |
| blond | une douzaine | ici | cru, crue | tourner |
| aussi | combien | croire | ceci | immobile |
| tremblant, ante | soigner | comment | plat, plate | sans |

*pour mieux lire et mieux écrire*

*Objectifs*
Apprendre à chercher un nom propre
dans un dictionnaire.
Savoir utiliser le bon outil.

# Noms propres et dictionnaire

## 1re étape *Cherchons ensemble*

◆ **Essaie d'aider monsieur Follavoine à trouver les îles Hébrides dans le dictionnaire.**
Quel mot vas-tu chercher ?
Quel type de mots doit contenir ton dictionnaire pour trouver le mot que tu cherches ?
Comment peux-tu savoir si c'est bien le cas ?

◆ **Compare ces deux extraits de dictionnaire. Quel type de mots trouve-t-on dans la page du dictionnaire ❶ ? Comment le sais-tu ? Et dans la page du dictionnaire ❷ ? Quelle est la place des noms propres dans chacun des dictionnaires ?**

---

**❶**

**Hébert (Jacques)** (1757-1794) Journaliste français, il prit part à la Révolution française aux côtés des révolutionnaires. Robespierre le fit arrêter et condamner à mort.

**Hébrides** (îles) Archipel comptant environ 500 îles au nord-ouest de l'Écosse.

**Hébron** Ville de Cisjordanie au sud de Jérusalem.

**Hector** Héros de l'*Iliade*. Il défendit vaillamment Troie en tuant Patrocle, mais il fut tué par Achille.

---

**❷**

**hébété** adj. Qui semble être devenu stupide. *Ne sachant répondre à la question, il prit un air hébété.* Syn. abasourdi, abruti, ahuri.

**Hébrides** (îles) Archipel comptant environ 500 îles au nord-ouest de l'Écosse.

**Hébron** Ville de Cisjordanie au sud de Jérusalem.

**hécatombe** n. f. Massacre d'un grand nombre de personnes. *Les guerres de religion ont provoqué de véritables hécatombes.*

**hectare** n. m. Unité de mesure d'aire valant dix mille mètres carrés. *Un bois d'un hectare (1 ha).*

---

◆ **Choisis un dictionnaire du même type que le dictionnaire ❶ et cherche les mots *zèbre* et *Zaïre*. As-tu trouvé les deux mots dans la même partie du dictionnaire ?**
Où se trouve la liste des noms propres dans ce dictionnaire ?
Y a-t-il un repère qui permet de trouver rapidement la partie des noms propres ?

◆ **Cherche, dans un dictionnaire avec noms propres, les noms des auteurs suivants : *Marcel Aymé, Georges Feydeau.***
À quelle lettre trouves-tu les articles sur ces auteurs :
à *M* ou à *A* ? à *G* ou à *F* ?
Que peux-tu en conclure ?

## Je retiens

Dans certains dictionnaires, on peut trouver les noms propres.

Selon les ouvrages :
– les noms propres sont regroupés ensemble dans une deuxième partie du dictionnaire (une partie « langue » et une partie « noms propres »),
– ou bien ils sont rangés par ordre alphabétique avec les autres mots.

**Aymé** (Marcel) – **Feydeau** (Georges)
Pour trouver un personnage célèbre, il faut chercher son nom de famille.

## 2e étape Je m'entraîne

1. Cherche dans un dictionnaire les deux noms propres qui viennent après *Achille* et les deux noms propres qui viennent après *Bouddha*.

2. Cherche dans un dictionnaire les deux noms propres qui viennent avant *Marcel Aymé* et les deux noms propres qui viennent avant *Georges Feydeau*.

3. Prends un dictionnaire qui contient les noms propres. Cherche les mots suivants. Que désignent-ils ?
somme – Somme – mars – Mars – mercure – Mercure

4. Cherche dans un dictionnaire :

   a) le premier nom de ville commençant par la lettre *e* ;

   b) le premier verbe commençant par la lettre *f* ;

   c) le premier nom de musicien commençant par la lettre *w*.

5. Prépare une liste de quatre noms de rois français ou étrangers. Échange ta liste avec celle d'un camarade. Cherche dans un dictionnaire les noms de la liste de ton voisin et recopie la date de naissance de chacun de ces rois. Comment sont classés les rois portant le même prénom ?

## 3e étape Je m'évalue ·······································

6. Dans un dictionnaire contenant les noms propres, cherche les noms suivants et écris ce qui les a rendus célèbres.
Jean Jaurès – Frédéric Chopin – Victor Hugo

*score sur 3*

7. Cherche dans un dictionnaire les mots suivants et donne les informations utiles à leur sujet.
Loir – loir – Juin – juin – Liège – liège

*score sur 6*

8. Cherche dans un dictionnaire *Henri IV*.
Combien en trouves-tu ? Relève pour chacun d'eux sa date de naissance et le pays sur lequel il a régné.

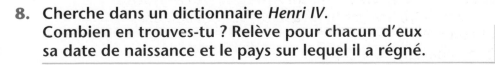

*score sur 4*

Objectifs
Identifier le participe présent.
Savoir écrire les formes les plus courantes.

# Le participe présent

## 1<sup>re</sup> étape *Cherchons ensemble*

- **Observe ces phrases.**

  Rose : *(en arrivant du côté gauche de la scène)* C'est madame qui demande monsieur.

  Follavoine : *(se replongeant dans son dictionnaire)* Eh ! bien, qu'elle vienne !

  Relève les formes verbales terminées par *-ant* et trouve l'infinitif de ces verbes. Ces formes ont-elles un sujet ? Sont-elles conjuguées ?

- **Lis attentivement les phrases suivantes.**

  Le loup s'approcha de la maison en <u>boitant</u> d'une patte.

  Follavoine, <u>relevant</u> la tête sans lâcher son dictionnaire et <u>rappelant</u> Rose…

  Sous quelle forme sont écrits les verbes soulignés ?
  Quel est le nom de cette forme ?

- **En t'aidant des tableaux de conjugaison, donne le participe présent des verbes *être*, *avoir* et d'un verbe de chaque groupe.**

  Observe les radicaux et les terminaisons de ces participes présents.
  Que constates-tu ?

- **Lis les phrases suivantes.**

  **a)** Gaspard réclamait son dîner à Thomas en miaulant.

  **b)** En avalant l'herbe, il se sentit traversé par une espèce d'électricité.

  **c)** « Qui a parlé ? » se dit Gaspard en regardant autour de lui.

  Relève les participes présents. Qui fait l'action exprimée par les verbes au participe présent ? Que constates-tu ?

- **Observe ces phrases.**

  **a)** En arrivant en retard, le maître m'a puni.

  **b)** En roulant à vélo, une vache m'a renversé.

  En appliquant ce que tu as constaté dans l'exercice précédent, dis qui fait les actions exprimées par le participe présent. À ton avis, est-ce ce qu'a voulu dire l'auteur ?

---

### Je retiens

*Follavoine **relevant** la tête.* Le participe présent d'un verbe se termine par *-ant*. Il ne se conjugue pas et il est invariable.

*Nous dansons, dansant – nous finissons, finissant – nous prenons, prenant.* Le participe présent se forme généralement sur le radical du présent de l'indicatif, 1<sup>re</sup> personne du pluriel.
Attention : avoir → ayant ; savoir → sachant.

*Gaspard réclamait son dîner **en miaulant**.* Quand il est précédé de *en*, le participe présent doit se rapporter au sujet de la phrase.

## 2ᵉ étape Je m'entraîne

**1. Transforme les phrases suivantes en remplaçant les participes présents par le verbe conjugué.**
Exemple : Follavoine relevant la tête répond à Rose → Follavoine relève la tête et répond à Rose.

**a)** Surgissant en trombe par la porte, Rose entre en scène.

**b)** Follavoine, quittant son bureau et poussant Rose vers la porte, coupe court à la discussion.

**2. Écris le participe présent des verbes suivants.**
courir – suivre – croire – faire – finir – voir – savoir – avoir

**3. Transforme les propositions soulignées en employant des participes présents précédés de *en*.**

**a)** Benjamin est entré dans la classe, il chantait.

**b)** Si vous travaillez régulièrement, vous réussirez.

**c)** Alors qu'elle récitait un poème, Véronique a ému toute la classe.

**d)** Si tu sors, ferme la porte.

## 3ᵉ étape Je m'évalue ...............................

**4. Écris le participe présent des verbes suivants.**
avoir – courir – savoir – mordre – partir – laver – faire – saluer – apprendre – porter

*score sur 10*

**5. Transforme les propositions soulignées en employant des participes présents précédés de *en*.**

**a)** Il est parti, il courait.

**b)** Clément m'a salué alors qu'il passait sur la route.

**c)** Le chat est entré, il miaulait.

**d)** Le blessé est entré, il boitait.

*score sur 5*

**6. Copie ces phrases en mettant le verbe entre parenthèses au participe présent.**

**a)** (Revenir) vers lui, Julie lui donna son cadeau. (Lever) les yeux au ciel, l'enfant la remercia. Julie lui sourit en le (prendre) dans ses bras.

**b)** « J'ai entendu parler » se dit Gaspard en (regarder) derrière lui.

*score sur 4*

**7. Invente trois phrases avec le participe présent des verbes indiqués entre parenthèses.**
En (voir) ......, les enfants ... .
En (partir) ......, Cathy ... .
Ils arrivèrent en (crier) et ... .

*score sur 3*

# Mon bilan

Tout au long de ce chapitre, tu as fait de nombreux apprentissages.
Tu peux maintenant faire ton bilan.

Sur ton cahier, recopie le numéro des différentes compétences ci-dessous
et écris à chaque fois : *oui, pas toujours* ou *pas encore*.

## Je suis capable :

1. de repérer mon rôle pour lire un dialogue avec mes camarades ;
2. de reconnaître et d'utiliser les indications scéniques ;
3. de dire des poèmes en articulant et en maîtrisant mon souffle ;
4. de transformer un récit en scène de théâtre ;
5. d'écrire des indications scéniques ;
6. de reconnaître une phrase complexe ;
7. de faire les liaisons et de reconnaître les mots élidés ;
8. d'écrire les 25 mots de la page 93 ;
9. de chercher un nom propre dans un dictionnaire ;
10. de reconnaître le participe présent et d'écrire des verbes à cette forme.

# Je vais plus loin

Tu as lu des scènes d'auteurs différents. Tu as toi-même écrit une scène
de théâtre.

Maintenant, vous allez pouvoir jouer. Choisissez votre texte et votre rôle.

## Pour jouer une scène de théâtre :

◆ je choisis mon rôle ;
◆ je l'apprends, je cherche le ton ;
◆ je choisis quelques accessoires utiles ;
◆ je cherche comment entrer en scène, me déplacer, rester face au public.

Découvrir comment l'image et les écrits se complètent.

**Goscinny** (né en 1926, mort en 1977). Scénariste de *Lucky Luke* et des aventures d'*Astérix le gaulois* avec Uderzo.

**Morris** (né en 1923). Créateur et dessinateur de *Lucky Luke*.

**Uderzo** (né en 1927). Créateur avec Goscinny des aventures d'*Astérix le gaulois*.

## Lire

## Écrire

## S'exercer pour mieux lire et mieux écrire

**Objectifs**
Lire les cartouches d'une bande dessinée.
Repérer les situations comiques.

### Avant de lire

◆ Où se passe l'histoire ? À quelle époque ?

◆ À quel genre de film cette histoire te fait-elle penser ?

# Naissance d'une nouvelle ville

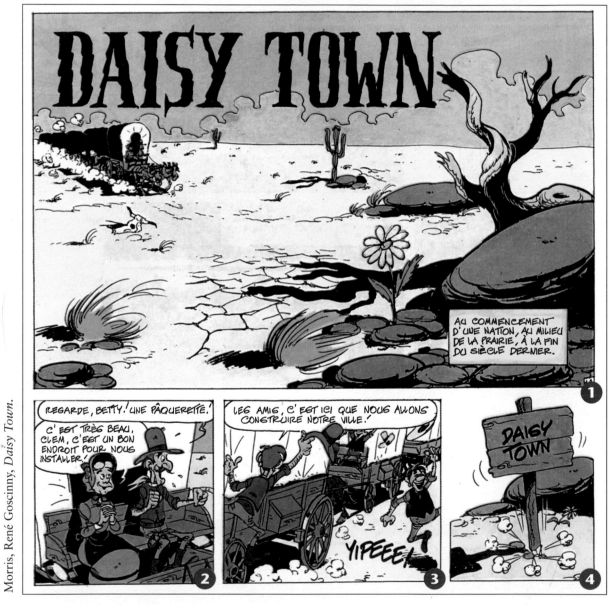

Morris, René Goscinny, *Daisy Town.*

### Après avoir lu

◆ Observe la 1ʳᵉ vignette. Tes hypothèses sont-elles confirmées ?

◆ Lis le cartouche. Quelle information donne-t-il que le dessin ne peut donner ?
Qui s'exprime dans le cartouche ?

◆ Lis les vignettes 2 à 4 : quelles informations donnent les bulles ?
Quels compléments apportent les images ?

© Morris.

## Après avoir lu

- Lis les cartouches des vignettes 5 à 9 : d'où vient le comique ?
  Quel lien vois-tu entre dessins et cartouches ?
- Comment le comique est-il renforcé dans le dessin de la vignette 7 ?
- Quel rôle a l'écrit dans le dessin de la vignette 9 ?

© Morris.

## Après avoir lu

- ◆ Comment se manifeste le désordre dans les vignettes 10 à 13 ?
- ◆ Comment les habitants tentent-ils de s'en protéger ?
- ◆ Que montre la vignette 18 ? Qui s'exprime dans le cartouche ?
- ◆ Où se trouve Lucky Luke dans la dernière vignette ? Compare son attitude à celle des autres personnages.

*Objectifs*
Observer les jeux de typographie.
Distinguer base historique et fiction.

# Comment faire travailler les hommes

Goscinny et Uderzo, *Astérix et Cléopâtre*.

## *Après avoir lu*

◆ Que raconte cette histoire ? Retrouves-en les étapes.

◆ Pourquoi la 2e bulle a-t-elle une forme particulière ?
Peux-tu lire ce message ? Qui le prononce ?

◆ Quels éléments de cette histoire sont historiques ?

◆ Comment est indiqué le déplacement du bloc de pierre ? Et celui d'Idéfix ?
Cherche dans une autre vignette le même procédé.

## Avant de lire

◆ Observe ces deux textes. Qu'ont-ils de particulier ?

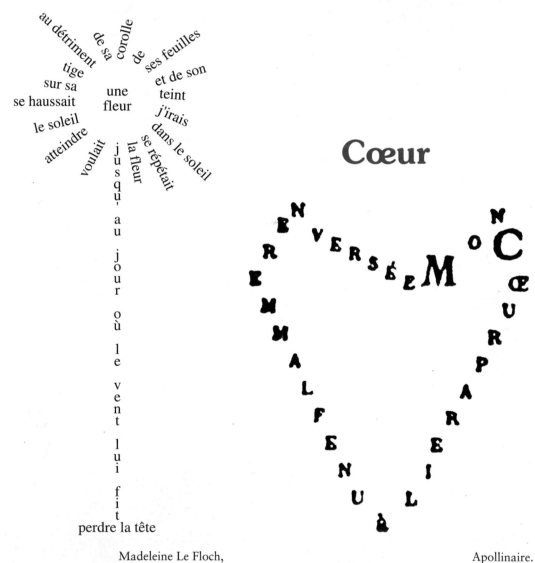

# Vertige

au détriment
de sa corolle
de ses feuilles
tige
sur sa
se haussait
une
fleur
et de son
teint
j'irais
le soleil
atteindre
voulait
jusqu'
au
jour
où
le
vent
lui
fit

perdre la tête

Madeleine Le Floch,
*Petits contes verts pour le printemps et l'été,*
éditions Saint-Germain-des-Prés.

# Cœur

Apollinaire.

## Après avoir lu

◆ Quel est le lien entre le sens de ces poèmes et leur mise en page ?

◆ Lis à nouveau le poème d'Apollinaire. Que veut dire le poète ? Retourne ton livre.

◆ À ton tour, trace le contour d'un objet ou d'un animal et écris à l'intérieur des mots ou des phrases en relation avec la silhouette dessinée.

# Le Voyage de Christophe Colomb

# Compléter une bande dessinée

Tu sais lire les images et les textes d'une bande dessinée.
Utilise ces compétences pour écrire les cartouches et les bulles
de la bande dessinée *Le Voyage de Christophe Colomb*, page 105.

## 1re étape Cherchons ensemble

◆ Lis le texte suivant.

*Christophe Colomb pensait pouvoir atteindre
les Indes par l'ouest en traversant l'océan Atlantique.
Pour entreprendre ce voyage, il lui fallait d'abord
convaincre les souverains d'Espagne pour
qu'ils acceptent de financer son expédition.
Christophe Colomb quitte le port de Palos (en Espagne)
le 3 août 1492.*

Le 10 octobre, les marins se plaignirent de la longueur du voyage
et avec les menaces, refusèrent d'aller plus loin. L'amiral ranima
leur courage du mieux qu'il put en leur donnant bonne espérance
des profits qu'ils pourraient tirer de l'expédition.

Les marins trouvèrent le lendemain un bout de bois qui paraissait
avoir été taillé avec du fer, un débris de roseau, une herbe de terre
et une planchette… Vers dix heures du soir, l'amiral avertit les marins
et les pria de faire bonne garde et de bien regarder du côté de la terre,
et il promit de donner un pourpoint de soie à celui qui verrait le premier
la côte. À deux heures du matin, on aperçut réellement la terre.

D'après Bartolomé de Las Casas, *Journal.*

Qu'apprends-tu en lisant ce texte ?
Relève les précisions qui situent cette histoire dans le temps.
Quels sont les personnages qui parlent ?

◆ Observe les vignettes de la page 105.
Essaie de voir à quelle partie du texte se rattache chaque vignette.
Relève dans le texte les phrases que tu vas transformer en dialogue.

## À mon stylo

Écris maintenant les bulles et les cartouches. Fais un paragraphe pour
chaque bulle et chaque cartouche.
Indique au début du paragraphe le numéro de la vignette, **B** s'il s'agit
d'une bulle ou **C** s'il s'agit d'un cartouche.

## 2ᵉ étape — Pour améliorer mon texte, je rédige des cartouches et des bulles

### a) J'observe

Relis page 100 le contenu du cartouche (vignette 1) et des bulles (vignettes 2 et 3).
Compare ces phrases et leur ponctuation.
Que constates-tu ? Quel argument donnent Clem et Betty pour s'installer à cet endroit ? Résume les trois bulles en une phrase.

### b) Je m'entraîne

◆ Relis *Astérix et Cléopâtre*, page 103, et écris des cartouches pour préciser où et quand se passe l'histoire, pour aider le lecteur à comprendre la vignette 7 et d'autres si cela te paraît utile.

◆ Transforme les phrases suivantes en bulles.
Compare ensuite tes propositions avec celle de tes camarades.
La maîtresse dit à Maixent de copier la leçon et Maixent proteste.
La maîtresse annonce une sortie au zoo, les enfants sont contents.
Sur le chantier de Cléopâtre, le chef distribue le travail.
Les ouvriers se plaignent.
Les ouvriers n'ont pas reçu leur repas, ils refusent de continuer le travail. Le chef menace.

## 3ᵉ étape — J'améliore mon texte

◆ Relis ton texte et vérifie que tu as bien mis les indications de temps dans les cartouches.

◆ Mets ton texte au point en pensant à la ponctuation des dialogues. Vérifie que tu as bien accordé le verbe et son sujet.

◆ Recopie le texte des bulles et des cartouches en plaçant une feuille de papier calque sur la page de la bande dessinée. Tu peux écrire en majuscule d'imprimerie.

*Objectifs*

Reconnaître le GS et savoir le remplacer
par un pronom personnel.
Reconnaître un sujet inversé.

# Le groupe sujet (GS)

## 1<sup>re</sup> étape *Cherchons ensemble*

◆ **Lis les phrases suivantes et relève les groupes sujets.**

**a)** Dans les bandes dessinées, le héros sort toujours vainqueur
des épreuves.

**b)** Astérix et Obélix sont mes héros préférés.

**c)** J'aime surtout Obélix qui me fait toujours rire.

**d)** Zoé aime surtout Lucky Luke.

**e)**   Mes frères en ont presque cent.

Réécris la phrase **d)** en ajoutant le groupe *et moi* au GS.
Souligne le nouveau GS.
Par quel pronom de la conjugaison peux-tu remplacer ce nouveau GS ?
Fais le même travail que précédemment en ajoutant le groupe *et toi*
dans le GS.

◆ **Dans ce texte, remplace** *Polly* **par** *Polly et moi*
**et fais les transformations nécessaires.**

Tous les quinze jours, Polly traverse la ville
pour rendre visite à sa grand-mère. Parfois,
elle lui apporte un petit cadeau, mais
le plus souvent c'est elle qui revient
avec un cadeau. Un jour, comme
elle s'apprête à partir, elle tombe
sur cet imbécile de loup.

D'après Catherine Storr, *Polly la futée et cet imbécile de loup.*

---

**Je retiens**

***Les enfants*** *ont lu des bandes dessinées. Dans l'arbre se cachait* **un écureuil**.
Le GS est souvent en tête de phrase. Mais il peut se trouver après un complément
ou même après le verbe (sujet inversé).

***Les enfants*** *ont lu des bandes dessinées.* **Ils** *ont lu des bandes dessinées.*
Le GS peut être un pronom personnel.
Attention : *Pierre et moi = nous – Pierre et toi = vous*

## 2ᵉ étape  *Je m'entraîne*

**1. Souligne les GS du texte suivant.**

« Tu n'as pas vraiment terminé ton histoire ?
– Comment ça ? répondit distraitement Hugo.
– Je ne comprends pas pourquoi tes lapins
magiques ont atterri dehors dans ce potager. »
Hugo se leva et vint s'asseoir à mes côtés.

D'après Anne Sibran, *Hugo et les lapins*.

**2. Remplace les GS par un pronom personnel.**

**a)** Au début, les prêtres s'avancent.

**b)** Tintin, Haddock et le professeur Tournesol sont ficelés sur le bûcher.

**c)** Ma sœur et moi avons peur pour eux.

**3. Réécris ces phrases en remplaçant les pronoms personnels par un GS qui contient un nom.**

**a)** Vous connaissez tous les albums de Lucky Luke.

**b)** Ils sont inquiets.

**c)** Quand réapparaîtra-t-il ?

**d)** Depuis hier, nous attendons Obélix.

**e)** Nous lirons bientôt la suite.

## 3ᵉ étape  *Je m'évalue* ..............................................................

**4. Recopie chaque GS du texte et écris le pronom qui peut le remplacer.**

Autrefois un roi et une reine avaient un fils intelligent et
vigoureux. Un jour que le prince jouait avec une balle devant
le château de son père, une vieille femme vint à passer avec
une cruche d'eau sur la tête. La balle heurta la cruche et la cassa.

D'après P. Delarue, M.- L. Ténèze, *Contes populaires français*.

*score sur 8*

**5. Transforme les phrases suivantes pour que les GS ne soient plus inversés.**

**a)** Dans la prairie pousse une fleur.

**b)** Les chariots vont-ils s'arrêter ?

**c)** « C'est un très bon endroit » dit Betty.

**d)** Peu après, sortait de terre une ville appelée Daisy Town.

*score sur 4*

**6. Complète ces phrases puis souligne le GS.**

**a)** Sur le chantier des pyramides…

**b)** Soudain…

**c)** Panoramix…

*score sur 3*

# S'exercer

*pour mieux lire et mieux écrire*

**Objectif**
Savoir accorder le verbe
avec un sujet proche ou éloigné.

# L'accord du verbe avec son sujet

## 1re étape *Cherchons ensemble*

◆ **Recopie ces phrases.**

**a)** Les pionniers, après deux mois de voyage, arrêtent leurs chariots.

**b)** Au pied d'un arbre mort pousse une pâquerette.

Souligne le verbe en rouge et le GS en bleu. Encadre le nom noyau du GS et relie-le d'une flèche au verbe. Comment sont placés le GS et le verbe ?

◆ **Remplace *le lapin* par *les lapins*.**

Dès qu'il sort du terrier, le lapin cherche à manger. Il grignote des feuilles, des graines… Le lapin est gourmand. Avant de grignoter une feuille, il la sent. Il a de grandes oreilles et les dresse au moindre bruit. En cas de danger, il tambourine sur le sol avec ses pattes arrière.

D'après « Ce matin, un lapin », *Nature à lire.*

◆ **Observe les phrases suivantes.**

**a)** Ma sœur mange des pommes. → Elle les mange.

**b)** Tu regardes un livre. → Tu le regardes.

**c)** Nous achetons un nouveau jeu. → Nous l'achetons.

Comment sont placés le groupe sujet et le verbe dans les phrases initiales ? Et dans les phrases transformées ? Le verbe a-t-il changé de forme ?

◆ **Complète ces phrases avec les verbes entre parenthèses.**

Ma femme et moi … la plaine (traverser).
Ton père et toi … souvent au saloon (aller).

Qu'observes-tu ?

◆ **Transforme ces phrases en écrivant les GS au singulier.**

**a)** Ces oiseaux sifflent toute la journée.

**b)** Partirez-vous de bonne heure ?

**c)** Les tortues aiment la salade, elles en mangent beaucoup.

**d)** Les enfants achètent des livres, ils les liront pendant les vacances.

---

### Je retiens

*Au pied d'un arbre mort **pousse** une pâquerette.*

Quand le verbe a pour sujet un GN, il s'accorde toujours avec le nom noyau du GN, même si ce nom est séparé du verbe ou s'il est placé après lui.

*Je **les** regarde partir.* Le verbe conjugué ne s'accorde jamais avec *le, la, l',* les placés devant lui.

## 2e étape · Je m'entraîne

**1.** **Complète ces phrases avec un GS qui contient un nom.**

**a)** Bientôt … achèteront un appartement.

**b)** Dans la voiture … chante très fort.

**c)** … aime les récits historiques, … lui en offrent souvent.

**d)** … photographiez des animaux.

**2.** **Remplace le GS par** *maman et moi, mes parents* **et** *grand-mère et toi.*
L'été, le père de Marc ramasse des fleurs pour faire un herbier.

**3.** **Transforme ce texte en remplaçant** *la tortue* **par** *les tortues.*
La façon dont la tortue de mer se dirige est un mystère.
Cet animal possède un « sixième sens » magnétique.
La tortue suit le Gulf Stream jusqu'au large des Açores.
Là, le Gulf Stream se divise en deux bras. La tortue
choisit celui qui va vers la mer des Sargasses.

D'après *Science Illustrée*, n°4 avril 1995.

## 3e étape · Je m'évalue

**4.** **Trace une flèche du sujet au verbe.**

**a)** Le druide, sur le chantier, prépare ses ingrédients.

**b)** Lucky Luke, immédiatement, aide les habitants de Daisy Town.

**c)** Les ouvriers égyptiens reprennent le travail avec entrain.

**d)** Tu relis ta BD préférée.

*score sur 4*

**5.** **Transforme les phrases de l'exercice 4 sur le modèle suivant.**
Clem découvre une pâquerette. → Il la découvre.

*score sur 4*

**6.** **Remplace** *la souris* **par** *les souris.*
Basile, le chat, dort des deux yeux. La souris en profite.
Elle lui tire la queue quand elle passe près de lui, elle le pince,
elle lui en fait voir de toutes les couleurs.

D'après M. Bichonnier, *Basile le chat.*

*score sur 5*

# Des yeux pour apprendre

Apprends ces mots en observant bien comment s'écrit chacun d'eux.
Entraîne-toi à bien les écrire.

| Textes p. 100-102 | | | Texte p. 103 | Poèmes p. 104 |
|---|---|---|---|---|
| construire | installer | malgré | le fouet | pareil |
| indispensable | l'essentiel | la cité | l'augmentation | la flamme |
| hélas | voilà | triompher | moins | le soleil |
| sauver | la naissance | la paix | encore | le vent |
| courageux | le désordre | habitué | allumer | répéter |

# S'exercer

pour mieux lire et mieux écrire

*Objectifs*

Comprendre le sens d'un mot grâce à son contexte.
Comprendre le sens d'un mot
en trouvant son contraire.

# Les différents sens d'un mot

## 1re étape *Cherchons ensemble*

◆ Dans la bande dessinée page 103 le druide Panoramix demande à Astérix de faire une démonstration.
Peux-tu expliquer le sens du nom *démonstration* ?
Écris une phrase dans laquelle *démonstration* aura un autre sens.

◆ Cherche dans un dictionnaire combien de sens a le nom *démonstration*.
Qu'est-ce qui te permet de trouver le nombre de sens dans le dictionnaire ?

◆ Lis les phrases suivantes.

   **a)** Je monte l'escalier sur la pointe des pieds.

   **b)** Théo monte le son de la télévision.

   Quel est le sens du verbe *monter* dans chacune de ces phrases ?
   Trouve pour chaque sens le contraire qui convient. Que constates-tu ?

◆ Cherche dans un dictionnaire les différents sens des mots suivants et donne un exemple pour chacun.
frapper – naissance – régner – construire

---

### Je retiens

*Le maître nous fait une **démonstration**. La **démonstration** d'Astérix les a convaincus.*
*Le réalisateur **tourne** une scène. Je **tourne** les pages du livre.*
Un mot peut avoir plusieurs sens. On trouve le sens qui convient grâce au contexte.

*Je **monte** l'escalier. Je **descends** l'escalier.*
*Je **monte** le son. Je **baisse** le son.*
On peut aussi chercher le contraire d'un mot pour comprendre son sens.

---

## 2e étape *Je m'entraîne*

**1.** Retrouve le sens du verbe *frapper* dans les phrases suivantes.

   **a)** La balle a frappé le poteau.          A. Applaudir

   **b)** La pluie frappe les carreaux.          B. Impressionner

   **c)** Les spectateurs frappent dans leurs mains.   C. Atteindre

   **d)** Cette nouvelle inattendue frappa les auditeurs.   D. Cogner

**2. Remplace les mots soulignés par leur contraire.**

**a)** Ce gâteau est très <u>bon</u>. – Le résultat de l'opération est <u>bon</u>.

**b)** Je préfère les couleurs <u>claires</u>. – Tes explications sont très <u>claires</u>.

**c)** Cet enfant est très <u>vif</u>. – Ce matin l'air est <u>vif</u>.

**3. Remplace le verbe par le contraire qui convient. Utilise un dictionnaire.**

**a)** Marion a perdu les élections au Conseil Municipal junior.

**b)** Dans le ciel l'avion perd de l'altitude.

**c)** Le malade a perdu du poids.

**d)** Le Petit Poucet a perdu son chemin dans la forêt.

**3ᵉ étape** *Je m'évalue* ························································

**4. Copie ces phrases et donne entre parenthèses le sens du mot *rayon* (tu peux te servir d'un dictionnaire).**

**a)** La documentaliste range les livres sur les rayons de la bibliothèque.

**b)** J'ai abîmé un rayon de mon vélo.

**c)** Les recherches ont lieu dans un rayon de 30 km.

**d)** Cet après-midi nous avons eu quelques rayons de soleil.

*score sur 4*

**5. Remplace les mots soulignés par un mot ou une expression de même sens.**

**a)** J'ai pris un sac à dos à <u>la place</u> d'un cartable.

**b)** Il y a un manège sur <u>la place</u> du village.

**c)** J'ai acheté <u>trois places</u> de cinéma.

**d)** Je me suis assise à <u>la place</u> de Martial.

*score sur 5*

**6. Le mot *pièce* a plusieurs sens. Emploie-le dans trois phrases, avec à chaque fois un sens différent.**

*score sur 3*

# S'exercer
### pour mieux lire et mieux écrire

*Objectif*
Écrire les verbes à l'imparfait de l'indicatif,
y compris les verbes en *cer* et *ger*.

# L'imparfait de l'indicatif

## 1re étape *Cherchons ensemble*

◆ **Lis le texte suivant.**

Les pionniers voulaient s'installer dans l'Ouest. Ils transportaient tout ce qu'ils possédaient dans leurs chariots et parcouraient la prairie.
Ils recherchaient l'endroit idéal pour construire leur ville.

Relève les verbes conjugués du texte. Donne leur infinitif et leur groupe.
À quel temps et à quelle personne sont-ils conjugués ?
Observe les terminaisons. Que constates-tu ?

◆ **Écris ces verbes à la 1re personne du singulier puis à la 1re personne du pluriel. Tu peux t'aider des tableaux pages 248 à 251. Que constates-tu ?**

◆ **Relève les verbes des phrases suivantes et indique leur groupe.**

**a)** Le coureur franchit la ligne d'arrivée.

**b)** Nous réfléchissons à ce problème.

**c)** Tu remplis le seau.

**d)** Maman punit Léa.

Écris ces phrases à l'imparfait.
Que constates-tu ?

◆ **Écris à l'imparfait les verbes suivants. Que remarques-tu ?**

Je voyage. – Il avance. – Tu nages.

◆ **Écris à l'imparfait.**

Le dernier empereur Inca dit que dans son empire aucun oiseau ne vole, aucune feuille ne bouge si ce n'est sa volonté.

---

### Je retiens

*Ils voul**aient**, ils transport**aient**.*
À l'imparfait de l'indicatif tous les verbes ont les mêmes terminaisons :
*-ais, -ais, -ait, -ions, -iez, -aient.*

*Je roug**iss**ais, nous grand**iss**ions, elles rempl**iss**aient.*
Les verbes du 2e groupe, comme *finir*, ajoutent **-iss-** à toutes les personnes.

*Tu avan**ç**ais, il na**ge**ait.*
Devant le **a** de la terminaison, les verbes en *-cer* prennent une cédille et les verbes en *-ger* prennent un *e*.

##  Je m'entraîne

**1. Écris à l'imparfait.**

Au printemps 1844, deux cents hommes, femmes et enfants quittent le Missouri pour l'Oregon, à trois mille kilomètres de là. Les voyageurs emportent tout ce qu'ils possèdent dans des fourgons tirés par plusieurs paires de bœufs. Chacun a un fusil et une charrue pour labourer les terres nouvelles. Ils n'ont pour route que les pistes tracées par les convois précédents. Chaque soir, les hommes cherchent de l'eau pour dresser le campement.

M. J. Carr, *Sur la piste de l'Oregon.*

**2. Écris le texte suivant en remplaçant *il* par *vous*.**

Il descendait l'escalier de la maison, le cerceau accroché à l'épaule. Une fois dans la rue, il se plaçait au milieu du trottoir, posait le cerceau bien droit, en le retenant légèrement avec les doigts de la main gauche. Puis il donnait un coup sec.

D'après Jules Romain, *Les Hommes de bonne volonté.*

**3. Raconte en quelques phrases ce que faisaient les marins sur le bateau de Christophe Colomb.**

## Je m'évalue

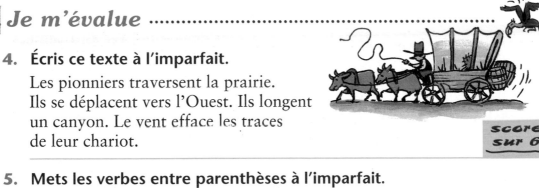

**4. Écris ce texte à l'imparfait.**

Les pionniers traversent la prairie. Ils se déplacent vers l'Ouest. Ils longent un canyon. Le vent efface les traces de leur chariot.

*score sur 6*

**5. Mets les verbes entre parenthèses à l'imparfait.**

Il (manger) comme un trou, à grand bruit, il (piquer) souvent les morceaux à la pointe de son couteau et les (porter) à sa bouche, il (prener) les os à la main, les (ronger), les (jeter) alors par dessus son épaule aux chiens qui se les (disputer) ; après cela, il (suçer) consciencieusement ses doigts, puis (lisser) ses grandes moustaches.

Henri Vincenot, *La Billebaude.*

*score sur 9*

**6. Utilise l'imparfait pour raconter comment était Daisy Town à l'arrivée de Lucky Lucke.**

*1 point par verbe*

# Mon bilan

Tout au long de ce chapitre, tu as fait de nombreux apprentissages. Tu peux maintenant faire ton bilan.

Sur ton cahier, recopie le numéro des différentes compétences ci-dessous et écris à chaque fois : *oui, pas toujours* ou *pas encore.*

### Je suis capable :

1. de lire et de comprendre une bande dessinée en observant les onomatopées et les images ;
2. de comprendre les images d'une bande dessinée en m'aidant des cartouches ;
3. de distinguer le contenu des cartouches et celui des bulles ;
4. de rédiger les cartouches et les bulles d'une bande dessinée en m'aidant des images et du texte ;
5. d'identifier un groupe sujet et de le remplacer par un pronom personnel ;
6. d'accorder le verbe avec son sujet, même si celui-ci est éloigné ;
7. d'écrire les 25 mots de la page 111 ;
8. de comprendre le sens d'un mot grâce à son contexte ;
9. de comprendre le sens d'un mot en cherchant son contraire ;
10. d'écrire les verbes à l'imparfait de l'indicatif, y compris les verbes en -cer et en -ger.

# Je vais plus loin

Tu as lu des extraits de trois bandes dessinées différentes. Les as-tu aimées ? Pourquoi ?
Les bandes dessinées que tu as lues t'ont parlé de la conquête de l'Ouest et de la civilisation ainsi que des Gaulois et des Égyptiens.
Cherche des informations, des documents sur une de ces périodes de l'histoire et apporte-les en classe afin de les présenter à tes camarades.

### Pour montrer la différence entre réalité et fiction :

◆ je dis dans quels types de documents j'ai trouvé les renseignements ;
◆ j'explique à partir de quels éléments historiques l'auteur des BD a construit l'histoire ;
◆ j'explique sur quoi s'appuie l'auteur pour inventer les personnages ;
◆ je montre que dans l'histoire il y a une part de fiction ;
◆ je dis ce que j'ai appris en lisant la bande dessinée.

Lire des contes d'Afrique et d'Asie qui mettent en scène des animaux.

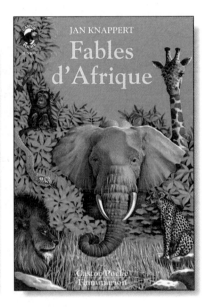

**Nguyên-Xuân-Hùng**
(né au Viêt-nam en 1942).
Il fait ses études en France.
Il a écrit ce livre pour ses deux enfants
qui veulent connaître davantage le
pays de leur père.

**Gérard Moncomble**
(né à Auxi-le-Château, Pas-de-Calais,
en 1951). Il a exercé différents métiers
avant de se consacrer, depuis 1984,
à l'écriture et à l'illustration.

**Jan Knappert** (né en Hollande en
1927). Il a étudié de nombreuses
langues d'Asie et d'Afrique. Au cours
de plusieurs voyages en Afrique,
il recueille les fables qui sont toujours
transmises oralement.

# Lire

*Objectifs*
Comprendre la chronologie d'un récit.
Repérer les différentes façons
de nommer les personnages.

## *Avant de lire*

◆ De quoi parle ce texte ? De quel pays vient-il ?

# Le buffle, le tigre et l'intelligence

Dans les temps très anciens, les hommes menaient les buffles aux champs
en les tirant par une corde attachée à leurs cornes. Ce n'était pas toujours facile,
et les buffles allaient souvent où ils voulaient.

Un jour, quelqu'un eut l'idée de passer un anneau dans leurs naseaux et d'y nouer
5 une corde. Depuis, les buffles suivaient docilement. Et ainsi, même les enfants
pouvaient les garder.

Un jour, après les travaux de labour, un jeune gardien laissa son buffle paître
tranquillement à la lisière de la forêt. Survint le tigre, qui en ce temps-là n'avait pas
de rayures sur sa robe jaune.

10 Le féroce animal s'étonna de l'obéissance du puissant buffle que lui-même craignait.
Il lui demanda :
– Buffle, pourquoi obéis-tu à ce frêle humain, toi dont la force égale la mienne ?
Le buffle lui répondit :
– Physiquement, le petit homme est faible, mais son intelligence est plus
15 puissante que nos cornes et nos griffes !

Étonné, le tigre s'adressa alors au garçon :
– Dis-moi, petit homme, où est ton intelligence qui fait peur même au puissant buffle ?
Le petit gardien lui répondit :
– Je n'ai pas apporté mon intelligence avec moi. Je l'ai laissée
20 à la maison.

– Alors, va la chercher,
lui suggéra le tigre.
– Mais tu vas profiter
de mon absence pour dévorer
25 mon buffle ! Si tu acceptes
que je t'attache, j'irai chercher
mon intelligence pour te la montrer.
Le tigre hésita, mais, poussé par
la curiosité, accepta la proposition.
30 Le garçon demanda au tigre
de s'aplatir contre un solide
tronc d'arbre, prit une longue
corde et l'attacha solidement
en faisant plusieurs tours.
35 Une fois qu'il eut fini, il prit
un gros gourdin et se mit

à battre le tigre, en s'exclamant :
– Voici mon intelligence !

Sous les coups, le tigre se débattit de douleur
40 et de rage. Il se débattit si violemment
que sa peau fut brûlée, à force de frotter
contre les cordes. Voici pourquoi les tigres
ont des rayures noires sur leur robe jaune.

Le tigre parvint finalement à se dégager
45 et s'enfuit dans la forêt sans demander
son reste.

Le buffle, qui assistait à la scène, fut pris
d'un fou rire. Il riait en secouant
si fortement sa lourde tête qu'il cogna
50 sa mâchoire par terre à s'en casser les dents.
C'est ainsi que les buffles n'ont plus de dents
à la mâchoire supérieure.

Nguyên Xuân Hùng, *Contes du Viêt-nam*, « Castor Poche », Flammarion.

## *Après avoir lu*

**Le récit**

◆ À quel paragraphe commence l'histoire du buffle et du tigre ?
Retrouve les étapes du récit.

◆ Quels sont les personnages du récit ? Quels mots l'auteur emploie-t-il pour désigner
le tigre ? le garçon ? Que représentent les pronoms *l'* et *la*, lignes 19 et 21 ?

**La morale de l'histoire**

◆ Comment commence la dernière phrase ? De quelle autre phrase du texte
peut-on la rapprocher ?

◆ À ton avis, ces explications sur les rayures du tigre et sur la mâchoire du buffle
sont-elles vraies ?

◆ Quelle est selon toi la morale de cette histoire ?

# Lire

*Objectifs*
Repérer les temps du récit.
Retrouver la structure répétitive du conte.

### Avant de lire

◆ Qu'est-ce qu'un chacal ?
◆ Dans quelles régions du monde vivent les chacals ?

# La grande soif du chacal

Autrefois, quand les animaux étaient rois sur la Terre, le soleil vivait parmi eux, dans un village, au milieu de la steppe immense.

Autour de sa maison se pressaient brebis et agneaux.
5   Car le soleil était berger : depuis des siècles et des siècles, chaque matin, il menait ses bêtes à travers les champs bleus du ciel. C'était merveille de voir, tout un jour, le troupeau paître dans l'infinie prairie et l'azur semblait fourmiller de laine blanche.

Tous les soirs, le soleil ramenait ses brebis au village. Et les animaux lui faisaient
10   fête. Car chacun aimait le berger du ciel. C'était lui qui leur donnait la douce chaleur du matin et quand l'herbe était trop sèche, quand l'eau des rivières se tarissait, c'était lui qui donnait la pluie : il se mettait à traire une grosse brebis et du ciel tombaient des ondées bienfaisantes.

Jamais le lion n'aurait osé porter la patte sur une des brebis, ni le léopard, ni le
15   jaguar, ni même la panthère aux dents si tranchantes. Jamais au grand jamais, même lorsque leurs flancs criaient famine. C'étaient les brebis sacrées du soleil.

Mais il y avait le chacal. Celui qu'on nommait le voleur des steppes. Celui qui fouillait de son museau gris la besace des voyageurs perdus dans le désert. Et tous savaient combien cet animal-là convoitait les moutons blancs du soleil.
20   Chaque matin, il les regardait partir avec gourmandise, chaque soir son œil s'allumait à les voir revenir.

« J'attends mon heure, songeait-il. J'arriverai bien à en croquer un. »

Et ce jour arriva. Un matin, il vit une brebis s'éloigner du troupeau et peu à peu se perdre dans la steppe. Il la pista, l'étrangla d'un coup de dent et la dévora sous
25   un arbre.

– J'avais raison, grogna-t-il. Sa chair est exquise.

Repu, il s'allongea à l'ombre. Mais bientôt, une terrible soif le prit. Sa langue était sèche, râpeuse. Il alla jusqu'à un puits.

– Donne-moi à boire, puits de la steppe. Ma soif est si grande !
30   – Bois donc, Chacal, dit le puits, s'il faut que tu t'abreuves.

Le chacal plongea sa gueule dans le puits, mais à peine effleura-t-il l'eau qu'elle disparut. Il ne restait plus au fond du puits qu'un peu de boue ocre et desséchée.

Étonné, le chacal trotta jusqu'à la rivière. Elle roulait des flots
35   frais et il se sentit rassuré. Celle-là au moins ne s'enfuirait pas.

– Donne-moi à boire, rivière de la steppe. Ma soif est sans bornes.

— Bois donc, Chacal, répondit la rivière, s'il faut que tu t'abreuves.

L'animal se pencha sur l'onde tumultueuse mais sa gueule n'attrapa que du gravier gris. Il n'y avait plus une goutte d'eau.

Le chacal prit peur. Le soleil frappait de plus en plus fort et il sentait sa langue pendre jusqu'à terre. Tremblant sur ses pattes, il se traîna jusqu'au lac.

— Donne-moi à boire, lac de la steppe. La soif me cuit les entrailles.

— Bois donc, Chacal, ricana le lac, s'il faut que tu t'abreuves.

Mais quand il se baissa vers l'eau calme, ses crocs claquèrent sur des pierres chaudes.

Le chacal comprit qu'il allait mourir de soif. À bout de forces, il s'étala sur l'herbe rase et sa plainte rauque monta vers le ciel.

— Soleil, berger furieux, sois clément. Laisse-moi avaler un peu d'eau. Je sais mon crime.

Et il recracha morceau par morceau la brebis dévorée.

— Je rends ta bête à ton troupeau. Soleil, donne-moi à boire.

Quand la brebis, bien vivante, eut rejoint l'azur, le soleil prit pitié du chacal.

— Ma colère est morte, dit-il. À présent, cours au puits, à la rivière du lac. J'y ai fait revenir l'eau.

Le chacal but comme jamais animal ne but. Et quand il se fut abreuvé, il s'enfuit dans la steppe. On ne le revit plus jamais.

Mais depuis ce jour, le soleil ne retourna plus au village, au crépuscule. Il décida de rester désormais dans la grande prairie d'azur. Il y garde maintenant son troupeau de blanches brebis et d'agneaux, ces animaux sacrés qu'on prend parfois pour des nuages.

Aujourd'hui, les chacals rôdent toujours près des villages. Mais seulement la nuit, quand le soleil a disparu derrière l'horizon. Ils se méfient, les voleurs de la steppe, car ils connaissent l'histoire du premier chacal.

Valérie Guidoux, Chloé Moncomble, Gérard Moncomble, *Mille ans de contes d'animaux*, Milan.

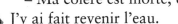

## *Après avoir lu*

### La situation initiale

◆ Quand se passe cette histoire ? Justifie ta réponse.

◆ Quels sont les personnages principaux de ce texte ? Observe dans les deuxième et troisième paragraphes les passages où il est question du soleil. À qui peut te faire penser le soleil ?

◆ Comment comprends-tu « l'azur semblait fourmiller de laine blanche » (ligne 8).

◆ À quel temps sont les verbes dans le début du texte ?

### La faute

◆ À quel moment le chacal fait-il ce qui est interdit ? Quel mot indique qu'il va y avoir un changement ? À quel temps sont les verbes (lignes 23 à 25) ? Pourquoi ?

◆ Relis les lignes 27 à 48. Comment le chacal est-il puni ? Comment tente-t-il de se désaltérer ?

### La morale du conte

◆ Comment le chacal obtient-il son pardon ?

◆ Comment les chacals chassent-ils maintenant ? À ton avis, quelle est la morale de cette histoire ?

## Lire

*Objectifs*
Comparer monde imaginaire et monde réel.
Étudier les registres de langue dans le dialogue.

### Avant de lire

◆ De quel continent ce texte vient-il ?
◆ Ce texte peut-il être encore
un conte ?

# La part
# du lion

Un jour le lion, le loup et le renard s'en allèrent chasser ensemble. Ils attrapèrent un âne sauvage, une gazelle et un lièvre. Le lion dit alors au loup :

– Loup, c'est toi aujourd'hui qui feras le partage.

Le loup dit :

5  – Il me semble équitable, Sire, que vous receviez l'âne sauvage et que mon ami le renard prenne le lièvre. Quant à moi, je me contenterai de la gazelle.

À ces mots, le lion se mit en rage. Il souleva sa grosse patte puissante et l'abattit sur la tête du loup. Le loup eut le crâne brisé et mourut presque aussitôt.

Alors le lion s'adressa au renard :

10  – À ton tour, maintenant, d'effectuer le partage ; et tâche de mieux t'y prendre.

Le renard dit solennellement :

– L'âne sera pour votre déjeuner, Sire, la gazelle sera pour le souper de Votre Majesté et le lièvre vous revient, pour votre petit déjeuner de demain.

Le lion, surpris, lui demanda :

15  – Et depuis quand es-tu aussi sage ?

Le renard répondit :

– Depuis que j'ai entendu craquer le crâne du loup, Majesté.

Jan Knappert, *Fables d'Afrique*, « Castor Poche », Flammarion.

### Après avoir lu

◆ Quels sont les animaux qui chassent avec le lion ? Qu'ont-ils attrapé ?
◆ Comment le lion s'adresse-t-il à ses compagnons ? Comment le loup et le renard s'adressent-ils au lion ? Relève les mots qu'ils utilisent pour le nommer. Que peux-tu en conclure ?
◆ Le partage proposé par le loup te semble-t-il équitable ? Pourquoi ?
◆ Quelle est la morale de ce texte ?

**Objectifs**

Chercher le rythme d'un poème.
Comparer deux textes.
Repérer des mots anciens.

# Dis-moi les légendes

Dis-moi toutes les légendes
Qui gisent, telles les jalons de l'Histoire
Aux coins
De chaque forêt
De chaque village
De chaque case.

J.-B. Tiémélé, *Ce monde qui fume*,
Éditions Saint-Germain-des-Prés.

# La génisse...

La génisse, la chèvre, et leur sœur la brebis,
Avec un fier lion, seigneur du voisinage,
Firent société, dit-on, au temps jadis,
Et mirent en commun le gain et le dommage.
5   Dans les lacs de la chèvre un cerf se trouva pris.
Vers ses associés aussitôt elle envoie.
Eux venus, le lion par ses ongles compta,
Et dit : « Nous sommes quatre à partager la proie. »
Puis en autant de parts le cerf il dépeça ;
10   Prit pour lui la première en qualité de sire :
« Elle doit être à moi, dit-il ; et la raison,
      C'est que je m'appelle lion :
      À cela l'on n'a rien à dire.
15   La seconde, par droit, me doit échoir encor :
Ce droit, vous le savez, c'est le droit du plus fort.
Comme le plus vaillant, je prétends la troisième.
Si quelqu'une de vous touche à la quatrième,
      Je l'étranglerai tout d'abord. »

Jean de La Fontaine, *Fables*.

## *Après avoir lu*

**Dis-moi les légendes**

◆   À quoi ce poème te fait-il penser ?
◆   D'où viennent les légendes ? Qui les raconte ?
◆   Qu'est-ce qu'une case ?
◆   Lis ce poème en cherchant son rythme.

**La génisse, la chèvre et la brebis, en société avec le lion**

◆   Quelles ressemblances et quelles différences vois-tu entre cette fable de La Fontaine et la fable *La part du lion*, page 122 ?
◆   La génisse, la chèvre et la brebis sont-elles carnivores ? La Fontaine a-t-il cherché à montrer la réalité ? Qui ces animaux pourraient-ils représenter à l'époque de La Fontaine ?
◆   Le lion justifie son partage. Quels sont ses arguments ? Lequel de ces arguments est une menace ? Qu'en penses-tu ?
◆   Cette fable a été écrite au XVIIe siècle. Relève les mots et les expressions qui ne sont plus employés de nos jours.

# ÉCRIRE

*Objectifs*
Écrire un conte en respectant le schéma narratif.
Utiliser le pronom personnel
à bon escient.

# Écrire un conte animalier

Tu as lu comment au Viêt-nam on explique pourquoi les tigres ont des rayures noires sur leur robe jaune. À ton tour d'imaginer un conte pour expliquer pourquoi un animal est devenu comme il est aujourd'hui. Tu peux imaginer une morale si tu le souhaites.

## 1<sup>re</sup> étape *Cherchons ensemble*

♦ Quel animal vas-tu choisir ? Quelle particularité vas-tu mettre au centre de ton conte ? Le hérisson et ses épines ? La chouette qui ne chasse que la nuit ? Le héron qui a de longues pattes ?
Écris le titre de ton conte.

♦ Comment ton animal se présentait-il au commencement ?
Imagine ce qui a pu lui arriver : a-t-il été trop curieux ? trop gourmand ? trop peureux ? Ou au contraire, a-t-il aidé un être doué de pouvoirs magiques qui lui aurait ainsi fait un cadeau ?

♦ Combien d'étapes aura ton récit ?
Combien de paragraphes vas-tu écrire ?

♦ Comment ton récit peut-il se terminer ? Tu peux imaginer une histoire amusante.

## À *mon stylo*

Écris maintenant le conte que tu as imaginé. Quel temps vas-tu choisir : le présent ou le passé ? Par quelle expression la phrase finale peut-elle commencer ?

## 2<sup>e</sup> étape *Pour améliorer mon texte, je remplace le pronom par le nom qui convient*

### a) J'observe

Lis ce petit texte.

Un jour, un homme vit un serpent. Il le recueillit, le soigna.
Mais un jour, il voulut le piquer.

Que remarques-tu ? Que représente le pronom *il* dans la 2ᵉ phrase ?
Et dans la 3ᵉ ? Comment peut-on comprendre cette phrase ?
Corrige la dernière phrase pour qu'on la comprenne mieux.

### b) Je m'entraîne

Lis le texte suivant.

Un jour, un petit grenouillot rencontre
un jeune serpenteau. Ils deviennent amis,
ils jouent ensemble toute la journée.
Grenouillot montre comment sauter,
Serpenteau comment ramper. Il est
si content qu'il l'enlace de plusieurs
boucles et il le serre si fort qu'il dit :
« Doucement, tu vas m'étouffer. »
Il le trouve adorable, adorable à croquer.

Explique ce qui se passe dans les deux dernières phrases.
Comment peux-tu renommer ces personnages ?
Recopie le texte en le corrigeant pour qu'il soit clair.

## 3ᵉ étape — J'améliore mon texte

◆ Échange ton texte avec celui d'un autre élève.
   Lis son texte :
   – Le comprends-tu facilement ? Si non, souligne au crayon
     ce qui n'est pas clair.
   – Précise-t-il comment était l'animal au commencement ?
   – A-t-il raconté comment est arrivé le changement de l'animal ?
   – Le récit a-t-il bien une fin ?

◆ Reprends ton texte et mets-le au point en te servant des remarques
   de ton camarade. Si tu as utilisé un seul mot pour nommer
   tes personnages, cherches-en d'autres.
   Utilise les pronoms de façon juste.
   Vérifie la conjugaison des verbes et l'orthographe des mots dont
   tu n'es pas sûr.

◆ Recopie ton texte. Tu peux illustrer ton histoire.

*Objectifs*
Identifier le COD, qu'il soit GN,
pronom ou proposition.
Effectuer la transformation pronominale.

# Le complément d'objet direct (COD)

## 1re étape *Cherchons ensemble*

♦ **Complète ce que dit le gardien du buffle au tigre :**
Je ne prends pas … avec moi. Je … laisse à la maison.
Souligne les verbes. Quelle est la fonction des différents groupes
de ces phrases ?

♦ **Complète ces phrases.**
Un jour, un brave homme découvrit … . Il rapporta chez lui … .
Quelle est la fonction des groupes que tu as ajoutés ?
Comment peux-tu les reconnaître ?
Ces phrases ont-elles un sens sans ces groupes ?
Que peux-tu en conclure ?

♦ **Observe ces phrases.**
L'enfant voit le tigre.
L'enfant voit le tigre et le buffle.
L'enfant voit le tigre, le buffle et la gazelle.
Dans quelles phrases y a-t-il des COD coordonnés (c'est-à-dire reliés par *et*) ?

♦ **Remplace dans les phrases ci-dessus le COD par un pronom.**
**Observe sa place. Que constates-tu ?**

♦ **Observe ces phrases.**
L'enfant comprend le danger.
L'enfant comprend que le tigre est dangereux.
Cherche le COD de ces phrases. Quel COD comporte un verbe ?
Par quel mot commence ce COD ?
Comment appelle-t-on un groupe de mot qui contient un verbe ?

♦ **Écris trois phrases avec un COD groupe nominal, un COD pronom
et un COD proposition.**

---

### Je retiens

*L'homme découvre **un serpent**.*
Le verbe est souvent complété par un COD.

Le COD peut être :
– un GN : *L'enfant voit **le tigre**.*
– plusieurs GN juxtaposés ou coordonnés : *L'enfant voit **le tigre, le buffle et la gazelle**.*
– une proposition subordonnée : *L'enfant sait **que le tigre est dangereux**.*
– un pronom qui se place avant le verbe : *L'enfant **le** sait.*

## 2<sup>e</sup> étape *Je m'entraîne*

**1. Complète ces phrases avec le COD qui leur manque.**
Le chacal convoitait … . Un jour, il vit … dans la steppe. Il … étrangla d'un coup de dent et … dévora sous un arbre. Mais un peu plus tard il comprit … .

**2. Copie ces phrases, souligne les COD, écris leur nature.**
Le chien porte sur son dos son nouvel ami. Il arrive près d'une ferme. Il boit l'eau d'un chaudron. La femme voit que le chien boit son eau. Elle le frappe. Le chien pense que personne ne l'aime.

**3. Copie ces phrases en supprimant les répétitions.**
**a)** En Asie, les paysans ont des buffles. Les enfants gardent les buffles.
**b)** Le tigre craint le puissant buffle, l'enfant mène le puissant buffle au champs.
**c)** Le tigre voudrait voir l'intelligence. L'enfant n'a pas apporté son intelligence avec lui.

**4. Recopie les pronoms compléments de ce texte et écris pour chacun d'eux le mot qu'il remplace.**
Un chien se demandait pourquoi personne ne l'aimait.
Il posa ses pattes boueuses sur du linge propre.
Un homme l'avait étendu là pour le faire sécher
au soleil. Il vit le chien et le frappa avec son bâton.

## 3<sup>e</sup> étape *Je m'évalue* ·····························································

**5. Copie ce texte, souligne les COD.**
Le prince Dohon aimait la princesse Tortue. En effet le roi des Tortues cachait dans son palais une fille. Personne ne l'avait jamais vue, mais on disait qu'elle était très belle.

*score sur 4*

**6. Copie ces phrases en supprimant les répétitions.**
Il était une fois un homme qui possédait un magnifique cheval. Il soignait ce cheval et aimait ce cheval comme son propre enfant. L'animal savait parler, et il dit à son maître : « Des bandits vont venir vous voler. Vous inviterez les bandits à un festin. » L'homme prit une jarre, remplit la jarre avec du vin et plaça la jarre sur la table.

*score sur 5*

**7. Complète ces phrases par des COD de ton choix.**
Un jour le lion, le loup et le renard attrapèrent… . Le loup fit… , il proposa… au lion , donna … au renard et garda … pour lui. Le lion souleva … et … abattit sur la tête du loup. Le renard apprit en un instant … .

*score sur 8*

# S'exercer
*pour mieux lire et mieux écrire*

**Objectifs**
Accorder les déterminants.
Reconnaître les homophones.

# Écrire les déterminants

## 1re étape *Cherchons ensemble*

- ◆ **Copie ce texte et souligne les déterminants.**
  Un jour, un homme découvrit un petit serpent orphelin.
  L'homme soigna le serpent, le traita comme
  son propre fils. Cet homme était-il raisonnable ?

  Quels sont les déterminants de la 1re phrase ?
  Dans la 2e phrase, quel mot ressemble à un déterminant
  mais n'en est pas un ?

- ◆ **Quelle différence y a-t-il entre** *un, le, son* **et** *cet* **?**

- ◆ **Cherche les déterminants** *un, le, son* **et** *cet* **dans un dictionnaire.**
  Quelles sont les autres formes pour chacun de ces déterminants ?
  Note-les dans un tableau et souligne les déterminants qui se prononcent
  de la même façon.

- ◆ **Compare** *leur fils* **et** *leurs fils.* **Y a-t-il des différences à l'oral ?**
  **Et à l'écrit ? Quel GN est singulier ? Écris ces GN au féminin.**

- ◆ **Lis les deux phrases suivantes.**

  **a)** Il les traita comme ses propres fils.

  **b)** Ces hommes étaient-ils raisonnables ?

  Comment peux-tu distinguer *ces* et *ses* ? Comment peux-tu choisir,
  lorsque tu dois les écrire ?

- ◆ **Complète les phrases suivantes avec les déterminants qui conviennent.**
  … homme avait pris femme dans … village voisin. Lorsque le temps fut
  venu de faire venir … jeune épouse, il demanda à … meilleur ami d'aller
  la chercher.

  Quel nom n'est pas accompagné d'un déterminant ? Pourquoi ?
  Connais-tu d'autres expressions comme celle-là ?

---

### Je retiens

*Un jour, **un** jeune gardien attacha **un** anneau sur **le** museau d'**un** buffle.*
Le GN commence généralement par un déterminant.
Le déterminant s'accorde en genre et en nombre avec le nom noyau du groupe.

***Ses** fils, **son** fils ; **ces** hommes, **cet** homme.*
Pour reconnaître **ses** de **ces**, je mets le GN au singulier.

***Leur** enfant, **leurs** enfants.*
Le déterminant possessif **leur** est singulier. Au pluriel, il faut écrire **leurs**.

## 2ᵉ étape *Je m'entraîne*

1. **Écris la phrase suivante en remplaçant *le chat* par les différents pronoms que tu utilises pour conjuguer un verbe.**
   Le chat prend ses bottes et son sac.
   → Je prends …

2. **Complète le texte suivant avec les déterminants qui conviennent.**
   … jeune homme nommé Yusuf avait perdu … père dès l'âge de quinze ans. Il vivait avec … mère et … seuls animaux que lui avait laissés … père : … chien, … chat et … faucon. Chaque jour, il allait à la chasse avec … trois compagnons.

   D'après Jan Knappert, *Fables d'Afrique.*

3. **Complète la phrase suivante avec les déterminants qui conviennent.**
   Le soleil garde maintenant dans le ciel … brebis et … agneaux, … animaux sacrés qu'on prend parfois pour … nuages.

## 3ᵉ étape *Je m'évalue* ·······················································

4. **Transforme la phrase suivante en remplaçant *les animaux* par *le léopard*.**
   Les animaux n'ont pas invité leurs amis ; ils n'ont pas ouvert les portes de leur maison.

   *score sur 2*

5. **Complète le texte suivant avec les déterminants qui conviennent.**
   Le léopard, seigneur de la jungle, voulait avoir … maison neuve. Tous les animaux offrirent … aide pour la construire. Ils ne comptèrent ni … temps ni … efforts. Lorsque la maison fut finie, au lieu de remercier … ouvriers, le léopard prononça … mots : « Maintenant, décampez ! »

   *score sur 6*

6. **Écris le début d'un conte que tu connais, souligne les déterminants.**

   *1 point par déterminant*

# Des yeux pour apprendre

Apprends ces mots en observant bien comment s'écrit chacun d'eux. Entraîne-toi à bien les écrire.

| Texte p. 118 | Texte p. 120 | | Texte p. 122 | Poèmes p. 123 |
|---|---|---|---|---|
| ancien | le désert | le siècle | chasser | l'histoire |
| obéir | autrefois | la laine | ensemble | commun (en …) |
| craindre | aujourd'hui | ramener | le partage | d'abord |
| ainsi | gris, grise | la chaleur | abattre | la légende |
| tranquillement | la goutte | la patte | presque | second |

# Mots de la même famille

## 1<sup>re</sup> étape *Cherchons ensemble*

♦ **Cherche des mots de la famille de *porter*. Combien en trouves-tu ?**
Commencent-ils tous de la même façon ?

♦ **Observe les phrases suivantes :**
« Je n'ai pas apporté mon intelligence avec moi », dit le jeune gardien.
Le loup emporte l'agneau et puis le mange.

Quelle différence de sens fais-tu entre *apporter* et *emporter* ?
Comment sont construits *apporter* et *emporter* ? Comment s'appellent
les éléments *ap-* et *em-* ? Que peut-on dire de *porter* par rapport
à *apporter* et *emporter* ?

♦ **Cherche des verbes de la famille de *mener*, et emploie-les
dans une phrase.**
Comment peux-tu retenir l'orthographe de *amener* et *emmener* ?

♦ **Observe les couples de mots suivants.**
capable, incapable – coller, décoller

Qu'expriment *incapable* et *décoller* par rapport à *capable* et *coller* ?
Quels préfixes ont servi à former les mots *incapable* et *décoller* ?
Quel est leur sens ? Est-ce vrai dans *se débattre* ? Dans *délicat* ?

♦ **Que signifient les mots suivants ?**
une bicyclette – un triangle – un quadrilatère – un hexagone

À l'aide de quels préfixes ont-ils été formés ? Que signifient ces préfixes ?
Cherche d'autres mots formés à l'aide de ces préfixes.
Connais-tu d'autres préfixes qui indiquent une quantité ?

♦ **Dans ces phrases, relève les mots formés
à l'aide de préfixes et explique-les.**

**a)** Cette superproduction sur les animaux
préhistoriques a été tournée aux antipodes,
pour la télévision, par un octogénaire surmené.

**b)** Une automobile a des rétroviseurs, un antivol
mais pas de parachute.

♦ **Écris tous les préfixes qui servent à former
les noms de mesures.**
*Exemple : milli → millimètre.*

## Je retiens

*Porter, apporter, emporter.*
Les mots de la même famille peuvent commencer par des préfixes différents.
Reconnaître la racine du mot et le préfixe aide à comprendre et à écrire
certains mots.

### 2e étape Je m'entraîne

1. **Observe les mots *bonheur* et *malheur*.**
   **Quelle est leur racine ?**
   **Trouve des mots de la même famille.**

2. **Quel est le pluriel de *madame, monsieur,***
   ***mademoiselle* ?**
   **Qu'est-ce qui joue ici le rôle de préfixe ?**

3. **Cherche le sens des mots suivants.**
   prénom – préfixe – préavis – prédire – préhistorique
   **Que peux-tu en déduire sur le sens du préfixe *pré-* ?**

4. **Cherche dans le texte *La grande soif du chacal*, page 121, lignes 53**
   **à 59 les verbes qui commencent par le préfixe *re-*.**

5. **Conjugue *venir* et *revenir* puis *voir* et *revoir* à la 1re personne du futur**
   **simple. Que constates-tu ? Cherche d'autres verbes qui se conjuguent**
   **comme *venir* et *voir*.**

### 3e étape Je m'évalue

6. **Explique les mots suivants.**
   un trimestre – un tricycle – des triplés
   **Que signifie le préfixe *tri-* ?**

   *score sur 1*

7. **Écris au futur simple la phrase suivante.**
   Quand je reviens, je refais ce chemin, je revois ma maison.

   *score sur 3*

8. **Écris le contraire des mots suivants formé avec un préfixe.**
   heureux – boutonner – connu – possible

   *score sur 4*

9. **Cherche des mots formés à l'aide des préfixes suivants.**
   télé- ; anti- ; para-

   *1 point par mot*

**S'exercer**

*pour mieux lire et mieux écrire*

*Objectif*
Mémoriser le futur simple des verbes
irréguliers les plus fréquents.

# Le futur simple de l'indicatif

## 1<sup>re</sup> étape *Cherchons ensemble*

◆ **Relis dans le texte *Le buffle, le tigre et l'intelligence*, page 118, les lignes 23 à 27. Relève les deux verbes au futur.**
Ont-ils la même forme ? Pourquoi ?
Font-ils partie du récit ou du dialogue ?

◆ **Copie la phrase suivante.**
« Les hommes mangeront tous mes fruits, mais
pour finir ils m'abattront et me brûleront », dit l'arbre.
Souligne les verbes au futur simple. À quelle personne
sont-ils conjugués ? Choisis un de ces verbes
et conjugue-le à toutes les personnes.
Comment se forme le futur simple de ce verbe ?
Vérifie pages 248 à 251 si le futur des autres verbes
se forme de la même façon.

◆ **Écris les verbes suivants à la 1<sup>re</sup> personne du singulier du futur simple
(tu peux t'aider du tableau pages 248 à 251).**
être – avoir – aller – payer – courir – voir – venir – faire – pouvoir – savoir
Que remarques-tu à propos des terminaisons ? et à propos des radicaux ?

◆ **Que peux-tu dire des verbes *être* et *savoir* au futur ? Prononce très
vite la phrase suivante à toutes les personnes.**
Quand je saurai cette leçon, je serai savant.
Quand tu …

◆ **Recopie ce texte en mettant au futur les verbes entre parenthèses.**
Demain, Grenouillot (jouer) avec son ami Serpenteau. Ils (sauter), (faire)
des plongeons, (être) heureux ensemble, mais leurs mamans ne le
(savoir) pas.

---

### Je retiens

*Je brûler**ai**, je manger**ai**, j'abattr**ai**.*
Au futur simple de l'indicatif, tous les verbes ont les mêmes terminaisons :
*-ai, -as, -a, -ons, -ez, -ont.*

*Je **jouer**ai, je **fer**ai, je **saur**ai.*
Le radical du futur se forme le plus souvent sur l'infinitif, mais certains verbes
ont un radical irrégulier (voir tableaux pages 248 à 251).

## 2e étape — Je m'entraîne

**1. Souligne les verbes au futur simple dans le texte suivant.**

– Bonjour, Monsieur.
– Bonjour, Mademoiselle, que désirez-vous ?
– Je voudrais m'acheter un visage avec tous les accessoires indispensables.
– Pour quand vous le faudra-t-il ?
– Je voudrais l'avoir pour demain.
– C'est un peu court, je vais faire de mon mieux. Voulez-vous un nez ?
– Qu'en ferai-je ? À quoi me servira-t-il ?
– Il vous servira à vous moucher.

Eugène Ionesco, *Théâtre*.

**2. Transforme ce texte en l'écrivant au futur simple.**

Chaque jour, la poule réunit tout le mil qu'elle peut, l'entasse près de la cheminée et roule deux ou trois potirons sur le toit. Après, elle court dans sa case et tire le verrou. Elle ne craint plus rien, ni des voleurs, ni de l'orage.
→ Demain, la poule…

**3. Reprends le dialogue de l'exercice 1. Imagine la suite : le vendeur demande à sa cliente si elle veut des yeux, une bouche, etc. Écris ce nouveau dialogue.**

## 3e étape — Je m'évalue

**4. Recopie ce texte en soulignant les verbes au futur simple.**

Il faudra tâcher de trouver une voiture. Vous vous coucherez en arrivant. Une chambre où vous serez seule, si possible. Vous prendrez un verre d'eau de Vichy toutes les deux heures, et un biscuit matin et soir. Vous ne direz pas que je vous ordonne des remèdes coûteux ! À la fin de la semaine, nous verrons comment vous vous sentez.

Jules Romain, *Knock*.

*score sur 5*

**5. Écris au futur les verbes entre parenthèses.**

Le chacal pense qu'il (manger) l'agneau plus tard, quand celui-ci (être) gros et gras. Mais quand il (revenir), l'agneau (avoir) des cornes qui lui (faire) peur, et le chacal ne (pouvoir) plus s'attaquer au jeune bélier. À l'avenir, le chacal le (savoir) et se (méfier) des beaux discours.

D'après Ashley Brian, *Contes d'Afrique noire*.

*score sur 8*

**6. Lis ces vers et trouve-leur une suite en utilisant le futur.**

Quand je serai caillou
J'irai dormir le soir dans les soupières.

Jean Maynx, *Ma tête à couper*.

*1 point par futur*

# Mon bilan

Tout au long de ce chapitre, tu as fait de nombreux apprentissages. Tu peux maintenant faire ton bilan.

Sur ton cahier, recopie le numéro des différentes compétences ci-dessous et écris à chaque fois : *oui, pas toujours* ou *pas encore.*

## Je suis capable :

1.  de retrouver les étapes d'un récit ;
2.  d'expliquer la morale d'un conte ;
3.  de distinguer le monde réel et le monde imaginaire dans un récit ;
4.  de réciter un poème en respectant son rythme ;
5.  d'écrire un conte en faisant un paragraphe pour chaque étape du récit ;
6.  de reconnaître le COD ;
7.  d'écrire les déterminants homophones ;
8.  d'écrire les 25 mots de la page 129 ;
9.  de reconnaître les mots de la même famille ;
10. d'écrire les verbes fréquents au futur simple.

# Je vais plus loin

Tu as lu trois contes qui parlent des animaux, mais aussi des hommes. Il en existe beaucoup d'autres : tous les pays ont des contes, des fables pour distraire et instruire.

Cherches-en à la bibliothèque de l'école ou de la ville. Choisis-en un qui te plaît particulièrement et lis-le à la classe ou à une autre classe.

## Pour bien lire un conte :

◆ je choisis un conte que je comprends bien, pas trop long ;
◆ je m'exerce à le lire à voix haute en respectant la ponctuation ;
◆ je cherche comment faire parler les différents personnages.

# 8 Choisir un programme TV

Sélectionner des informations précises.

# L i r e

*Objectifs*

Comparer des articles critiques sur un film.
Distinguer article critique et article
de présentation.

# Un Indien dans la ville

## 20.45

**FILM FRANÇAIS D'HERVÉ PALUD (1994) - DURÉE INITIA**  LE: 1 h 30  548470

## UN INDIEN DANS LA VILLE
### 77

SCÉNARIO D'HERVÉ PALUD ET IGOR APTEKMAN - MUSIQUE DE MANU KATCHE, GEOFFREY

Mimi-Siku (L. Briand) part à l'assaut de la tour Eiffel, sous l'œil inquiet de Stéphane (T. Lhermitte).

ORYEMA ET TONTON DAVID (STÉRÉO)

Stéphane............**Thierry Lhermitte**
Richard.............**Patrick Timsit**
Mimi-Siku..........**Ludwig Briand**
Patricia............**Miou-Miou**
Charlotte..........**Arielle Dombasle**
Pavel...............**Tolsty**
Joanovici..........**Jackie Berroyer**
Marie..............**Sonia Vollereaux**

**LE SUJET**
Un homme d'affaires stressé fait découvrir Paris à son fils de 13 ans, un petit sauvage élevé par des Indiens d'Amazonie. Ce choc des cultures sera la source d'une cascade de catastrophes.

**SI VOUS AVEZ MANQUÉ LE DÉBUT**
Stéphane Marchado, dit Steph, s'envole à destination de Caracas afin de régler les formalités de son divorce d'avec Patricia, qui, treize ans plus tôt, l'a quitté sans explication pour aller vivre au sein d'une tribu d'Amazonie. C'est la condition indispensable à son remariage avec Charlotte, une snob adepte de mystique orientale. Fringant homme d'affaires, spécialiste des marchés asiatiques, Steph voyage avec son ordinateur portable car il lui faut surveiller le cours du soja, dont il a 1500 tonnes à vendre. Une tâche qu'il a confiée à son associé, le fidèle Richard. Parvenu, non sans mal, à destination, Steph découvre alors que Patricia était enceinte lorsqu'elle l'a plaqué et que le malicieux petit Indien qu'on lui présente n'est autre que son fils, Mimi-Siku. La surprise passée, Steph décide de le ramener avec lui à Paris pour lui montrer la tour Eiffel. Et c'est ainsi que l'enfant débarque de la jungle dans la capitale française, avec sa tenue indienne, son arc et sa mygale apprivoisée. Au plus grand étonnement de Richard, venu les accueillir à l'aéroport...

**— NOTRE AVIS —**
*Comédie. Partant d'un thème déjà abordé dans « Crocodile Dundee », Hervé Palud ne cherche cependant pas à lui donner valeur de fable écologique autour de l'opposition entre deux modes de vie. Il veut simplement susciter le rire et la complicité du spectateur en jouant habilement sur les contrastes. De ce point de vue, c'est réussi. D'autant que les comédiens sont dans la note, avec une mention spéciale pour le savoureux numéro d'Arielle Dombasle.*
*Gérard Langlois*

*Télé 7 jours*, n° 1951.

## 20.45
**Film ♥♥♥ Un Indien dans la ville**
Film français de Hervé Palud, 1994.
Avec Thierry Lhermitte, Patrick Timsit, Ludwig Briand.
Un petit garçon blanc qui a grandi dans la forêt amazonienne découvre Paris.
Une excellente comédie pleine de gags, qui te réconciliera avec les mygales !
Voir article p. 25.
♦22.20

*L'Hebdo des Juniors*, n° 216.

## *Après avoir lu*

**La mise en page**
◆ Observe la mise en page de chacun de ces trois articles. Quelles remarques peux-tu faire ?
Qu'y a-t-il de semblable ? De différent ?

■ ■ ♥♥UN INDIEN DANS LA VILLE - FILM ■

# La ballade de Mimi Siku

Les tribulations d'un petit Indien d'Amazonie, dans "la jungle" de Paris: une jolie comédie, qui a remporté un très grand succès à sa sortie en 1994.

### Un héros séduisant

Tu vas adorer Mimi Siku. Ce personnage d'enfant élevé en Amazonie, loin des embouteillages et des téléphones portables, a tout pour séduire les citadins. Il chasse les mouches à la sarbacane, tire à l'arc sur les pigeons des voisins, accommode les poissons rouges au barbecue, quand il n'escalade pas les poutrelles de la tour Eiffel. Et puis, il ne manque pas d'humour: en Amazonie, ce sont les enfants qui choisissent leur prénom. Le sien signifie "Pipi de chat". Tout un programme!

### Un jeune comédien doué

Ludwig Briand, treize ans à l'époque du tournage, donne vie à Mimi Siku. Avant *Un Indien dans la ville*, il avait déjà joué dans plusieurs clips, et interprété au théâtre le personnage de Gavroche, dans *Les misérables*. Lorsqu'il chasse à la sarbacane, ou qu'il déambule en pagne sur les Champs-Elysées, Ludwig Briand est épatant de naturel. Lors du tournage, il a aussi montré qu'il n'avait pas froid aux yeux, en affrontant vaillamment araignées et serpents venimeux. Pour s'habituer à manipuler les mygales (débarrassées de leur venin), Ludwig a simplement passé un week-end chez Guy Demazure, le spécialiste qui a fourni les animaux du film. *"Lorsqu'il est revenu, il les prenait dans ses mains comme si c'était naturel,* raconte Thierry Lhermitte, l'acteur qui joue le rôle de son père. *Moi, j'étais debout sur le bureau!"*

Claire Laurens

*Un Indien dans la ville*, film français de Hervé Palud, 1994. Avec Thierry Lhermitte, Patrick Timsit, Ludwig Briand.

● Prochainement, Ludwig Briand sera sur TF1, dans un télé-film, *Un et un font six*, avec Pierre Arditi et Brigitte Fossey.

*L'Hebdo des Juniors*, n° 216.

## Le contenu des articles

◆ Quels sont les articles qui s'adressent aux enfants ? Comment le sais-tu ?

◆ Quelles informations l'article de cette page donne-t-il ?
Quelles sont les différences entre cet article et les deux autres ?

◆ Décris l'image qui est commune à deux articles.

# Lire

*Objectifs*

Repérer les caractéristiques de mise
en page des articles de programme TV.
Comprendre une critique.

## *Avant de lire*

◆ Comment peux-tu d'un simple coup d'œil connaître l'appréciation
de *Télérama* sur ce film ?

# Lucky Luke

**13.30** ● **M6** 14.50

## Lucky Luke

T

**Tous les délicieux poncifs du western.**

Film d'animation franco-belge de Morris, René Goscinny et Pierre Tchernia (1971). Précédente diffusion : mai 1991. Avec les voix de **Marcel Bozzuffi, Jean Berger, Pierre Trabaud, Jacques Balutin, Jacques Jouanneau, Pierre Tornade, Jacques Fabbri. Fiche technique.** Scénario : Morris, Goscinny et Pierre Tchernia. Images : Studio Belvision. Musique : Claude Bolling. Critique : Tra 1142. 80 mn. **Le genre.** Western dessiné et animé par de vrais amateurs de vrais westerns.
**L'histoire.** Dans les plaines du Far West, au temps des pionniers, une caravane passe, s'arrête pour contempler une petite fleur, une marguerite perdue dans l'immensité de la prairie. Il n'en faudra pas plus pour que les aventuriers du Nouveau Monde décident d'y implanter une ville qui portera le nom de cette fleur : Marguerite (en américain : Daisy). Donc Daisy Town. Mais les bandits aussi surgissent...
**Ce que j'en pense.** Déjà, dans les savoureux albums de Goscinny et Morris, le paysage et les rimes du western nous faisaient rire et rêver. En animant leurs personnages et en s'adjoignant les services de Pierre Tchernia, les auteurs ont réussi. Il y a dans ce dessin animé tous les délicieux poncifs du western, mais ils ne sont pas exploités dans la dérision. En accentuant les perspectives, en schématisant les personnages, nos trois compères se sont manifestement beaucoup divertis. Ils ont remplacé les discours moraux, et même le suspense de l'action, par leurs équivalences comiques. Ce film pour enfants comble les adultes qui ont, enfants (et même adultes), vibré devant les riches heures du western américain. Cette larmichette de nostalgie renforce l'efficacité du burlesque.
**Gilbert Salachas**
Chrétiens-Médias : tous.

*Télérama, n° 2314.*

## *Après avoir lu*

◆ Décris l'image qui illustre l'article. Que remarques-tu ?

◆ À qui ce film te semble-t-il destiné ? Sur quelle chaîne et à quelle heure
a-t-il été diffusé ? Quel jour ? Comment expliques-tu cela ?

◆ Quelle expression est utilisée pour parler des États-Unis ? Explique-la.

◆ Donne le nom des auteurs de la BD qui a inspiré ce dessin animé.

◆ Pourquoi, d'après le journaliste, les parents peuvent-ils prendre plaisir
à regarder ce film ?

*Lundi 23 mai - Pentecôte*

# Croc-Blanc

**20.45 ● TF1** 22.40  115 mn

## Croc-Blanc

**Film américain de Randal Kleiser (1990).** Scénario : Jeanne Rosenberg, Nick Thiel et David Fallon, d'après Jack London. Images : Tony Pierce-Roberts. Musique : Basil Poledouris. Titre original : *White Fang*. Précédente diffusion : décembre 93. Chrétiens-Médias : tous. VF. Sous-titrage codé.

**Klaus Maria Brandauer** : Alex Larson. **Ethan Hawke** : Jack Conroy. **Seymour Cassel** : Shunker. **Susan Hogan** : Belinda. **James Remar** : Beauty Smith. **Bill Moseley** : Luke. **Pius Savage** : Castor-Gris. **Suzanne Kent** : Heather. **Jed** : Croc-Blanc. **Bart** : l'ours.

**Le genre.** Aventures
**L'histoire.** A l'époque de la ruée vers l'or, le prospecteur Scott Conroy meurt dans la misère, laissant à son fils Jack une simple cabane au fin fond du Klondike. Jack est persuadé que la mine paternelle ne présente aucune valeur et

il s'y rend en compagnie d'un guide, Alex, et de son adjoint, Shunker...
**Ce que j'en pense.** Même s'il manque à cette adaptation de Jack London le souffle épique du roman, la beauté des paysages de l'Alaska et la qualité de la reconstitution de l'époque sont assez efficaces pour apporter au film une réelle qualité. Plusieurs moments, dont l'épisode du cercueil, possèdent même un réalisme fidèle à l'esprit du roman. On découvrira donc avec intérêt cette suite d'aventures et de péripéties où se mêlent l'honneur et l'amitié,

**Aventures et amitié, d'après Jack London.**

l'amour et la fidélité, la tendresse et la rapacité. Klaus Maria Brandauer interprète avec sa force habituelle le personnage du guide Alex, contribuant lui aussi à la qualité dramatique du film, qui pose le problème de l'appartenance raciale et celui de la tolérance.

**André Moreau**

*Télérama*, n° 2363.

# Lire

**Objectifs**
Lire un écrit fonctionnel.
Comprendre le fonctionnement
d'un magazine de programme.

# Une page de l'*Hebdo des Juniors*

## MERCREDI 8 OCTOBRE

### TF1

■ 06.55 **TF!**
**Salut les toons**
Les aventures
de Madison.
Caliméro et Valériano.
Le secret du Lochness.
Les aventures de Carlos.
■ 08.30 **TF! Jeunesse**
Orson et Olivia.
Kangoo. Sonic.
Space Monkeys,
les singes de l'espace.
♥ Dog Tracer:
Spider-Man.
Les Power Ranger Zeo.
■ 11.40 **Une famille
en or** ♦ 12.15

**14.45**
■ **TF! Jeunesse**
La grande chasse
de Nanook.
Les petites sorcières.
Le docteur Globule.
La légende de Zorro.
Jonny Quest.
■ 17.05 **21 Jump Street**
■ 17.55 **Pour être libre**
■ 18.25 **Mokshû
Patamû**
■ 19.00 **Tous en jeu**
♦ 19.50

**20.45**
■ **La grande
débrouille**
Présenté par Vincent
Perrot.
Les menteurs sont à
l'honneur. Deux équipes
s'affrontent pour démê-
ler le vrai du faux.
♦ 22.25

### FRANCE 2

■ 09.30 **La planète
Donkey Kong**
Les tortues Ninja.
Jumanji.
Chair de poule.
■ 11.00 **Motus**
■ 11.35 **Les Z'Amours**
■ 12.15 **Pyramide**
♦ 12.55

**13.50**
■ **Derrick**
■ 14.55 **Dans la chaleur
de la nuit**
■ 15.50 **La chance
aux chansons**
■ 16.35 **Des chiffres
et des lettres**
■ 17.05 **Un poisson
dans la cafetière**
■ 17.40 **Qui est qui ?**
■ 18.15 **Friends**
■ 18.45 **C'est l'heure**
■ 19.20 **C'est toujours
l'heure** ♦ 19.55

**20.55**
■ **Baldi et la
voleuse d'amour**
Série française.
Avec Charles Aznavour.
Pour rendre service à un
ami forain, Baldi délais-
se ses copains SDF pour
tenir un stand de tir. La
fille de son ami se dispu-
te avec tout le monde, et
elle semble beaucoup s'in-
téresser aux petits gar-
çons à la sortie de l'école.
Baldi mène l'enquête.
♦ 22.45

### FRANCE 3

■ 07.55 **Les Minikeums**
Casper et ses amis.
Billy the Cat.
Princesse Starla
et les joyaux magiques.
Junior le Terrible.
L'histoire sans fin.
Flash Gordon. Batman.
Fais-moi peur.
♦ 12.00

**16.40**
■ **Les Minikeums**
Séries: voir mardi.
♥ 17.45
**C'est pas sorder**
Sur la trace
des dinosaures
■ 18.20 **Questions
pour un champion**
♦ 18.50
■ 20.05 **Fa Si La Chanter**
■ 20.35 **Tout le sport**

**20.50**
■ **France-Europe-
Express**
Présenté par Christine
Ockrent.
Voici la nouvelle émis-
sion politique de France 3.
Les journalistes qui la
préparent ont pour am-
bition de *"regarder au-
delà de nos frontières et de
toujours comparer nos problèmes avec ceux de nos
partenaires européens"*.
Thème de la soirée: le
travail. ♦ 22.30

### LA 5ᵉ-ARTE

■ 07.30 **Cellulo**
■ 08.00 **Flipper
le dauphin** ♦ 08.30
■ 09.30 **Les yeux
de la découverte**
Les mammifères
■ 10.00 **Cinq sur cinq**
■ 10.15 ♥ **Tous sur
orbite !**
■ 10.30 **Allô la Terre**
La radioactivité
■ 11.00 **L'étoffe
des ados**
■ 11.30 **Les tortues
géantes de l'Aldabra**
■ 12.00 **Mag 5**
■ 12.30 **Va savoir**
♦ 13.00

**17.00**
■ **Cellulo**
■ 17.30 **Au cœur
d'Okavango (4/26)**
■ 18.00 **Chercheurs
d'aventures**
■ 18.30 **Lémuriens,
les esprits malgaches**
■ 19.00 **The Monkees**
♦ 19.30
■ 20.00 **Animaux
en péril**
Perroquets menacés
par l'industrie
papetière ♦ 20.30

### M6

■ 08.05 **Boulevard
des dips** ♦ 11.00
■ 11.00 **Cosmos 1999**
■ 12.00 **Seuls
au monde**
■ 12.35 **Ma sorcière
bien-aimée**

**13.05**
■ **M6 Kid**
Le football.
The Mask. Ace
Ventura, détective.
Le monde fou de Tex
Avery. Enigma.
Sacrés dragons.
Les Rock amis.
Gadget Boy.
■ 16.35 **Des dips
et des bulles**
■ 16.55 **Fan de**
■ 17.25 **Fan quiz**
Présenté par Charly
et Lulu.
■ 18.00 **Highlander**
■ 19.00 **Los Angeles
heat**
■ 20.00 **Notre belle
famille**
■ 20.35 **Elément Terre**

**20.45**
■ **Bienvenue
à Bellefontaine**
Téléfilm
Un homme, condamné à
10 ans de prison pour un
meurtre qu'il n'a pas
commis, est libéré. Il revient dans son village où
personne n'a jamais pris
sa défense.
Une comédie un peu
lourde.
♦ 22.25

**Jeunesse** ■    **Jeu ou divertissement** ■    **Sport** ■

**Magazine ou documentaire** ■    **Série ou téléfilm** ■

*L'Hebdo des Juniors*, n° 216.

## Après avoir lu

◆ Par quel signe l'*Hebdo des Juniors* signale-t-il les émissions qu'il préfère ?
Trouve les deux émissions marquées par ce symbole.
À quel moment de la journée ont-elles lieu ?

◆ Que peux-tu regarder le 8 octobre entre 17h et 18h ?
Sur quelle chaîne ? Que choisirais-tu ? Pourquoi ?

◆ Lis la présentation des émissions de soirée. À qui sont-elles destinées ?

*Objectifs*
Comprendre l'implicite.
Observer répétitions, allitérations, rimes.

# Déjeuner du matin

Il a mis le café
Dans la tasse
Il a mis le lait dans la tasse de café
Il a mis le sucre dans le café au lait
5   Avec la petite cuiller
Il a tourné
Il a bu le café au lait
Et il a reposé la tasse
Sans me parler
10   Il a allumé une cigarette
Il a fait des ronds
Avec la fumée
Il a mis les cendres
Dans le cendrier
15   Sans me parler
Sans me regarder
Il s'est levé
Il a mis son chapeau sur sa tête
Il a mis
20   Son manteau de pluie
Et il est parti
Sous la pluie
Sans une parole
Sans me parler
25   Et moi j'ai pris
Ma tête dans ma main
Et j'ai pleuré.

        Jacques Prévert, *Paroles*, Gallimard.

# La télévision

Quand on branche la télé,
Mes amis, quel défilé !

Le négus, le roi d'Écosse,
De vieux gus et de grands gosses,
5   Cendrillon dans son carosse,
       La véloce
       Carabosse
Chevauchant son balai-brosse,
Des prélats, des porte-crosses,
10   De beaux blonds, des rousses rosses,
       Des colosses,
       Des molosses,
Des rhinocéros atroces…

Et quand c'est le plus joli :
15   « Les enfants ! C'est l'heure ! Au lit ! »

        Jean-Luc Moreau,
*La Poésie comme elle s'écrit*, Éditions ouvrières.

## Après avoir lu

**Déjeuner du matin**
◆   Observe les verbes et leur sujet. Que remarques-tu ?
    À ton avis, qui est « je » ? ; qui est « il » ?
◆   Observe les répétitions. Quel effet produisent-elles ?
◆   Comment comprends-tu les trois derniers vers ?

**La télévision**
◆   Combien de parties comporte cette poésie ?
◆   Quel effet produit l'énumération des vers 3 à 13 ? Que montre la télévision ?
◆   Quelles observations fais-tu sur les sonorités du poème ?
    Cherche à les mettre en valeur en le lisant à voix haute.

*Objectif*
Produire deux types d'écrit :
un écrit présentatif neutre maintenant le suspense
et un écrit argumentatif.

# Écrire une critique

Tu as lu trois critiques à propos du film *Un indien dans la ville*. Après avoir étudié leur mise en page et la manière dont ils sont organisés, tu pourras être journaliste-critique à ton tour. Tu rédigeras un article pour les élèves de la classe ou de l'école sur un film de ton choix. Ainsi, ils pourront le regarder ou l'enregistrer lors d'une prochaine diffusion.

## 1re étape *Cherchons ensemble*

◆ Choisis un film ou un épisode de série
télévisée que tu as vu et sur lequel
tu as envie de donner ton avis.
À quel genre ce film appartient-il
(documentaire, fiction…) ?

◆ Combien de parties vas-tu écrire ?
Où pourras-tu te procurer les informations
pour la partie technique ?

◆ Relève les informations données dans la partie « présentation »
des articles que tu as lus. Comment l'histoire est-elle présentée ?
Cette partie de l'article raconte-t-elle l'histoire jusqu'au bout ? Pourquoi ?
Dans l'extrait page 136, comment fait le journaliste de *Télé 7 jours*
pour ménager le suspense ?

◆ Dans quel pays se situe l'histoire de ton film ? À quelle époque ?
Quels sont les personnages principaux ? Quelles relations existent entre
eux ? À quel moment décides-tu d'arrêter la présentation
pour maintenir le suspense ?

◆ À quoi as-tu été sensible dans ce film ?
Quelles émotions as-tu ressenties ?
Qu'est-ce qui les a provoquées ?

## À mon stylo

Écris ton article pour présenter le film que tu as choisi.
Pour la partie technique, tu peux te contenter du nom des acteurs
principaux et de celui des personnages qu'ils interprètent.
Explique qui sont les personnages principaux, où et quand se passe
l'action. Raconte le début de l'histoire tout en maintenant le suspense.
Écris ton point de vue sur ce film en précisant ce qui t'a plu ou déplu.

# 2ᵉ étape — Pour améliorer mon texte, je rédige des phrases qui donnent un avis positif ou un avis négatif

### a) J'observe

◆ Voici une série de critiques. Classe-les selon qu'elles donnent un avis positif ou négatif. Souligne les mots ou les expressions qui justifient ce classement.

– Film magique et poétique aux images envoûtantes.
– Cette fiction est une reconstitution historique balourde.
– Policier sans imagination qui enchaîne poncifs et lieux communs.
– Comédie brillante et burlesque.
– Intrigue plus que simplette.
– Ce téléfilm est un vrai régal pour l'œil, un vrai festin pour l'esprit.
– Je me suis peu intéressé à cette histoire.
– La caméra filme sans amuser ni surprendre.
– Le metteur en scène a signé là son plus beau film, à la fois rieur et nostalgique.
– Ce film mérite d'être vu, ne serait-ce que pour l'émotion que font naître les dernières scènes.

### b) Je m'entraîne

Écris une phrase sur un film que tu as beaucoup apprécié en précisant pourquoi.
Écris une phrase sur un film qui t'a déçu en expliquant pour quelles raisons.

# 3ᵉ étape — J'améliore mon texte

◆ Relis ton article.
As-tu bien tes trois parties ? Ont-elles chacune un sous-titre ? As-tu bien noté les informations de la partie technique ? As-tu donné suffisamment d'informations sur les personnages, leurs relations ? As-tu ménagé le suspense ? As-tu donné ton avis sur le film en argumentant ? As-tu utilisé le pronom *je* ?

◆ Mets ton texte au point.
Vérifie que tu as utilisé le pronom *je* dans la partie critique, mais pas dans la partie technique ni dans la partie où tu racontes l'histoire.
Si tu as utilisé des verbes au passé composé, vérifie que tu as bien écrit leur participe passé.

◆ Recopie ton texte.
Pense à la présentation de ton article en :
– mettant le titre en valeur,
– dessinant un symbole qui donne ton avis sur le film,
– l'illustrant et en mettant des légendes.
N'oublie pas de signer ton article.

# S'exercer
*pour mieux lire et mieux écrire*

**Objectif**
Reconnaître et utiliser les différentes formes
de compléments circonstanciels de lieu et de temps.

# Les compléments circonstanciels (CC)

## 1re étape *Cherchons ensemble*

◆ **Complète la phrase suivante.**
Je suis né ...
Souligne les GN que tu as utilisés et donne leur fonction.

◆ **Lis les phrases suivantes.**
Mimi Siku et sa mère vivaient <u>dans une tribu indienne</u>.
<u>Quand il rencontra son père pour la première fois</u>, Mimi
ne connaissait pas Paris ! Aussi, son père l'<u>y</u> emmena-t-il
<u>avec plaisir</u>.
<u>Dès son arrivée dans la capitale française</u>, Mimi escalada
<u>sans effort</u> les poutrelles extérieures de la tour Eiffel.
<u>De là-haut</u>, il admira la capitale <u>pendant tout un après-midi</u>. <u>Ce jour là</u>,
son père ressentit une immense frayeur.

Fais un tableau sur ce modèle
et classes-y les compléments soulignés.
À quelles questions répondent
les compléments des deux premières
colonnes ?

| lieu | temps | autre |
|------|-------|-------|
|      |       |       |

◆ **Supprime les CC. Est-ce toujours possible ? Les phrases gardent-elles
le même sens ? Que penses-tu du texte obtenu ?**

◆ **Cherche dans un dictionnaire à quelle classe de mots appartiennent**
*avec, dans, de, dès, pendant, quand, sans.* **Quel est l'intrus ?**

◆ **Par quel complément circonstanciel (CC) peut-on remplacer le pronom** *y* ?

◆ **Pose trois questions à un camarade sur l'histoire de Lucky Luke
en commençant par** *où* **ou bien** *quand*. **Échangez vos questions
et répondez-y.**

---

### Je retiens

*Ils vivaient **dans une tribu indienne**.*     ***Ce jour là**, son père ressentit une immense frayeur.*
        **CCL**                           **CCT**

Un complément circonstanciel apporte une information sur les circonstances de l'action.
Souvent il peut être supprimé ou déplacé.

***de** là-haut –* ***pendant** tout un après-midi entier.* Souvent, les compléments
circonstanciels sont des groupes nominaux introduits par des prépositions.

***Quand** il rencontra son père pour la première fois.* Les compléments circonstanciels
de temps peuvent être des propositions subordonnées introduites par ***quand**.

## 2e étape Je m'entraîne

**1. Copie ce texte en soulignant les compléments circonstanciels. Indique CCT ou CCL comme dans le « Je retiens ».**

Mardi dernier, juste après les vacances, vers cinq heures du soir, Marine entendit sonner la cloche de l'école depuis sa chambre. Malade, elle attendait avec impatience le retour de son frère. Quand la porte claqua, elle décida de lui faire une farce.

**2. Ajoute des CCT et des CCL aux phrases suivantes.**

**a)** Une caravane de pionniers avance.

**b)** Elle découvre une superbe prairie.

**c)** Fatiguée, elle décide de s'arrêter.

**3. Copie ce texte en supprimant les CCT et les CCL.**

Dès demain, nous lirons des critiques de films avec attention. Chaque semaine, les magazines de télévision en offrent dans les pages centrales. Mon équipe et moi sommes chargés de sélectionner les critiques des comédies. Dans quelques jours, quand nous aurons terminé, nous les collerons sur de grandes feuilles aux couleurs vives.

**4. Donne une réponse de ton choix à la question posée sans reprendre le CCL souligné.**

*Exemple* : Avec qui Mimi vivait-il <u>en Amazonie</u> ? Mimi y vivait avec sa mère.

**a)** Quand Armelle passera-t-elle <u>chez ta grand-mère</u> ?

**b)** Jusqu'à quand Mimi vivra-t-il <u>à Paris</u> ?

**c)** Qui emmena Jack <u>à la mine paternelle</u> ?

## 3e étape Je m'évalue ........................................

**5. Copie les phrases qui contiennent un CC.**

**a)** Lucky chante à pleins poumons.

**b)** Mimi tire un singe hurleur.

**c)** Mimi tire avec précision.

**d)** Lucky chante à la tombée de la nuit.

*score sur 4*

**6. Copie ce texte en soulignant les CC. Indique s'il s'agit de CCT ou de CCL.**

À l'époque de la ruée vers l'or, les prospecteurs vivaient dans la misère. Dès qu'ils avaient trouvé quelques pépites, ils se précipitaient en ville. En une nuit, ils dépensaient leurs gains dans des tripots. Quand le soleil se levait, ils retournaient, sans un dollar en poche, vers leur campement.

*score sur 9*

**7. Continue ce début d'histoire en écrivant des phrases qui, pour être précises, contiendront des compléments circonstanciels.**

Je regardais la télévision quand…

*1 point par CC*

# S'exercer
*pour mieux lire et mieux écrire*

**Objectifs**
Identifier le participe passé.
Savoir orthographier le participe des verbes fréquents.

# Écrire le participe passé

## 1re étape  *Cherchons ensemble*

◆ **Écris au passé composé la phrase suivante et souligne les participes passés.**
Je prépare le café, je le bois et je finis mon travail.

◆ **Relève les participes passés dans le poème *Déjeuner du matin*, page 141 et classe-les. Compare ton classement avec celui de tes camarades. Peux-tu ajouter *fini* dans ton tableau ?**

◆ **Lis les phrases suivantes.**
J'ai fait une tarte. – La tarte est faite. – La tarte que j'ai faite.
Observe ces transformations. Que constates-tu ?
À quoi peuvent-elles t'être utiles ?

◆ **Transforme sur le même modèle que ci-dessus.**

**a)** J'ai pris une photo.  **e)** J'ai compris la leçon.

**b)** J'ai battu les œufs.  **f)** J'ai lu la critique.

**c)** J'ai dit une fable.  **g)** J'ai entendu l'émission.

**d)** J'ai fini l'histoire.  **h)** J'ai offert une plante.

◆ **Cherche dans un dictionnaire les participes passés des verbes suivants.**

**a)** promettre – remettre – permettre

**b)** apprendre – comprendre – surprendre

**c)** battre – débattre – combattre

Que remarques-tu ?

◆ **Écris le participe passé des verbes suivants. Tu peux t'aider d'un dictionnaire.**
s'asseoir – attendre – bâtir – courir – découvrir – descendre – disparaître – répondre – souffrir – tenir

---

### Je retiens

*j'ai prépar**é** – j'ai fin**i**.*
Le participe passé des verbes du 1er groupe se termine par -*é*, celui des verbes du 2e groupe par -*i*.

*je suis part**i** – j'ai m**is** – j'ai écr**it** – j'ai b**u** – j'ai offert.*
Les participes passés des verbes du 3e groupe ont des terminaisons différentes.
On peut trouver le participe passé d'un verbe dans un dictionnaire.
On peut le mettre au féminin pour entendre la lettre muette.

## 2ᵉ étape *Je m'entraîne*

**1. Écris ce texte au passé composé.**
Ludwig Briand tourne Mimi Siku à 13 ans. En un week-end, il apprend à manipuler les mygales et les serpents. Il n'en a pas peur. Quand il revient sur le tournage, il les prend dans ses mains sans crainte. Thierry Lhermitte est moins courageux.

**2. Relis la rubrique « Ce que j'en pense » dans la critique du film *Lucky Luke*, page 138. Relève les participes passés, écris-les au masculin singulier, donne l'infinitif et le groupe de ces verbes.**

**3. Écris les verbes suivants à la 3ᵉ personne du singulier du passé composé.**
cueillir une fleur – ouvrir une fenêtre – tourner une séquence – perdre une heure – interpréter une scène – séduire la salle – écrire une critique

**4. Raconte l'aventure d'Astérix et de ses compagnons, page 103. Emploie le passé composé.**

## 3ᵉ étape *Je m'évalue* ·····················································

**5. Recopie ce texte en soulignant les passés composés. Entoure la terminaison du participe passé.**
La 5ᵉ chaîne a produit un documentaire original : *La balade des hommes en vert*. Deux cinéastes ont suivi, pendant une semaine, les éboueurs de leur quartier. Ils ont filmé leur étonnant et fascinant ballet. Ces hommes et ces femmes n'ont pas craint de parler de leur métier.

*score sur 8*

**6. Écris les participes passés des verbes suivants.**
tourner – grandir – mettre – prendre – battre – écrire – ouvrir

*score sur 7*

**7. Imagine ce qu'a fait le père de Mimi Siku lorsqu'il a vu son fils en haut de la tour Eiffel. Utilise le passé composé.**

*1 point par passé composé*

# Des yeux pour apprendre

Apprends ces mots en observant bien comment s'écrit chacun d'eux. Entraîne-toi à bien les écrire.

| Textes p. 136 | Texte p. 137 | Texte p. 138 | Texte p. 139 | Poèmes p. 141 |
|---|---|---|---|---|
| excellent | l'acteur | savoureux | la qualité | un rond |
| une comédie | adorer | surgir | un drame | le chapeau |
| une tribu | un personnage | interpréter | sensible | la parole |
| préférer | séduire | un western | émouvant | la pluie |
| la complicité | un programme | immense | devenir | atroce |

**S'exercer**

*pour mieux lire et mieux écrire*

*Objectifs*

Distinguer différentes façons d'exprimer le contraire.
Trouver les contraires dans un dictionnaire.

# Les contraires

## 1ʳᵉ étape *Cherchons ensemble*

◆ **Écris des phrases qui disent le contraire des phrases suivantes.**
Ce récit est exact. – Cette décision est juste.

◆ **Observe les phrases suivantes.**

C'est une traduction fidèle.

Ce film est finement monté.

Tu adoreras cette comédie.

C'est une traduction infidèle.
Ce n'est pas une traduction fidèle.

Ce film est grossièrement monté.
Ce film n'est pas finement monté.

Tu n'aimeras pas cette comédie.
Tu détesteras cette comédie.

◆ **Quelle différence de sens observes-tu entre les phrases de la 1ʳᵉ colonne et celles de la 2ᵉ colonne ? Comment cette différence de sens est-elle exprimée ? Classe les différentes manières d'exprimer le sens contraire dans un tableau. Explique comment tu les as classées.**

◆ **Cherche dans un dictionnaire les mots *fidèle, finement, adorer*. Les contraires sont-ils donnés ? Comment sont-ils indiqués ?**

◆ **Cherche dans un dictionnaire les contraires de l'adjectif *fin*. Combien en trouves-tu ? Pourquoi y en a-t-il plusieurs ?**

◆ **Écris le contraire des mots suivants.**
   **a)** coder – couvrir – faire – former
   **b)** pénétrable – perméable – mortel – pair
   Quels préfixes as-tu utilisés ?

---

### Je retiens

*C'est une traduction **fidèle**. – Ce **n'**est **pas** une traduction **fidèle**. – une traduction **infidèle**.*
On peut exprimer le contraire par la négation ou par un mot de sens contraire.

*finement* (contr. grossièrement). – *adorer* ( ≠ détester).
Dans les dictionnaires, les contraires sont indiqués
par les abréviations « **contr.** », « **ANT.** », par le signe ≠, etc.

*monter, démonter – exact, inexact.*
Des préfixes comme *in-, im-, dé-*, peuvent servir
à former le contraire d'un mot.

*fin* ( ≠ gros, grossier – bête, lourd, niais, sot, stupide – épais, gros).
Quand un mot a plusieurs sens, il a plusieurs contraires.
Pour bien les utiliser, il faut tenir compte du contexte.

## 2ᵉ étape — Je m'entraîne

**1.** **Cherche l'intrus dans chaque série. Tu peux t'aider d'un dictionnaire. Quelle remarque peux-tu faire ?**

a) dévaler – dégringoler – démonter – décider – dédicacer

b) impossible – important – impoli – impertinent – imprécis

c) immobile – immonde – immettable – imbuvable – imitable

d) malade – malhonnête – malheureux – maladroit

**2.** **Écris le contraire en changeant un seul mot.**

a) Stéphane grimpe difficilement aux arbres.

b) Thierry Lhermitte et Ludwig se rencontrèrent irrégulièrement pendant le tournage.

c) À la sortie du film, il y a eu beaucoup d'entrées.

**3.** **Alcontrario comprend souvent le contraire de ce qui est écrit. Retrouve le texte original de cette critique de film en écrivant le contraire des mots soulignés.**

Employé de banque adroit, Stanley a trouvé un masque moderne. Dès qu'il le met, il se transforme en un personnage adorable qui semble sorti d'un beau rêve.

Ce film a peu de qualités : gags rares et lourds, effets spéciaux médiocres, musique affreuse. Bref, ce film est un échec.

**4.** **Relis la critique sur Lucky Luke. Cherche les définitions des mots *immensité* et *implanter*. Propose des contraires.**

## 3ᵉ étape — Je m'évalue

**5.** **Écris le contraire en changeant le mot souligné. Précise la nature du contraire entre parenthèses.**

a) Cette scène était particulièrement triste.

b) Les auteurs se sont ennuyés en réalisant cette adaptation.

c) La qualité de ce western mécontente les amateurs.

d) Cette larmichette de nostalgie affaiblit l'efficacité du film.

*score sur 4*

**6.** **Écris le contraire des mots soulignés en utilisant le préfixe qui convient.**

a) Ce maquillage est visible.

b) Ce film a une fin heureuse.

c) Les techniciens montent le décor.

*score sur 3*

**7.** **Cherche les contraires de *mauvais*. Choisis-en trois et écris une phrase avec chacun d'eux.**

*1 point par mot*

# S'exercer
*pour mieux lire et mieux écrire*

*Objectifs*

Identifier le passé composé (auxiliaire et participe passé).
Découvrir la fonction narrative du passé composé.

# Le passé composé

## 1re étape — *Cherchons ensemble*

◆ **Écris ce que tu as fait pendant la dernière récréation. Souligne les verbes que tu as utilisés. Donne leur infinitif.**

◆ **Lis le poème** *Déjeuner du matin,* **page 141.
Relève les verbes et donne leur infinitif. À quel temps sont-ils conjugués ?
À quel temps l'auxiliaire est-il conjugué ?**

◆ **Classe les verbes que tu as trouvés par groupe.
Quelle est la terminaison du participe passé pour chacun d'eux ?**
Cherche dans le tableau de conjugaison pages 248 à 251 la terminaison
du participe passé des verbes du 2e groupe.
Qu'observes-tu pour les verbes du 3e groupe ?

◆ **Recopie les verbes du poème en remplaçant** *il* **par** *elle,* **puis par** *ils.*
**Que remarques-tu ? Que peux-tu en conclure ?**

◆ **Décris le décor du poème en répondant à ces questions.**
À quel moment de la journée se passait cette histoire ?
Quel temps faisait-il ? Dans quelle pièce se trouvaient les personnages ?
Comment était la lumière dans la pièce ? Dehors ?
Quel temps viens-tu d'employer ?

◆ **Imagine la suite des événements en répondant à ces questions.**
Qu'a pu faire le personnage qui est sorti ?
Et celui qui s'est mis à pleurer ?
Quel temps viens-tu d'employer ?

◆ **Choisis trois verbes du poème. Écris-les au passé composé à la forme négative puis à la forme interrogative.**

---

### Je retiens

*il* **a tourné** – *ils* **ont bu** – *je* **suis allé**
Le passé composé est un temps du passé qui se compose de deux parties : le présent
de l'auxiliaire et le participe passé du verbe que l'on conjugue.

*ils ont fin***i** – *ils sont all***és** – *elles sont part***ies**
Quand le verbe est conjugué avec l'auxiliaire *avoir,* le participe passé
ne s'accorde pas avec le sujet.
Quand le verbe est conjugué avec l'auxiliaire *être,* le participe passé
s'accorde en genre et en nombre avec le sujet.

1. **Observe les verbes conjugués, associe à chacun le groupe sujet qui convient.**

   Ludwig                    sont rangés dans la discothèque de l'école.
   Le réalisateur            a diffusé cette adaptation.
   Ces disques               a réussi l'adaptation de cette BD.
   Ces deux séries           a joué le rôle de Mimi Siku.
   La 5e chaîne              ont traité le problème du racisme avec tact.

2. **Écris les phrases de l'exercice 1 à la forme interrogative.**

3. **Trouve l'infinitif des verbes soulignés.**

   Axel <u>a couru</u> jusqu'à la plage. Arrivé là, il <u>a sauté</u> à pieds joints sur le sable humide. Il <u>a regardé</u> son empreinte, puis une vague <u>est arrivée</u>, elle <u>a recouvert</u> la petite trace et l'<u>a emportée</u>. Axel <u>a ouvert</u> la bouche et il <u>a crié</u> : « Partie ! » Ce jour-là, il <u>a découvert</u> le pouvoir de la mer.

4. **Écris au passé composé.**

   La Belle ouvre la porte. Elle entre dans le château. Elle trouve la table mise, voit des mets délicieux. Un peu plus tard, la Bête entre, elle lui parle avec douceur…

5. **Complète cette phrase en utilisant le passé composé.**
   Une nuit, j'ai fait un rêve étrange…

**3e étape** *Je m'évalue* ....................................................

6. **Copie les phrases suivantes en soulignant les verbes conjugués au passé composé.**

   a) Anita s'est brouillée avec Claire pour une histoire stupide.

   b) Pablo et Fred sont partis en vacances au Portugal.
   Ils ont laissé leur chien à Elie qui partira plus tard.

   c) Lauriane et moi avons vu *Titanic*. Nous sommes allés au cinéma du centre-ville.

   d) Tu as organisé une fête pour ton anniversaire.
   Je n'ai pas pu me joindre à tes amis.

   *score sur 7*

7. **Copie le texte de l'exercice 3 en remplaçant *Axel* par *les jumeaux*.**

   *score sur 9*

8. **Raconte en quelques phrases la suite de cette histoire. Souligne les verbes conjugués au passé composé.**
   Samedi dernier, nous <u>sommes allés</u> au cinéma. Dès que nous <u>sommes entrés</u>…

   *1 point par verbe au passé composé*

**Conjugaison**

# Mon bilan

Tout au long de ce chapitre, tu as fait de nombreux apprentissages. Tu peux maintenant faire ton bilan.

Sur ton cahier, recopie le numéro des différentes compétences ci-dessous et écris à chaque fois : *oui, pas toujours* ou *pas encore*.

### Je suis capable :

1. de trouver des informations dans une revue de télévision ;
2. de distinguer article de présentation et critique ;
3. de me repérer dans l'organisation d'une page de programme ;
4. de dire des poèmes en jouant avec leurs sonorités ;
5. de rédiger un article sur un film en donnant les informations utiles et mon avis ;
6. de reconnaître les compléments circonstanciels ;
7. de reconnaître et orthographier les participes passés des verbes fréquents ;
8. d'écrire les 25 mots de la page 147 ;
9. d'exprimer le contraire, de trouver le contraire d'un mot ;
10. d'identifier et d'utiliser le passé composé.

# Je vais plus loin

Dans ce chapitre, tu as découvert que les magazines télé sont différents selon qu'ils s'adressent aux adultes ou aux jeunes lecteurs.

Tu vas organiser un affichage pour la classe ou l'école en sélectionnant les émissions les plus intéressantes, en relevant les informations utiles. Tu présenteras chacune en quelques lignes pour inciter tes camarades à choisir leurs émissions pour la semaine. Puis vous déciderez du mode de présentation.

### Pour réaliser un affichage :

◆ je prépare une page par semaine ;
◆ je construis un tableau à double entrée avec les chaînes et les jours ;
◆ je colle les articles sur les émissions sélectionnées ;
◆ je précise leur horaire ;
◆ je code mon avis (je précise le code).

# 9 *Lire des textes scientifiques*

Pour se repérer dans les écrits scientifiques.

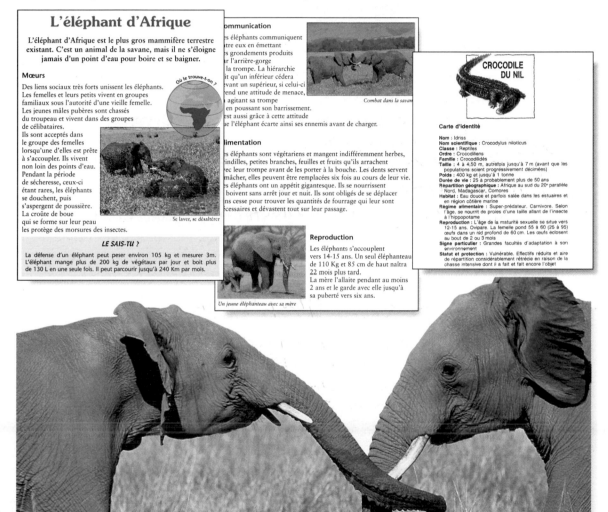

## L'éléphant d'Afrique

L'éléphant d'Afrique est le plus gros mammifère terrestre existant. C'est un animal de la savane, mais il ne s'éloigne jamais d'un point d'eau pour boire et se baigner.

### Mœurs

Des liens sociaux très forts unissent les éléphants. Les femelles et leurs petits vivent en groupes familiaux sous l'autorité d'une vieille femelle. Les jeunes mâles pubères sont chassés du troupeau et vivent dans des groupes de célibataires.
Ils sont acceptés dans le groupe des femelles lorsqu'une d'elles est prête à s'accoupler. Ils vivent non loin des points d'eau. Pendant la période de sécheresse, ceux-ci étant rares, les éléphants se douchent, puis s'aspergent de poussière. La croûte de boue qui se forme sur leur peau les protège des morsures des insectes.

*Où le trouve-t-on ?*

*Se laver, se désaltérer*

**LE SAIS-TU ?**

La défense d'un éléphant peut peser environ 105 kg et mesurer 3m. L'éléphant mange plus de 200 kg de végétaux par jour et boit plus de 130 L en une seule fois. Il peut parcourir jusqu'à 240 Km par mois.

### Communication

Les éléphants communiquent entre eux en émettant des grondements produits par l'arrière-gorge et la trompe. La hiérarchie fait qu'un inférieur cédera devant un supérieur, si celui-ci prend une attitude de menace, en agitant sa trompe et en poussant son barrissement. C'est aussi grâce à cette attitude que l'éléphant écarte ainsi ses ennemis avant de charger.

*Combat dans la savane*

### Alimentation

Les éléphants sont végétariens et mangent indifféremment herbes, brindilles, petites branches, feuilles et fruits qu'ils arrachent avec leur trompe avant de les porter à la bouche. Les dents servent à mâcher, elles peuvent être remplacées six fois au cours de leur vie. Les éléphants ont un appétit gigantesque. Ils se nourrissent et boivent sans arrêt jour et nuit. Ils sont obligés de se déplacer sans cesse pour trouver les quantités de fourrage qui leur sont nécessaires et dévastent tout sur leur passage.

### Reproduction

Les éléphants s'accouplent vers 14-15 ans. Un seul éléphanteau de 110 Kg et 85 cm de haut naîtra 22 mois plus tard.
La mère l'allaite pendant au moins 2 ans et le garde avec elle jusqu'à sa puberté vers six ans.

*Un jeune éléphanteau avec sa mère*

## CROCODILE DU NIL

### Carte d'identité

**Nom :** Idriss
**Nom scientifique :** Crocodylus niloticus
**Classe :** Reptiles
**Ordre :** Crocodiliens
**Famille :** Crocodilidés
**Taille :** 4 à 4,50 m, autrefois jusqu'à 7 m (avant que les populations soient progressivement décimées)
**Poids :** 400 kg et jusqu'à 1 tonne
**Durée de vie :** 25 à probablement plus de 50 ans
**Répartition géographique :** Afrique au sud du 20e parallèle Nord, Madagascar, Comores
**Habitat :** Eau douce et parfois salée dans les estuaires et en région côtière marine
**Régime alimentaire :** Super-prédateur. Carnivore. Selon l'âge, se nourrit de proies d'une taille allant de l'insecte à l'hippopotame
**Reproduction :** L'âge de la maturité sexuelle se situe vers 12-15 ans. Ovipare. La femelle pond 55 à 60 (25 à 95) œufs dans un nid profond de 60 cm. Les œufs éclosent au bout de 2 ou 3 mois
**Signe particulier :** Grandes facultés d'adaptation à son environnement
**Statut et protection :** Vulnérable. Effectifs réduits et aire de répartition considérablement rétrécie en raison de la chasse intensive dont il a fait et fait encore l'objet

**Objectifs**
Reconnaître un texte scientifique.
Relever et classer les informations.

## *Avant de lire*

◆ À ton avis, s'agit-il d'un récit ?

# Les éléphants

*Symbole de puissance et de sagesse, l'éléphant, par son allure imposante et son comportement, fascine les hommes depuis l'Antiquité. Pourtant cet animal si populaire est aujourd'hui en voie de disparition.*

### Éléphant d'Afrique ou d'Asie ?

5    L'éléphant est le plus lourd des mammifères terrestres actuels. Un éléphanteau pèse déjà 100 kg à la naissance. En Afrique, un mâle de cinquante ans peut atteindre le poids de sept tonnes, et mesurer quatre mètres au garrot. Particulièrement imposant, l'éléphant de ce continent possède des défenses impressionnantes (jusqu'à 3,50 m de long).

Sa tête, front bombé, est encadrée par de grandes oreilles. Elles lui permettent de s'éventer,
10   faisant ainsi baisser la température de son corps. Sa trompe présente des bourrelets et deux « doigts » préhensiles (capables de saisir) à son extrémité. Plus proche du mammouth, l'éléphant d'Asie présente une taille nettement plus réduite que son illustre prédécesseur : 2,50 m à 3 m au garrot. Son crâne orné de deux bourrelets frontaux, sa trompe lisse à un seul « doigt » et ses oreilles miniatures le différencient de son cousin africain. Les défenses
15   des femelles sont réduites, voire inexistantes.

### La trompe : un outil multifonctions

Unique dans le monde animal, la trompe de l'éléphant est constituée du nez et de la lèvre supérieure. Elle mesure plus de 2 m de long et se termine par un ou deux appendices préhensiles. Elle est douée à la fois d'une force susceptible d'arracher
20   un arbre et d'une grande délicatesse. À l'aide de sa trompe, l'éléphant est capable de manipuler différents ustensiles. Il utilise notamment des tiges pointues pour se débarrasser des parasites qui se logent dans les replis de sa peau. Sa trompe lui
25   permet de respirer (elle joue le rôle de tuba lorsqu'il est sous l'eau). Grâce à elle, il boit, sent, frappe, se douche, saisit la nourriture, s'asperge de boue et de poussière pour se protéger des insectes.

30   ### Des petits groupes de célibataires

Les jeunes mâles restent au sein de la harde jusqu'à l'âge de 9-12 ans. Ils l'abandonnent, ou en sont chassés, à la puberté, mais il leur arrive de la rejoindre de temps à autre.
35   Entre-temps, ils se déplacent en petits groupes

de célibataires d'une quinzaine d'individus, qui se font et se défont au gré
de rencontres. À 25 ans, les mâles sont en pleine maturité sexuelle. On assiste alors
à de véritables affrontements pour la possession d'une femelle et pour la place dans
la hiérarchie du groupe. Vers l'âge de 30-40 ans, les mâles deviennent solitaires,
40 et ne se rapprochent des troupeaux qu'en période de reproduction. L'accouplement
a souvent lieu à la saison des pluies, quand la nourriture est abondante.

### De gros mangeurs uniquement végétariens

Les éléphants consacrent plus de seize heures sur vingt-quatre à la recherche de nourriture,
activité entrecoupée de brèves périodes de repos. Ils consomment chaque jour 150
45 à 200 kg d'herbes, fruits, feuilles, écorces et racines…
Une insatiable faim, sans doute due au fait que ces animaux, qui connaissent une
croissance spectaculaire jusqu'à l'âge de 25 ans, continuent de grandir tout au long de
leur vie. Leur besoin en eau est également impressionnant : plus de cent litres par jour.
Des besoins quotidiens qui les obligent à se déplacer constamment à la recherche de
50 nouveaux pâturages et de points d'eau.

### L'éléphant et la mort

Avant l'intervention systématique de l'homme, la plupart des éléphants mouraient de
vieillesse ou plus exactement de faim, car les éléphants âgés perdent leurs dents et ne
peuvent plus broyer leur nourriture. L'animal possède quatre énormes molaires. La
55 première dent apparaît à l'âge de trois mois, et est remplacée plusieurs fois dans une vie,
lorsqu'elle est usée.
Cependant, à 60 ou 65 ans, la dernière molaire tombe, et l'éléphant ne peut plus se
nourrir. Il est alors obligé de rechercher des lieux où la végétation est plus tendre,
comme les marais. C'est ainsi qu'à sa mort son cadavre disparaît au fond des eaux. À
60 l'assèchement des lieux apparaissent de nombreux ossements.
De là est certainement née la fascinante légende du cimetière des éléphants.

Extrait de *Tout l'Univers*, Hachette, 1997.

## Après avoir lu

- De quoi parle ce texte ? À quoi reconnais-tu qu'il ne s'agit pas d'un récit ?
- À quel temps sont les verbes ?
- Que signifie le titre « De petits groupes de célibataires » ?
- Combien de parties comporte le texte ? Quel est le thème de chacune d'elles ?
- Tu as recueilli cinq types de renseignements : résume-les, classe-les et donne un nouveau titre à chacune de ces parties.

# Lire

*Objectif*
Saisir rapidement des informations
scientifiques très précises.

## *Avant de lire*

◆ D'où vient ce document ? Que vas-tu y trouver ?

# L'éléphant d'Afrique

**L'éléphant d'Afrique est le plus gros mammifère terrestre existant. C'est un animal de la savane, mais il ne s'éloigne jamais d'un point d'eau pour boire et se baigner.**

### Mœurs

Des liens sociaux très forts unissent les éléphants.
Les femelles et leurs petits vivent en groupes
familiaux sous l'autorité d'une vieille femelle.
Les jeunes mâles pubères sont chassés
du troupeau et vivent dans des groupes
de célibataires.
Ils sont acceptés dans
le groupe des femelles
lorsqu'une d'elles est prête
à s'accoupler. Ils vivent
non loin des points d'eau.
Pendant la période
de sécheresse, ceux-ci
étant rares, les éléphants
se douchent, puis
s'aspergent de poussière.
La croûte de boue
qui se forme sur leur peau
les protège des morsures des insectes.

Où le trouve-t-on ?

*Se laver, se désaltérer*

### LE SAIS-TU ?

La défense d'un éléphant peut peser environ 105 kg et mesurer 3 m.
L'éléphant mange plus de 200 kg de végétaux par jour et boit plus
de 130 l en une seule fois. Il peut parcourir jusqu'à 240 km par mois.

## *Après avoir lu*

◆ Quelle information nous donne le titre de la fiche ?
◆ Décris ce que tu vois sur les photos. Quelles informations supplémentaires
te donnent les légendes ?
◆ Compare la place qu'occupe le titre, celle du texte et celle des photos.
Qu'en penses-tu ?

## Communication

Les éléphants communiquent entre eux en émettant des grondements produits par l'arrière-gorge et la trompe. La hiérarchie fait qu'un inférieur cédera devant un supérieur, si celui-ci prend une attitude de menace, en agitant sa trompe et en poussant son barrissement. C'est aussi grâce à cette attitude que l'éléphant écarte ainsi ses ennemis avant de charger.

*Combat dans la savane*

## Alimentation

Les éléphants sont végétariens et mangent indifféremment herbes, brindilles, petites branches, feuilles et fruits qu'ils arrachent avec leur trompe avant de les porter à la bouche. Les dents servent à mâcher, elles peuvent être remplacées six fois au cours de leur vie. Les éléphants ont un appétit gigantesque. Ils se nourrissent et boivent sans arrêt jour et nuit. Ils sont obligés de se déplacer sans cesse pour trouver les quantités de fourrage qui leur sont nécessaires et dévastent tout sur leur passage.

*Un jeune éléphanteau avec sa mère*

## Reproduction

Les éléphants s'accouplent vers 14-15 ans. Un seul éléphanteau de 110 kg et 85 cm de haut naîtra 22 mois plus tard. La mère l'allaite pendant au moins 2 ans et le garde avec elle jusqu'à sa puberté vers six ans.

## *Après avoir lu*

◆ Quelle est la différence typographique entre le titre et les sous-titres ?
◆ Compare cette fiche au texte des pages 154-155.
Quelles sont les différences ? Quelles sont les ressemblances ?

Lire

## Avant de lire

◆ Comment est organisé ce document ?

# Le crocodile du Nil

**Carte d'identité**

**Nom scientifique :** Crocodylus niloticus
**Classe :** Reptiles
**Ordre :** Crocodiliens
**Famille :** Crocodilidés
**Taille :** 4 à 4,50 m, autrefois jusqu'à 7 m (avant que les populations soient progressivement décimées)
**Poids :** 400 kg et jusqu'à 1 tonne
**Durée de vie :** 25 à probablement plus de 50 ans
**Répartition géographique :** Afrique au sud du 20e parallèle Nord, Madagascar, Comores
**Habitat :** Eau douce et parfois salée dans les estuaires et en région côtière marine
**Régime alimentaire :** Super-prédateur. Carnivore. Selon l'âge, se nourrit de proies d'une taille allant de l'insecte à l'hippopotame
**Reproduction :** L'âge de la maturité sexuelle se situe vers 12-15 ans. Ovipare. La femelle pond 55 à 60 (25 à 95) œufs dans un nid profond de 60 cm. Les œufs éclosent au bout de 2 ou 3 mois
**Signe particulier :** Grandes facultés d'adaptation à son environnement
**Statut et protection :** Vulnérable. Effectifs réduits et aire de répartition considérablement rétrécie en raison de la chasse intensive dont il a fait et fait encore l'objet

Stéphane Lévy-Kuentz, *Les Animaux d'Afrique*, Hachette Jeunesse.

## Après avoir lu

◆ Relève les mots que tu ne comprends pas et cherche leur signification dans un dictionnaire.
◆ Quelles informations trouves-tu dans ce texte ? Comment sont-elles classées ?
◆ Observe la structure de cette fiche. Quelles sont les informations essentielles qui ont été retenues. Pourquoi ?

*Objectifs*
Comparer des poèmes.
Sensibiliser à la comparaison
et à l'image poétique.

# Les éléphants

[...] D'un point de l'horizon, comme des masses brunes,
Ils viennent, soulevant la poussière, et l'on voit,
Pour ne point dévier du chemin le plus droit,
Sous leur pied large et sûr, crouler au loin les dunes.

5  Celui qui tient la tête est un vieux chef. Son corps
Est gercé comme un tronc que le temps ronge et mine ;
Sa tête est comme un roc, et l'arc de son échine
Se voûte puissamment à ses moindres efforts. [...]

Charles Leconte de Lisle, *Poèmes barbares*.

# Plein ciel

J'avais un cheval
Dans un champ de ciel
Et je m'enfonçais
Dans le jour ardent.
5  Rien ne m'arrêtait
J'allais sans savoir,
C'était un navire
Plutôt qu'un cheval
C'était un désir
10  Plutôt qu'un navire,
C'était un cheval
Comme on n'en voit pas,
Tête de coursier
Robe de délire,
15  Un vent qui hennit
En se répandant. [...]

Jules Supervielle, *Ciel et terre*,
Gallimard.

### *Après avoir lu*

**Les éléphants**

◆  À quoi le poète compare-t-il les éléphants ?
Relève toutes les comparaisons du poème.
◆  Quels détails montrent que Leconte de Lisle connaît les coutumes des éléphants ?
◆  Es-tu d'accord avec le vers 5 du poème (« Celui qui ... ») ?

**Plein ciel**

◆  Quelles différences observes-tu avec le poème précédent ?
◆  Comment comprends-tu les vers 7-8 ? et le vers 15 ?
◆  Ce poème comporte-t-il des comparaisons ou des images poétiques ?

# ÉCRIRE

**Objectifs**
Relever des informations scientifiques
et les organiser dans une fiche.
Utiliser la phrase nominale.

# Écrire une fiche scientifique

**Tu as lu différents documents sur les éléphants. Tu vas maintenant rassembler des informations scientifiques pour faire la fiche d'identité de l'éléphant.**

## 1<sup>re</sup> étape *Cherchons ensemble*

◆ Observe la fiche d'identité du crocodile du Nil page 158. Comment est organisée cette fiche ? Fais la liste des rubriques de la fiche.

◆ Dessine la silhouette d'une fiche d'identité en plaçant sur une feuille les différentes rubriques.

◆ Reprends ta liste de rubriques et donne pour chacune d'elles les renseignements qui concernent les éléphants. Où vas-tu chercher les informations qui te manquent ?

◆ Quelles illustrations vas-tu choisir pour ta fiche ?

## À mon stylo

Classe les informations que tu as trouvées en fonction des rubriques et écris la fiche d'identité de l'éléphant.

## 2<sup>e</sup> étape *Pour améliorer mon texte, je mets les informations en valeur*

### a) J'observe

Voici une fiche écrite par Eva.

> Il mange des fruits, des graines, des feuilles et des bourgeons.
> Sa vie est courte de quelques années.
> Il se reproduit : 2 fois par an, 2 œufs couvés 16–17 jours.
> Il habite dans les villes, les champs, les forêts (migrateur).
> Ses proportions
> Sa taille : elle est environ de 40 cm.

Eva a mis sa fiche au point. Voici ce qu'elle a recopié au propre.

| | |
|---|---|
| | *Le pigeon ramier* |
| | *Fiche d'identité* |
| *Sa taille :* | *40 cm environ* |
| *Son espèce :* | *Columba Palumba* |
| *Son ordre :* | *columbidés* |
| *Son habitat :* | *France, dans les forêts, les champs et les villes aussi.* |
| | *Migre après la période de reproduction et fabrique son* |
| | *nid avec des brindilles.* |
| *Sa reproduction :* | *2 fois par an, 2 œufs couvés 16 à 17 jours.* |
| *Son régime :* | *fruits, graines, feuilles, bourgeons.* |

◆ **Quels changements y a-t-il eu entre les deux textes ? Pourquoi les informations sont-elles plus claires dans le deuxième texte ?**

**b) Je m'entraîne**

Transforme les textes suivants pour les présenter sous forme de rubriques scientifiques.

◆ Mais les éléphants rois étaient en même temps esclaves de leurs estomacs. Ils engloutissaient quotidiennement cinq cents kilos de nourriture végétale.

◆ L'adorable wallaby est semblable à un petit kangourou (tête et corps : 60 cm, queue : 40 cm). Il possède une fourrure douce et épaisse de couleur gris-rougeâtre sur le dos, comme si un peintre s'était amusé à le colorer.

◆ Bien que grand, il ne vit que dans les arbres. Cet orang-outang est massif comme un catcheur. Son ventre proéminent de Bouddha fait paraître ses membres antérieurs immenses. Sa tête est allongée et son museau avancé. Son nez aplati, ses yeux rapprochés et petits lui donnent un air de vieillard « bon enfant ».

## 3ᵉ étape  *J'améliore mon texte*

◆ Relis ta fiche. As-tu classé les informations dans des rubriques ?
As-tu bien écrit un titre pour chacune d'elles ?
As-tu sauté une ligne entre les paragraphes ?

◆ Mets ton texte au point. Supprime les verbes inutiles dans les phrases pour qu'elles soient courtes.
Vérifie que les mots que tu as choisis sont précis et adaptés à ton texte.

◆ Recopie ton texte en écrivant lisiblement et en respectant la ponctuation.
Place tes illustrations.

# S'exercer
*pour mieux lire et mieux écrire*

*Objectifs*
Reconnaître l'adjectif qualificatif épithète même détaché.
Reconnaître le participe passé employé comme adjectif.

# L'adjectif qualificatif épithète

## 1<sup>re</sup> étape *Cherchons ensemble*

◆ **Lis les phrases suivantes. Relève les GN qui comportent un adjectif qualificatif et souligne-les.**

**a)** C'était lui qui leur donnait la douce chaleur du matin.

**b)** Il se mettait à traire une grosse brebis.

◆ **Comment peux-tu reconnaître l'adjectif qualificatif dans chacune des phrases suivantes ?**

**a)** L'animal se pencha sur l'onde tumultueuse.

**b)** Il se planta sur l'herbe rase et sa plainte rauque monta vers le ciel.

Relève les GN comprenant un adjectif qualificatif.
Quel est son rôle dans le GN ? Peut-on le supprimer ?

◆ **Copie les phrases suivantes.**

**a)** Silencieux, se déplaçant lentement, le troupeau avançait.

**b)** L'éléphant, majestueux, se retourne lentement.

Souligne les adjectifs qualificatifs. Observe leur place par rapport au nom.
Relie d'une flèche l'adjectif qualificatif au nom qu'il qualifie.

◆ **Copie les phrases suivantes.**

On entend un bruit énorme. Alors les hommes apeurés se mettent en chasse et les animaux affolés fuient dans tous les sens.

Souligne les GN ayant un adjectif qualificatif ou un participe passé.
Quels sont les deux participes passés ? Donne l'infinitif des deux verbes.
Supprime l'adjectif qualificatif et les participes passés. Que remarques-tu ?

◆ **Fais une liste d'adjectifs qualificatifs en les classant selon un critère de ton choix.**

---

### Je retiens

*un bruit **énorme** – les **grands** éléphants*
Quand l'adjectif qualificatif est dans le GN, il est épithète. Le participe passé peut tenir le même rôle. On peut souvent supprimer l'adjectif épithète, mais le sens est moins précis.

L'adjectif qualificatif épithète peut être mis en relief et détaché, parfois assez loin du nom qualifié :
– en tête de phrase : ***Silencieux**, <u>le troupeau</u> avançait.*
– entre deux virgules : *<u>L'éléphant</u>, **surpris**, se retourne.*

## 2ᵉ étape — Je m'entraîne

**1. Recopie les adjectifs qualificatifs épithètes des phrases suivantes.**

**a)** Le petit garçon demanda au tigre de s'aplatir contre un solide tronc d'arbre, prit une longue corde et l'attacha d'un nœud solide.

**b)** Il se mettait à traire une grosse brebis et du ciel bleu tombaient des ondées bienfaisantes.

**2. Encadre, lorsque c'est possible, chaque nom de deux épithètes.**
Les éléphants suivent la piste. Le sentier se déroule sous les pattes des animaux. Les femelles marchent devant.

**3. Remplace les adjectifs qualificatifs par d'autres adjectifs de ton choix.**

**a)** Le vieux mâle fit face et une énorme femelle le rejoignit.

**b)** J'entendis leurs monstrueux barrissements et le lourd martèlement de leurs pattes.

**c)** Le féroce animal s'étonna de l'obéissance du puissant buffle.

**d)** Le tigre s'approcha du frêle garçon.

## 3ᵉ étape — Je m'évalue

**4. Recopie le texte et relie d'une flèche les adjectifs qualificatifs et les participes passés épithètes au nom qu'ils qualifient.**
Les éléphants descendent vers les grandes plaines marécageuses, en suivant le cours tortueux des rivières. Après leur passage, l'endroit dévasté en quelques heures n'est plus qu'un espace piétiné, couvert de crottins énormes ; plus une feuille aux branches basses. Dénudés, arrachés, déracinés, les arbres gisent à terre.

D'après G. Blond, *La Grande Aventure des éléphants.*

score sur 11

**5. Déplace l'adjectif qualificatif lorsque c'est possible.**
Les éléphanteaux agressifs tendent leur trompe.
Les femelles castors apeurés rassemblent leurs petits sous les branchages.
Dans les temps très anciens, les hommes menaient les puissants buffles aux champs.
Le soleil garde son troupeau de blanches brebis.

score sur 7

**6. Dans ce texte, remplace les adjectifs qualificatifs et participes passés épithètes soulignés par un adjectif de ton choix.**
La maîtresse, une <u>grande</u> dame <u>brune</u> aux cheveux <u>courts</u> à la voix <u>nette</u> et <u>forte</u>, me conduit à côté d'une fille <u>blonde</u>, à queue de cheval, qui me lance un coup d'œil <u>maussade</u>.

D'après Catherine Missonnier, *Extraterrestre appelle CM1.*

score sur 7

*Objectifs*
Repérer le genre et le nombre dans le GN.
Accorder les adjectifs épithètes.

# Accorder les adjectifs qualificatifs

 *Cherchons ensemble*

◆ **Lis la phrase suivante.**

Les éléphants, animaux sociaux, unis par des liens familiaux étroits refusent de quitter un compagnon mort.

Copie les GN de cette phrase. Souligne les adjectifs qualificatifs et les participes passés. Relie-les au nom qu'ils qualifient. Entoure les lettres qui marquent les accords.

◆ **Observe la phrase suivante.**

Terribles bêtes, les araignées au ventre rond, au ventre blanc comme des perles, dînaient d'innocentes abeilles.

D'après Georges Duhamel, *Fables de mon jardin.*

À quels noms se rapportent les adjectifs qualificatifs *terribles* et *innocentes* ? Quels sont le genre et le nombre de ces noms ? Quelles sont les marques de genre et de nombre qui apparaissent sur l'adjectif ?

◆ **Relève dans les phrases suivantes les adjectifs qualificatifs ou les participes passés épithètes.**

**a)** Les lions, accablés par la chaleur, dorment à l'ombre.

**b)** Ravies, Delphine et Marinette applaudissent.

À quel(s) nom(s) se rapporte chaque adjectif ou participe ? Leur place est-elle habituelle ? Cela change-t-il la façon de les accorder ?

◆ **Mets au féminin les adjectifs entre parenthèses (aide-toi d'un dictionnaire).**

une (exceptionnel) réussite – une amie (breton) – une épreuve (facultatif) – une femme (jaloux) – une réponse (franc) – une pâte (mou)

◆ **Mets les GN suivants au pluriel.**

une arme absolue – un trait horizontal – un fruit tropical
Les marques du pluriel sont-elles toujours les mêmes ?

---

### Je retiens

*Accablés* par la chaleur, *les lions* dorment à l'ombre.

L'adjectif qualificatif ou le participe passé épithètes s'accordent en genre et en nombre avec le nom qu'ils qualifient.

*bêtes terrible**s** – arme absolu**e** – traits horizont**aux** – voix dou**ce***
Le plus souvent on ajoute un **s** pour le pluriel et un **e** pour le féminin, mais certains adjectifs ont un féminin ou un pluriel particulier.

## 2ᵉ étape Je m'entraîne

**1.** Recopie le texte en soulignant les épithètes. Relie-les au nom qu'ils qualifient.

Sa masse imposante excite la curiosité, mais ce qui frappe c'est son énorme trompe. Elle est formée par la réunion du nez et de la lèvre supérieure en un organe préhensile très sensible.

D'après Alain Bougrain-Dubourg, *Fiche Atlas.*

**2.** Accorde les adjectifs qualificatifs et les participes passés entre parenthèses.

(Haut) et (vaste), la cuisine (enfumé) sentait le lait, la pomme, la fumée et cette odeur de (vieux) maisons (paysan), odeurs des (vieux) soupes (répandu), des (vieux) lavages et des (vieux) habitants.

D'après Guy de Maupassant, *Contes et nouvelles.*

**3.** Relis le portrait de *l'Âne Culotte*, page 30. Fais maintenant le portrait d'un âne jeune et fougueux en remplaçant les adjectifs par d'autres. (Tu peux utiliser un dictionnaire.)

## 3ᵉ étape Je m'évalue

**4.** Accorde les adjectifs qualificatifs du texte suivant.

Martine écarta les ronces et elle escalada le (vieux) mur aux pierres (croulant). Deux femmes, (immobile) et (hagard), se cachaient près de l'arbre. Elles ne bougeaient pas, (éclairé) seulement par un rayon de lune. Il y avait, à leurs pieds, une cage. On aurait dit une apparition (effrayant).

*score sur 6*

**5.** Forme des groupes nominaux qui respectent les règles d'accord.

la chatte : câlin – gracieux – noir
les chatons : obéissant – affamé – brutal
la pic et le moineau : bruyant – léger – affolé

*score sur 9*

**6.** Écris un court texte pour présenter les animaux que tu as vus au zoo en utilisant des GN avec des épithètes.

*1 point par GN*

# Des yeux pour apprendre

Apprends ces mots en observant bien comment s'écrit chacun d'eux. Entraîne-toi à bien les écrire.

| Textes p. 154-155 | | Textes p. 156-157 | | Poèmes p. 159 |
|---|---|---|---|---|
| l'éléphant | la nourriture | le mammifère | la sécheresse | le corps |
| atteindre | l'insecte | la savane | végétarien | le tronc |
| le poids | avoir lieu | l'autorité | au cours de | hennir |
| la trompe | sans doute | le troupeau | dévaster | enfoncer |
| grâce à | tout au long | s'accoupler | inférieur | répandre |

S'exercer

*pour mieux lire et mieux écrire*

*Objectifs*

Distinguer sens courant et sens scientifique
de certains termes.
Se familiariser avec les mots abstraits.

# Les mots scientifiques

## 1<sup>re</sup> étape Cherchons ensemble

◆ **Cherche dans le texte *Les éléphants*,
page 154, les quatre mots suivants
et essaie de les expliquer grâce
au contexte.**

défense (ligne 14) – reproduction (ligne 40)
– végétarien (ligne 42) – croissance (ligne 47).

Connais-tu des mots de la famille de ceux de la liste ?
Lesquels ? Cherche ces quatre mots dans
un dictionnaire. Quelles précisions trouves-tu ?

◆ **Cherche les différences de sens entre les deux mots soulignés.
Tu peux utiliser le dictionnaire.**

**a)** La toile de jean est <u>solide</u>.
La glace est de l'eau à l'état <u>solide</u>.

**b)** Galanor vit maintenant au <u>milieu</u> des Terriens.
Le <u>milieu</u> de vie d'un animal.

Dans quel type de texte rencontres-tu la première phrase de chaque série ?
Et la seconde ?

◆ **Quels sont les mots scientifiques que tu utilises pour désigner
ce que mange un animal et l'endroit où il habite ?**

Ces mots ont-ils toujours ce sens ? Quel sens ont-ils quand ils ne sont pas
employés dans un texte scientifique ?

◆ **Quel est le régime alimentaire de l'homme ? Et celui du chien ?**

◆ **Observe ces extraits de dictionnaire. Lis la définition qui correspond
au sens scientifique de *espèce* et de *reproduction*. Recopie les
exemples qui accompagnent ces définitions.**

**espèce ❶** nom f. **1** *Le cheval et le zèbre appartiennent à la même **espèce** animale*, au même groupe d'animaux qui se ressemblent. ➤ *L'**espèce** humaine* : l'ensemble des humains. **2** *C'est une **espèce** de sac*, quelque chose difficile à décrire et qui ressemble à un sac (☞ SYN. genre, sorte). ◆ Dans cette expression, *espèce* reste toujours au féminin. **3** (fam.) ***Espèce** d'idiot, tu vas te faire mal !*

◆ **reproduction** nom f. **1** *Gilles a acheté une **reproduction** de ce tableau de Picasso* (☞ SYN. copie, imitation). **2** La façon dont les êtres vivants et les plantes se reproduisent, dont ils donnent naissance à d'autres êtres de la même espèce. *Nous avons étudié la **reproduction** des champignons.*

## Je retiens

Les mots scientifiques peuvent être :
– des mots spécialisés : *habitat, végétarien,*
– des mots du langage courant qui prennent un autre sens dans un contexte scientifique : *milieu, solide.*

## 2ᵉ étape Je m'entraîne

1. **Donne le nom des cinq sens et utilise chacun d'eux dans une courte phrase.**
   *Exemple* : Le renard a un <u>odorat</u> très développé.

2. **Cherche les différents sens du mot** *sommet* **et emploie-les chacun dans une courte phrase.**

3. **Trouve le nom scientifique des bras et des jambes de l'homme, des pattes des animaux.**

4. **Utilise chacun des mots suivants dans deux phrases différentes. L'une avec le mot dans son sens scientifique, l'autre avec le mot dans son sens courant :** *capacité, pesanteur, décomposer.*

## 3ᵉ étape Je m'évalue

5. **Explique les expressions par un synonyme de la langue courante.**
   les membres antérieurs – les membres supérieurs – un appendice préhensile – une migration

   *score sur 4*

6. **Utilise les noms suivants dans leur sens courant, puis dans leur sens scientifique.**
   sens – solide – sommet – corps – gravité – phénomène

   *score sur 12*

7. **Indique le régime alimentaire de la vache, du loup et de l'homme.**

   *score sur 3*

# S'exercer
pour mieux lire et mieux écrire

**Objectifs**
Reconnaître l'auxiliaire.
Savoir accorder le participe passé conjugué avec *être*.

# Écrire le participe passé employé avec *être*

## 1re étape Cherchons ensemble

♦ **Observe ce dessin et imagine ce qui s'est passé.**
**Écris en quelques phrases ce que répondent les légionnaires à leur centurion.**
Souligne les verbes que tu as utilisés au passé composé.
De combien de mots chaque verbe est-il formé ?
Quel est celui qui te permet de trouver l'infinitif du verbe ?

♦ **Lis le texte suivant.**
Delphine et Marinette sont venues à quatre pattes, près du terrier.
Rassuré, un lapin est sorti et deux autres ont suivi aussitôt.
Les fillettes ont vu leur manège et elles ont compris cette danse.
« Ils ont déjà dansé ainsi hier, quand nous nous sommes approchées ;
certainement viennent-ils nous saluer. »

Relève les verbes au passé composé et classe-les en deux groupes selon
qu'ils sont accordés ou non. Avec quel auxiliaire ces verbes sont-ils
conjugués ? Observe les terminaisons des participes passés accordés :
avec quel mot le participe passé est-il accordé ?

♦ **Accorde les participes passés entre parenthèses. Souligne l'auxiliaire**
***être* et encadre le sujet avec lequel s'accorde le participe passé.**
Les légionnaires rescapés répondent au centurion : « Nous sommes
(tombé) dans un piège : ces maudits Gaulois étaient (caché) derrière un
arbre, ils sont (sorti) tous ensemble. Nous sommes (rentré) le plus vite
possible au camp et nous avons (averti) la sentinelle. »

---

### Je retiens

*Elle est venue. Elles sont venues.*
Le participe passé conjugué avec l'auxiliaire *être* s'accorde en genre
et en nombre avec le sujet du verbe.

---

**168**

##  Je m'entraîne

**2ᵉ étape**

1. **Écris les verbes au passé composé aux personnes demandées (aide-toi des tableaux de conjugaison, pages 248 à 251).**

   a) *1ʳᵉ personne du singulier et du pluriel :*
      Aller à une conférence sur la vie des animaux.

   b) *3ᵉ personne du singulier et du pluriel :* Sortir en 4 X 4 dans la brousse.

   c) *2ᵉ personne du singulier et du pluriel :* Rentrer au village après un safari photo.

2. **Change les sujets de ces phrases selon les propositions faites entre parenthèses et fais les accords nécessaires.**

   a) L'éléphanteau est resté deux ans avec les femelles.
      (les petites – les éléphanteaux – la petite)

   b) Le chasseur est arrivé à cinq heures du matin.
      (tes frères et toi – mes sœurs et moi – tu)

3. **Tes amis et toi avez accompli un exploit. Raconte-le en quelques phrases. Souligne les passés composés conjugués avec *être*.**

## Je m'évalue ............................

**3ᵉ étape**

4. **Copie le texte et souligne les verbes au passé composé. Relie d'une flèche le sujet au participe passé lorsqu'il s'accorde.**

   Les gazelles sont arrivées au point d'eau. Elles ont bu longuement et sont reparties vers la forêt.

   *score sur 3*

5. **Change les sujets de ces phrases selon les propositions faites entre parenthèses et fais les accords nécessaires.**

   a) Le chasseur d'images est arrivé près du troupeau.
      (Vanessa – Jonathan – Céline et Laure – Olivier et Marie)

   b) Cette éléphante est morte de soif.
      (ce mâle – l'éléphanteau et sa mère – les juments)

   c) Nous sommes allés prendre des photographies.
      (Ton frère et toi – tes parents)

   *score sur 9*

6. **Conjugue les verbes suivants au passé composé aux personnes demandées.**

   a) partir : 1ʳᵉ personne du singulier et du pluriel.

   b) venir : 2ᵉ personne du singulier et du pluriel.

   c) aller : 3ᵉ personne du singulier et du pluriel.

   *score sur 6*

7. **Une famille de touristes a eu une panne de voiture en pleine brousse. Raconte l'incident en quelques lignes. Utilise le passé composé.**

   *1 point par participe passé*

# Mon bilan

Tout au long de ce chapitre, tu as fait de nombreux apprentissages. Tu peux maintenant faire ton bilan.

Sur ton cahier, recopie le numéro des différentes compétences ci-dessous et écris à chaque fois : *oui, pas toujours* ou *pas encore*.

## Je suis capable :

1. de trouver des informations scientifiques dans des textes de nature différente ;
2. de me repérer rapidement grâce à la mise en page ;
3. de relever et classer les informations qui vont ensemble ;
4. de comprendre les images dans un poème ;
5. de rédiger une fiche scientifique précise et bien organisée ;
6. de reconnaître l'adjectif épithète même détaché ;
7. d'accorder l'adjectif qualificatif et le participe passé épithètes ;
8. d'écrire les 25 mots de la page 165 ;
9. d'utiliser du vocabulaire scientifique précis ;
10. d'accorder le participe passé d'un verbe conjugué avec l'auxiliaire *être*.

# Je vais plus loin

Tu as réalisé une fiche sur l'éléphant. Tu peux collectionner des fiches sur les animaux ou en réaliser toi-même sur un animal de ton choix. Votre classe aura ainsi son fichier original.

Pour te repérer dans ton fichier, tu peux classer d'abord ces fiches par milieu de vie, puis par régime alimentaire.

## Pour organiser mon fichier :

◆ je numérote les fiches de ma collection dans chaque catégorie ;
◆ je constitue une fiche sommaire pour chaque catégorie ;
◆ j'enrichis ma collection et je complète le sommaire au cours de l'année.

# 10 *Découvrir*
## les *Lettres de mon moulin*

pour connaître un texte du patrimoine.

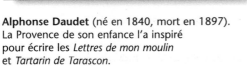

**Alphonse Daudet** (né en 1840, mort en 1897).
La Provence de son enfance l'a inspiré
pour écrire les *Lettres de mon moulin*
et *Tartarin de Tarascon*.

# Lire

*Objectif*
Étudier un portrait physique, la description
d'un caractère, d'un comportement.

## *Avant de lire*

◆ Quel est le titre du livre ? Qui en est l'auteur ?

◆ D'après toi, quel genre de livre est-ce ?

# La chèvre de M. Seguin

M. Seguin n'avait jamais eu de bonheur avec ses chèvres.

Il les perdait toutes de la même façon ; un beau matin, elles cassaient leur corde, s'en allaient dans la montagne, et là-haut le loup les mangeait. Ni les caresses de leur maître, ni la peur du loup, rien ne les retenait. C'était, paraît-il, des chèvres
5   indépendantes, voulant à tout prix le grand air et la liberté.

Le brave M. Seguin, qui ne comprenait rien au caractère de ses bêtes, était consterné. Il disait :

« C'est fini ; les chèvres s'ennuient chez moi ; je n'en garderai pas une. »

Cependant il ne se découragea pas, et après avoir perdu six chèvres de la même
10   manière, il en acheta une septième ; seulement, cette fois, il eut soin de la prendre toute jeune, pour qu'elle s'habituât mieux à demeurer chez lui.

Ah ! Gringoire, qu'elle était jolie
la petite chèvre de M. Seguin !
Qu'elle était jolie avec ses yeux doux,
15   sa barbiche de sous-officier,
ses sabots noirs et luisants, ses cornes zébrées
et ses longs poils blancs qui lui faisaient
une houppelande ! C'était presque aussi
charmant que le cabri d'Esméralda — tu te
20   rappelles, Gringoire ? — et puis docile,
caressante, se laissant traire sans bouger,
sans mettre son pied dans l'écuelle. Un amour de petite chèvre…

M. Seguin avait derrière sa maison un clos entouré d'aubépines. C'est là qu'il mit la nouvelle pensionnaire. Il l'attacha à un pieu au plus bel endroit du pré, en ayant
25   soin de lui laisser beaucoup de corde, et de temps en temps il venait voir si elle était bien. La chèvre se trouvait très heureuse et broutait l'herbe de si bon cœur que M. Seguin était ravi.

« Enfin, pensait le pauvre homme, en voilà une qui ne s'ennuiera pas chez moi ! »

M. Seguin se trompait, sa chèvre s'ennuya.
30   Un jour, elle se dit en regardant la montagne :

« Comme on doit être bien là-haut ! Quel plaisir de gambader dans la bruyère, sans cette maudite longe qui vous écorche le cou ! … C'est bon pour l'âne et pour le bœuf de brouter dans un clos ! … Les chèvres, il leur faut du large. »

À partir de ce moment, l'herbe du clos lui parut fade. L'ennui lui vint.
35   Elle maigrit, son lait se fit rare. C'était pitié de la voir tirer tout le jour sur sa longe, la tête tournée du côté de la montagne, la narine ouverte, en faisant *Mé !*…
tristement. […]

*La tentation était trop forte. Malgré tous les efforts de M. Seguin, Blanquette*
*s'enfuit un jour...*

40     Quand la chèvre blanche arriva dans la montagne, ce fut un ravissement général.
Jamais les vieux sapins n'avaient rien vu d'aussi joli. On la reçut comme une petite
reine. Les châtaigniers se baissaient jusqu'à terre pour la caresser du bout
de leurs branches. Les genêts d'or s'ouvraient sur son passage, et sentaient bon
tant qu'ils pouvaient. Toute la montagne lui fit fête.

45     Tu penses, Gringoire, si notre chèvre était heureuse ! Plus de corde,
plus de pieu... Rien qui l'empêchât de gambader,
de brouter à sa guise... C'est là qu'il y en avait
de l'herbe ! Jusque par-dessus les cornes,
mon cher !... Et quelle herbe ! Savoureuse,

50     fine, dentelée, faite de mille plantes...
C'était bien autre chose que le gazon
du clos. Et les fleurs donc !... De grandes
campanules bleues, des digitales
de pourpre à longs calices, toute une forêt

55     de fleurs sauvages débordant de sucs capiteux !...

    La chèvre blanche, à moitié saoule, se vautrait là-dedans les jambes en l'air et
roulait le long des talus, pêle-mêle avec les feuilles tombées et les châtaignes... Puis,
tout à coup, elle se redressait d'un bond sur ses pattes. Hop ! la voilà partie, la tête
en avant, à travers les maquis et les buissières, tantôt sur un pic, tantôt au fond

60     d'un ravin, là-haut, en bas, partout... On aurait dit qu'il y avait dix chèvres
de M. Seguin dans la montagne.

    C'est qu'elle n'avait peur de rien, la Blanquette.

    Elle franchissait d'un saut de grands torrents qui l'éclaboussaient au passage
de poussière humide et d'écume. Alors, toute ruisselante, elle allait s'étendre

65     sur quelque roche plate et se faisait sécher par le soleil... Une fois, s'avançant
au bord d'un plateau, une fleur de cytise aux dents, elle aperçut en bas, tout en bas
dans la plaine, la maison de M. Seguin avec le clos derrière. Cela la fit rire
aux larmes.

    « Que c'est petit ! dit-elle ; comment ai-je pu tenir là-dedans ? »

70     Pauvrette ! de se voir si haut perchée, elle se croyait au moins aussi grande
que le monde... [...]

## *Après avoir lu*

- ◆ Relève les mots ou expressions qui décrivent la chèvre (lignes 14 à 27) ;
son caractère, son comportement.
- ◆ Comment la montagne apparaît-elle à Blanquette ?
- ◆ Relève les adjectifs qui précisent comment est l'herbe dans la montagne.
- ◆ Relèvent les verbes qui nous montrent ce qu'elle fait de sa liberté.

**173**

# La chèvre de M. Seguin (fin)

Tout à coup le vent fraîchit. La montagne devint violette ; c'était le soir…

« Déjà ! » dit la petite chèvre, et elle s'arrêta fort étonnée.

En bas, les champs étaient noyés de brume. Le clos de M. Seguin disparaissait dans le brouillard, et de la maisonnette on ne voyait plus

5 que le toit avec un peu de fumée. Elle écouta les clochettes d'un troupeau qu'on ramenait, et se sentit l'âme toute triste… Un gerfaut, qui rentrait, la frôla de ses ailes en passant. Elle tressaillit… puis ce fut un hurlement dans la montagne :

« Hou ! hou ! »

10 Elle pensa au loup, de tout le jour la folle n'y avait pas pensé… Au même moment une trompe sonna bien loin dans la vallée. C'était ce bon M. Seguin qui tentait un dernier effort.

15 « Hou ! hou !… faisait le loup.

– Reviens ! reviens !… »

criait la trompe.

Blanquette eut envie de revenir ; mais en se rappelant le pieu, la corde, la haie

20 du clos, elle pensa que maintenant elle ne pouvait plus se faire à cette vie, et qu'il valait mieux rester.

La trompe ne sonnait plus…

La chèvre entendit derrière elle un bruit de feuilles. Elle se retourna et vit dans

25 l'ombre deux oreilles courtes, toutes droites, avec deux yeux qui reluisaient… C'était le loup.

Énorme, immobile, assis sur son train de derrière, il était là, regardant la petite chèvre blanche et la dégustant par avance. Comme il savait bien qu'il la mangerait, le loup ne se pressait pas ; seulement, quand elle se retourna, il se mit à rire

30 méchamment.

« Ha ! ha ! la petite chèvre de M. Seguin » ; et il passa sa grosse langue rouge sur ses babines d'amadou.

Blanquette se sentit perdue… Un moment, en se rappelant l'histoire de la vieille Renaude, qui s'était battue toute la nuit pour être mangée le matin, elle se dit qu'il

35 vaudrait peut-être mieux se laisser manger tout de suite ; puis, s'étant ravisée, elle tomba en garde, la tête basse et la corne en avant, comme une brave chèvre de M. Seguin qu'elle était… Non pas qu'elle eût l'espoir de tuer le loup – les chèvres ne tuent pas le loup – mais seulement pour voir si elle pourrait tenir aussi longtemps que la Renaude…

40 Alors le monstre s'avança, et les petites cornes entrèrent en danse.

Ah ! la brave petite chevrette, comme elle y allait de bon cœur ! Plus de dix fois, je ne mens pas, Gringoire, elle força le loup à reculer pour reprendre haleine. Pendant ces trêves d'une minute, la gourmande cueillait en hâte encore un brin de sa chère herbe ; puis elle retournait au combat, la bouche pleine... Cela dura toute la nuit. De temps en temps la chèvre de M. Seguin regardait les étoiles danser dans le ciel clair, et elle se disait :

45

« Oh ! pourvu que je tienne jusqu'à l'aube... »

L'une après l'autre, les étoiles s'éteignirent. Blanquette redoubla de coups de cornes, le loup de coups de dents... Une lueur pâle parut dans l'horizon... Le chant du coq enroué monta d'une métairie.

50

« Enfin ! » dit la pauvre bête, qui n'attendait plus que le jour pour mourir ; et elle s'allongea par terre dans sa belle fourrure blanche toute tachée de sang...

Alors le loup se jeta sur la petite chèvre et la mangea.

## *Après avoir lu*

◆ À quel moment la situation change-t-elle ? Quels mots l'indiquent ?

◆ Quelles sont les raisons qui donnent à Blanquette « l'âme toute triste » ? Pourquoi ne revient-elle pas chez M. Seguin ?

◆ Comment le loup apparaît-il ? À quoi voit-on qu'il est certain qu'il va manger Blanquette ? Relève les expressions qui le montrent.

◆ Quels sont les comportements successifs de Blanquette face au loup ?

# Lire

Objectif
Repérer des indices qui situent l'époque
à laquelle se passe l'histoire.

## Avant de lire

◆ Quel est le sujet de l'histoire ?
◆ À ton avis, quels secrets peut renfermer un moulin à vent ?

# Le secret de maître Cornille

*Depuis que la minoterie est installée dans le pays, les habitants du village n'apportent plus leur blé à maître Cornille. Le meunier a même renvoyé sa petite fille et vit désormais seul dans son moulin.*

Dans le pays on pensait que le vieux meunier, en renvoyant Vivette, avait agi
5   par avarice ; et cela ne lui faisait pas honneur de laisser sa petite-fille ainsi traîner
d'une ferme à l'autre, exposée aux brutalités des *vaïles* et à toutes les misères
des jeunesses en condition. On trouvait très mal aussi qu'un homme du renom
de maître Cornille, et qui, jusque-là, s'était respecté, s'en allât maintenant
par les rues comme un vrai bohémien, pieds nus, le bonnet troué, la taillole
10   en lambeau… Le fait est que le dimanche, lorsque nous le voyions entrer
à la messe, nous avions honte pour lui, nous autres les vieux ; et Cornille le sentait
si bien qu'il n'osait plus venir s'asseoir sur le banc d'œuvre. Toujours il restait
au fond de l'église, près du bénitier, avec les pauvres.
Dans la vie de maître Cornille, il y avait quelque chose
15   qui n'était pas clair. Depuis longtemps, personne, au village, ne lui portait
plus de blé, et pourtant
les ailes de son moulin
allaient toujours leur train
comme devant… Le soir, on
20   rencontrait par les chemins
le vieux meunier poussant
devant lui son âne chargé
de gros sacs de farine.
« Bonnes vêpres, maître
25   Cornille ! lui criaient
les paysans ; ça va donc
toujours la meunerie ?

— Toujours, mes enfants, répondait le vieux d'un air gaillard. Dieu merci,
ce n'est pas l'ouvrage qui nous manque. »
30   Alors, si on lui demandait d'où diable pouvait venir tant d'ouvrage, il se mettait
un doigt sur les lèvres et répondait gravement :
« Motus ! je travaille pour l'exportation… »
Jamais on n'en pu tirer davantage.
Quant à mettre le nez dans son moulin, il n'y fallait pas songer. La petite Vivette
35   elle-même n'y entrait pas…
Lorsqu'on passait devant, on voyait la porte toujours fermée, les grosses ailes

toujours en mouvement, le vieil âne broutant le gazon de la plate-forme, et un grand chat maigre qui prenait le soleil sur le rebord de la fenêtre et vous regardait d'un air méchant.

40     Tout cela sentait le mystère et faisait beaucoup jaser le monde. Chacun expliquait à sa façon le secret de maître Cornille, mais le bruit général était qu'il y avait dans ce moulin-là encore plus de sacs d'écus que de sacs de farine.

45     À la longue, pourtant, tout se découvrit ; voici comment :

    En faisant danser la jeunesse avec mon fifre, je m'aperçus un beau jour que l'aîné de mes garçons et la petite Vivette s'étaient rendus amoureux l'un

50 de l'autre. Au fond je n'en fus pas fâché, parce qu'après tout le nom de Cornille était en honneur chez nous, et puis ce joli petit passereau de Vivette m'aurait fait plaisir à voir trotter dans ma maison. Seulement, comme nos amoureux avaient souvent occasion d'être ensemble, je voulus, de peur d'accident, régler l'affaire

55 tout de suite, et je montai jusqu'au moulin pour en toucher deux mots au grand-père… Ah ! le vieux sorcier ! il faut voir de quelle manière il me reçut ! Impossible de lui faire ouvrir sa porte. Je lui expliquai mes raisons tant bien que mal, à travers le trou de la serrure ; et tout le temps que je parlais, il y avait ce coquin de chat maigre qui soufflait comme un diable au-dessus de ma tête.

60     Le vieux ne me donna pas le temps de finir et me cria fort malhonnêtement de retourner à ma flûte ; que si j'étais pressé de marier mon garçon, je pouvais bien aller chercher des filles à la minoterie… Pensez que le sang me montait d'entendre ces mauvaises paroles ; mais j'eus tout de même assez de sagesse pour me contenir, et, laissant ce vieux fou à sa meule, je revins annoncer aux enfants

65 ma déconvenue… Ces pauvres agneaux ne pouvaient pas y croire ; ils me demandèrent comme une grâce de monter tous deux ensemble au moulin, pour parler au grand-père. Je n'eus pas le courage de refuser, et prrt ! voilà mes amoureux partis.

    Tout juste comme ils arrivaient là-haut, maître Cornille venait de sortir. La porte

70 était fermée à double tour ; mais le vieux bonhomme, en partant, avait laissé son échelle dehors, et tout de suite l'idée vint aux enfants d'entrer par la fenêtre, voir un peu ce qu'il y avait dans ce fameux moulin…

## *Après avoir lu*

◆ Qui dit *je* dans le texte ?

◆ Quelle différence fais-tu entre un meunier et un minotier ?

◆ Relève les mots qui montrent que l'histoire se passe il y a longtemps.

◆ Décris le caractère et le comportement de maître Cornille. Qu'en penses-tu ?

◆ À ton avis, quel est le secret de maître Cornille ?

# Le secret de maître Cornille (fin)

Chose singulière ! La chambre de meule était vide… Pas un sac, pas un grain de blé ; pas la moindre farine aux murs ni sur les toiles d'araignées… On ne sentait pas même cette bonne odeur chaude de froment écrasé qui embaume dans les moulins… L'arbre de couche était couvert de poussière et le grand chat maigre
5   dormait dessus.

La pièce du bas avait le même air de misère et d'abandon : un mauvais lit, quelques guenilles, un morceau de pain sur une marche d'escalier, et puis dans un coin trois ou quatre sacs crevés d'où coulaient des gravats et de la terre blanche.

C'était là le secret de maître Cornille ! C'était ce plâtras qu'il promenait le soir
10  par les routes, pour sauver l'honneur du moulin et faire croire qu'on y faisait de la farine… Pauvre moulin ! Pauvre Cornille ! Depuis longtemps les minotiers leur avaient enlevé leur dernière pratique. Les ailes viraient toujours, mais la meule tournait à vide.

Les enfants revinrent, tout en larmes me conter ce qu'ils avaient vu. J'eus le cœur
15  crevé à les entendre… Sans perdre une minute, je courus chez les voisins, je leur dis la chose en deux mots, et nous convînmes qu'il fallait, sur l'heure, porter au moulin de Cornille tout ce qu'il y avait de froment dans les maisons… Sitôt dit, sitôt fait. Tout le village se met en route, et nous arrivons là-haut avec une procession d'ânes chargés de blé — du vrai blé, celui-là !

20  Le moulin était grand ouvert… Devant la porte, maître Cornille, assis sur un sac de plâtre, pleurait, la tête dans ses mains. Il venait de s'apercevoir, en rentrant, que pendant son absence on avait pénétré chez lui et surpris son triste secret.

« Pauvre de moi ! disait-il. Maintenant, je n'ai plus qu'à mourir… Le moulin est déshonoré. »

25  Et il sanglotait à fendre l'âme, appelant son moulin par toutes sortes de noms, lui parlant comme à une personne véritable.

À ce moment, les ânes arrivent sur la plate-forme, et nous nous mettons tous à crier bien fort comme au beau temps des meuniers :

« Ohé ! du moulin… Ohé ! maître Cornille ! »

30  Et voilà les sacs qui s'entassent devant la porte et le beau grain roux qui se répand par terre, de tous côtés…

Maître Cornille ouvrait de grands yeux. Il avait pris du blé dans le creux de sa vieille main et il disait, riant et pleurant à la fois :

« C'est du blé !… Seigneur Dieu !… du bon blé ! Laissez-moi, que je le regarde. »
35  Puis se tournant vers nous :

« Ah ! je savais bien que vous me reviendriez… Tous ces minotiers sont des voleurs. »

## *Après avoir lu*

◆ Quel est le passage qui révèle le secret de maître Cornille ?
◆ Pourquoi les habitants du village ont-ils changé de comportement ?
◆ Penses-tu que le moulin pourra continuer à tourner ? Donne tes arguments.

# Chanson

Des saules et des peupliers
        Bordent la rive.
Entends, contre les vieux piliers
        Du pont, l'eau vive !

5  Elle chante, comme une voix
        Jase et s'amuse,
Et puis s'écrase sur le bois
        Frais de l'écluse.

10  Le moulin tourne. Il fait si bon,
        Quand tout vous laisse,
S'abandonner, doux vagabond,
        Dans l'herbe épaisse !

                    Francis Carco,
*La Bohème et mon cœur*, Albin Michel.

# Le loup et l'agneau

La raison du plus fort est toujours la meilleure :
        Nous l'allons montrer tout à l'heure.

        Un Agneau se désaltérait
        Dans le courant d'une onde pure.
5  Un Loup survint à jeun, qui cherchait aventure,
        Et que la faim en ces lieux attirait.
« Qui te rend si hardi de troubler mon breuvage ?
        Dit cet animal plein de rage :
Tu seras châtié de ta témérité.
10  – Sire, répond l'agneau, que votre Majesté
        Ne se mette pas en colère ;
        Mais plutôt qu'elle considère
        Que je me vas désaltérant
              Dans le courant,
15       Plus de vingt pas au-dessous d'Elle,
Et que par conséquent, en aucune façon,
        Je ne puis troubler sa boisson.
– Tu la troubles, reprit cette bête cruelle,
Et je sais que de moi tu médis l'an passé.
20  – Comment l'aurais-je fait si je n'étais pas né ?
Reprit l'agneau, je tette encore ma mère.
        – Si ce n'est toi, c'est donc ton frère.
– Je n'en ai point. – C'est donc quelqu'un des tiens ;
        Car vous ne m'épargnez guère,
25       Vous, vos bergers et vos chiens.
On me l'a dit : il faut que je me venge. »
        Là-dessus au fond des forêts
        Le Loup l'emporte, et puis le mange,
        Sans autre forme de procès.

                    Jean de La Fontaine, *Fables*.

## *Après avoir lu*

### Chanson

- ◆ Quel nom remplace le pronom *Elle* dans la deuxième strophe ?
- ◆ Dans la dernière strophe, que nous propose le poète ?
- ◆ Ce moulin est-il un moulin à vent ?
- ◆ Dis ce texte en t'imaginant au bord de la rivière.

### Le loup et l'agneau

- ◆ Retrouve les étapes du récit.
- ◆ Comment comprends-tu les trois derniers vers ?
- ◆ Quels sont les arguments du loup ? Te semblent-ils valables ? En réalité, pour quelle raison le loup mange-t-il l'agneau ?
- ◆ À combien pourriez-vous dire ce texte ?

*Objectifs*
Écrire un portrait.
Choisir des expressions ou des mots.
Utiliser les comparaisons.

# Écrire un portrait

Tu as découvert dans ce chapitre le portrait de la chèvre
de M. Seguin, son caractère, ses habitudes.
À ton tour tu vas parler d'un animal que tu aimes
ou que tu connais en faisant son portrait,
en parlant de ses habitudes, de son caractère.

## 1re étape *Cherchons ensemble*

◆ Relis le texte *La chèvre de M. Seguin*. Relève le passage qui donne
le portrait de la chèvre. Quels sont les mots et les expressions
qui précisent ce portrait ? Quelles sont les comparaisons
qui complètent ce portrait ?

◆ Relève les passages qui parlent du caractère de la chèvre.
Quels sont les mots ou expressions qui précisent son caractère ?

◆ De quel animal vas-tu parler ? Est-ce un animal domestique qui vit
chez toi, chez des amis, des voisins, des membres de ta famille ?
Ou bien est-ce un animal qui vit dehors, en liberté ?

◆ Comment est cet animal ?

◆ Quel est le caractère de ton animal ?

◆ Quelles sont les habitudes de ton animal ?

## À mon stylo

Raconte à ton tour une aventure amusante ou triste qui est arrivée
à un animal que tu connais. Pense à présenter la situation, puis à parler
de son aspect physique, de son caractère, de ses habitudes.
Combien de paragraphes ton texte aura-t-il ?

## 2e étape *Pour améliorer mon texte, je rédige des comparaisons.*

a) J'observe

◆ Lis ce texte.

### La chenille

Quelle belle chenille, grasse, velue, fourrée, brune avec des points d'or
et ses yeux noirs ! Elle se trémousse comme un épais sourcil.

D'après Jules Renard, *Histoires naturelles*.

Quels sont les mots qui te permettent d'imaginer la chenille ?
Quelle est leur nature ? Comment comprends-tu la deuxième phrase ?

◆ Lis ce texte.

### Le cygne

Il glisse sur le bassin comme un traîneau blanc. Il plonge, il fouille
du bec la vase nourrissante et ramène un ver. Il engraisse comme une oie.

D'après Jules Renard, Histoires naturelles.

Quels sont les mots qui te permettent d'imaginer ce que fait le cygne ?
Quelle est leur nature ?

## b) Je m'entraîne

◆ Écris une phrase pour décrire un tigre et une phrase pour décrire
un écureuil en utilisant des comparaisons et des adjectifs.

◆ Écris une phrase pour décrire un chat qui joue avec une souris
et une phrase pour décrire un chien qui ronge un os en utilisant
des comparaisons et des verbes.

◆ Transforme le portrait de la chèvre
de M. Seguin en imaginant qu'elle est laide,
vieille et méchante.

# 3e étape J'améliore mon texte

◆ Relis ton texte.
Vérifie que tu as donné toutes les informations sur l'aspect physique,
le caractère et les habitudes de l'animal que tu as choisi.
As-tu raconté une aventure qui permet de mieux connaître ton animal ?

◆ Mets ton texte au point.
As-tu utilisé des adjectifs, des verbes précis ? As-tu fait des comparaisons ?
Souligne les mots que tu as utilisés plusieurs fois, essaie de les remplacer
par des mots de sens voisin qui apportent des précisions.

◆ Recopie ton texte.
Fais les paragraphes nécessaires.
Vérifie l'orthographe, la ponctuation.

# S'exercer
*pour mieux lire et mieux écrire*

**Objectif**
En lisant, identifier les reprises nominales.

# Remplacer un nom

## 1re étape *Cherchons ensemble*

◆ **Si tu lis un texte sur le lion, à quels autres mots penses-tu pour parler de cet animal ?**

◆ **Lis le texte suivant, relève les mots qui désignent M. Seguin. Compare-les.**

M. Seguin n'avait jamais eu de bonheur avec ses chèvres.
Il les perdait toutes de la même façon. Ni les caresses de leur maître, ni la peur du loup, rien ne les retenait. Il en acheta une septième qu'il attacha à un pieu au plus bel endroit du pré. La chèvre se trouvait très heureuse. « Enfin, dit le pauvre homme, en voilà une qui ne s'ennuiera pas chez moi. »

◆ **Dans les phrases ci-dessous, observe les mots soulignés. Que remarques-tu ?**

**a)** Le <u>loup</u> était là. <u>L'animal</u> se tenait assis sur son train de derrière.

**b)** <u>M. Seguin</u> était triste. Le <u>pauvre homme</u> perdait toutes ses chèvres.

**c)** Un <u>gerfaut</u> frôla Blanquette. <u>L'oiseau</u> lui fit peur.

**d)** Les <u>genêts</u> d'or embaumaient. Toutes les <u>fleurs</u> lui firent fête.

Dans chaque phrase, quel est celui des deux mots qui est le plus précis ? Quelle expression apporte une précision ?

◆ **Relis *La chèvre de M. Seguin*, pages 172-173. Relève tous les mots qui désignent la chèvre. À quoi servent-ils ?**

Classe-les selon leur nature. Quels renseignements nous donnent les différents mots ou groupes de mots utilisés ?

◆ **Lis la fable *Le loup et l'agneau*, page 179. Relève tous les mots qui désignent le loup.**

---

### Je retiens

*M. Seguin, son maître, le pauvre homme*

Dans un texte, on emploie souvent des mots différents pour désigner le même personnage. Le plus souvent, les différentes expressions apportent une précision.

## 2ᵉ étape *Je m'entraîne*

1. **Relis le texte *Le secret de maître Cornille*, pages 176-177. Relève tous les mots ou expressions qui désignent le meunier.**

2. **Lis le texte suivant. Combien y a-t-il de personnages ? Relève pour chacun d'eux tous les mots ou groupes de mots qui les désignent.**

   Ma Liang n'avait qu'un rêve : posséder un pinceau. Voilà qu'une nuit le garçon vit devant lui un vieillard à la barbe blanche. Le vieil homme lui tendit un pinceau. Le petit ouvrit de grands yeux étonnés mais quand il voulut le remercier, le grand-père avait disparu.

   D'après Han Xing Li Shiji, *Le Pinceau magique de Ma.*

3. **Dans le texte ci-dessous il y a deux personnages : le chien et Pomme. Ces deux personnages sont toujours désignés par le même nom. Remplace-les lorsque c'est possible.**

   Le chien parlait beaucoup de Pomme. Le chien décrivait Pomme sur toutes les coutures. Le chien parlait de l'obstination, des colères, de la tendresse de Pomme.

   D'après Daniel Pennac, *Cabo-Caboche.*

4. **Imagine en quatre ou cinq phrases comment s'y prend la petite chèvre pour se sauver du clos. Trouve plusieurs façons de désigner la petite chèvre.**

## 3ᵉ étape *Je m'évalue* ···········································

5. **Dans le texte *Le secret de maître Cornille*, page 177, relève les mots ou les expressions qui désignent le fils du narrateur et la petite Vivette.**

   *score sur 7*

6. **Copie ce texte. Souligne d'une couleur les mots qui désignent l'araignée et d'une autre couleur ceux qui désignent la coccinelle.**

   Une araignée va et vient dans le vide. Entre deux brins d'herbe, une coccinelle est tombée sur le dos pour avoir voulu gravir une pente de sable alors qu'elle aurait pu si facilement s'envoler. Je la relève, elle recommence et retombe et cela ne finirait pas si l'araignée ne se précipitait pas pour l'enserrer gigotante dans son filet de soie. Je délivre la prisonnière en déchirant la toile, sauvant de la mort l'une des créatures pour condamner l'autre à la faim.

   J. Marouzeau, *Une enfance.*

   *score sur 9*

7. **M. Seguin s'aperçoit de la disparition de sa chèvre. Écris en quatre ou cinq phrases ce qu'il fait. Trouve plusieurs façons de désigner M. Seguin.**

   *1 point par expression*

*Objectifs*
Reconnaître et orthographier
les pronoms personnels élidés.
Sensibiliser à l'accord du participe passé.

# Les pronoms personnels compléments

## 1re étape *Cherchons ensemble*

♦ **Dans le texte suivant, remplace** *je* **par les autres pronoms de conjugaison.**
Je me rappelle cette histoire que me racontait Mamie, elle m'enchante toujours.

Observe les pronoms compléments. Que constates-tu ?

♦ **Lis le texte suivant. Observe les mots soulignés.**

### Blanquette

Monsieur Seguin a acheté une autre chèvre. Il <u>l</u>'a prise toute jeune.
Au début il <u>s</u>'est réjoui car Blanquette <u>s</u>'est plue dans le clos.
Tout heureux, il lui a dit : « Je <u>t</u>'ai bien nourrie, tu <u>m</u>'as donné
du bon lait, brave chevrette. »

Quelle est la nature des mots soulignés ? Avant quel mot sont-ils placés ?
À quoi servent-ils ? À quel temps sont les verbes conjugués ?

♦ **Dans la phrase suivante, remplace** *sa chèvre* **par un complément.**
M. Seguin parle à sa chèvre.

Remplace maintenant *sa chèvre* par *ses chèvres* et fais
la même transformation. Que constates-tu ?

♦ **Relève les pronoms compléments que tu as trouvés dans
cette première étape et classe-les.**

♦ **Écris le texte « Blanquette » au présent. Qu'est-ce qui a changé ?
Devant quelle lettre le pronom s'écrit-il** *m', t', s', l'* **?**

---

### Je retiens

Il ***se*** rappelle cette histoire, elle ***l***'enchante.
Le pronom complément se place souvent avant le verbe.

*Tu **me** donnes, tu **m**'as donné.*
Devant une voyelle, ***me***, ***te***, ***se*** et ***le*** s'élident, c'est souvent le cas
au passé composé.

---

## 2e étape *Je m'entraîne*

1. **Recopie le texte page 173, lignes 40 à 43. Souligne les déterminants
et entoure les pronoms compléments.**

**2.** **Écris au passé composé en faisant toutes les transformations nécessaires.**

La pie sautille à pieds joints, puis de son vol droit et mécanique, elle se dirige vers un arbre. Elle le manque et ne s'arrête que sur l'arbre voisin. Je m'approche de la mare et je regarde par dessus. Il me semble qu'un col d'oiseau se dresse à l'ombre de l'arbre.

D'après Jules Renard, Histoires naturelles.

**3.** **Fais les transformations en remplaçant *Gaspard* par *je* puis par *tu*.**

Gaspard se voyait obligé non seulement de parler mais en plus d'être poète. Accablé par ce qui lui arrivait d'un seul coup, il s'est résolu à se cacher. Il est monté au grenier, s'est installé dans un vieux fauteuil. Les émotions l'avaient épuisé. Il s'est endormi profondément.

D'après Claude Roy, Le Chat qui parlait malgré lui, « Folio Junior », Gallimard.

## 3e étape *Je m'évalue* ...........................

**4.** **Recopie ces phrases. Souligne d'un trait les pronoms compléments et souligne d'une cuvette (‿)les verbes au passé composé.**

**a)** Le médecin m'a ausculté longuement.

**b)** Tu écriras la lettre et tu iras la poster.

**c)** Il ne sait plus quel jour tu l'as invité.

**d)** Il avait perdu sa balle, il l'a retrouvée.

*score sur 7*

**5.** **Transforme ce texte en remplaçant le premier *t'* par *Jean*. Utilise ensuite le pronom personnel qui convient.**

Je me souviens de cet après midi, c'est la dernière fois que je t'ai vu. Je t'avais rencontré après l'école. Je t'avais donné rendez-vous sous le grand arbre à pain. Je t'avais ramené à la maison sur ma bicyclette.

D'après Bai Xian Long, Garçon de cristal.

*score sur 3*

**6.** **Tu as eu un animal à la maison ou en classe. Raconte comment tu t'en es occupé. Pense à utiliser les pronoms compléments.**

*1 point par pronom*

# Des yeux pour apprendre

Apprends ces mots en observant bien comment s'écrit chacun d'eux.
Entraîne-toi à bien les écrire.

| Texte p. 172 | Texte p. 174 | Texte p. 176 | Texte p. 178 | Poèmes p. 179 |
|---|---|---|---|---|
| paraître | s'allonger | motus | convenir | le pont |
| la liberté | un hurlement | lorsque | l'absence | épais, épaisse |
| une caresse | la trompe | une misère | le blé | meilleur |
| se rappeler | paraître | le bonhomme | là-haut | quelqu'un |
| pêle-mêle | tout de suite | crier | surpris, surprise | un procès |

Objectifs

Sensibiliser à la notion de synonymie.
Comprendre comment un synonyme
peut apporter une nuance différente.

# S'exercer
*pour mieux lire et mieux écrire*

# Les mots de sens voisin : les synonymes

## 1ʳᵉ étape Cherchons ensemble

◆ **Cherche quelle différence il peut y avoir entre un pré, un champ et un clos (tu peux t'aider d'un dictionnaire).**
**Où Monsieur Seguin a-t-il installé sa chèvre ? Pourquoi ?**

◆ **Observe ces deux articles de dictionnaire.**

| | |
|---|---|
| **énorme** adj. **1** *Certains animaux préhistoriques étaient des bêtes* **énormes**, très grandes et très grosses (☞ SYN. gigantesque ; CONTR. minuscule). **2** *Dans ta dictée, tu as fait une faute* **énorme**, très grave. | **gigantesque** adj. *Les dinosaures étaient des animaux préhistoriques* **gigantesques**, d'une très grande taille (☞ SYN. énorme, géant). |

Que remarques-tu ? Ces adjectifs ont-ils le même sens ? Que signifie SYN. ?
Ces deux adjectifs sont-ils synonymes de *gros* ? Sont-ils plus précis ?
Pourquoi ?

◆ **Cherche des synonymes de *petit*. Quelle précision donnent-ils ?**

◆ **Pour chaque mot souligné, choisis le synonyme qui convient :**
**Justifie tes choix.**

a) sage – mignon – doux
Les enfants ont été <u>gentils</u> toute la journée.
Ce chien a un air si <u>gentil</u>.
C'est <u>gentil</u> chez vous.

b) parfum – arôme – puanteur
Ces roses ont une <u>odeur</u> agréable.
L'<u>odeur</u> du café se répand dans la cuisine.
Une terrible <u>odeur</u> se dégage de l'égout.

◆ **Parmi les mots suivants, lequel est familier ?**
**Lequel est le plus recherché ?**
importuner – ennuyer – embêter

Cherche des synonymes aux mots suivants en précisant s'ils sont courants ou familiers.
parler – promptement – une demeure

◆ **Cherche un synonyme pour expliquer les mots soulignés.**
L'herbe du clos lui parut <u>fade</u>.
La petite chèvre était <u>docile</u>.
Elle <u>tressaillit</u>.
Le loup dût reprendre <u>haleine</u>.

## Je retiens

*un pré, un clos – gros, énorme.*
Plusieurs mots peuvent avoir un sens proche, mais choisir l'un ou l'autre apporte des nuances.

*gentil : sage, mignon, doux*
Un mot peut avoir plusieurs synonymes selon le sens dans lequel il est utilisé.
Il faut choisir en fonction du contexte.

*importuner, ennuyer, embêter*
Les synonymes n'appartiennent pas toujours au même registre de langue.

## 2ᵉ étape Je m'entraîne

1. **Retrouve l'intrus.**
   a) étaler – étendre – déployer – dérouler – enrouler – tartiner
   b) pointu – acéré – effilé – aigu – long
   c) prendre – saisir – empoigner – enlever – attraper – emporter – faire
   d) parler – bavarder – jacasser – discourir – rire

2. **Relis page 175 les lignes 41 et 42. Cherche des synonymes pour les mots suivants :** *brave, de bon cœur, força.*

3. **Recopie le texte et remplace les mots soulignés par un synonyme qui convient.**
   <u>Motus</u> ; jamais on n'en put <u>tirer</u> davantage. Quant à <u>mettre le nez</u> dans son moulin, il ne fallait pas y <u>songer</u>. Cela faisait <u>jaser</u>.

## 3ᵉ étape Je m'évalue

4. **Trouve l'intrus.**
   a) enfant – marmot – bambin – cousin – gamin
   b) bouillon – potage – soupe – jus – consommé
   c) fort – puissant – malin – robuste – solide

   *score sur 4*

5. **Remplace *petit* par un synonyme plus précis.**
   a) Tu as grandi, ta robe est trop petite.
   b) Il ne peut pas encore aller à l'école, il est trop petit.
   c) Pierre a cueilli des roses, il s'est fait une petite piqûre.
   d) On entend de petits bruits à la cave.

   *score sur 4*

6. **Trouve trois synonymes de l'adjectif *frais*. Invente une phrase pour chacun d'eux.**

   *score sur 3*

# S'exercer
*pour mieux lire et mieux écrire*

*Objectifs*
Reconnaître le passé simple.
Connaître les différentes terminaisons
du passé simple.

# Le passé simple de l'indicatif

## 1re étape *Cherchons ensemble*

◆ **Lis le texte suivant.**
Monsieur Seguin perdait toutes ses chèvres de la même façon. Elles cassaient leur corde, s'en allaient dans la montagne et là-haut le loup les mangeait. Cependant, il ne se découragea pas. Il en choisit une septième, toute jeune. Il la mit dans son pré et eut soin de l'attacher à un pieu.

Relève les verbes conjugués. Sont-ils tous conjugués au même temps ?
Connais-tu le nom de ces temps ? À quelle personne sont-ils ?

◆ **Quels verbes indiquent une action qui s'est produite plusieurs fois dans le passé ? À quel temps sont-ils ?**
Quels verbes montrent les actions successives de monsieur Seguin ?
À quel temps sont-ils ?

◆ **Cherche dans les tableaux de conjugaison pages 248 à 251 le passé simple des verbes *avoir* et *être* puis des autres verbes. Que remarques-tu ? Qu'ont-ils de commun ?**

◆ **Conjugue un verbe du 1er groupe et du 3e groupe aux six personnes en entourant les terminaisons. Fais un tableau de ces terminaisons.**

◆ **Conjugue au passé simple les verbes à l'infinitif.**
Le chevalier (saisir) son épée, (poursuivre) ses ennemis, les (rattraper) et (crier) victoire !

Remplace *le chevalier* par *je* puis *ils*.

◆ **Transforme ce texte en l'écrivant au passé simple.**
**Transforme-le ensuite en mettant les sujets au singulier.**
Les croisés rapportent en Europe l'abricotier, le prunier, la canne à sucre, le coton. Ils prennent goût aux épices et mettent les vêtements de soie à la mode. Les prêtres découvrent les livres des philosophes grecs et arabes. Les marins apprennent à observer les étoiles et rapportent des boussoles. Le jeu d'échec fait son apparition.

D'après *Multilivre*, Istra.

---

### Je retiens

*Elle écouta les clochettes. Elle entendit le loup. Les étoiles s'allumèrent.*
Le passé simple s'emploie dans les récits. On le trouve le plus souvent à la troisième personne du singulier ou du pluriel.
Pour vérifier les terminaisons des verbes du 3e groupe, il faut s'aider du tableau de conjugaison.

## 2ᵉ étape Je m'entraîne

**1. Relève les verbes conjugués au passé simple et classe-les.**

Le lendemain matin, quand le château s'éveilla après la grande fête qu'on avait donnée, tout le monde avait un peu mal à la tête et, on ne sait pourquoi, on se sentait vaguement triste. Thillaume s'étira, bâilla et donna une tape à l'endroit du lit où aurait dû se trouver Guibault... Personne ! Un peu inquiet, il sortit et appela sur le palier.

D'après Évelyne Brisou Pellen, *Le Vrai Prince Thibault.*

**2. Écris les verbes suivants au passé simple à la troisième personne du singulier puis du pluriel.**

écouter – franchir – dire – courir – devenir

**3. Écris le texte ci-dessous au passé simple.**

Le mystérieux jeune homme ne perd pas une seconde. Il glisse la main dans sa poche et en tire un pipeau taillé dans une branche de mûrier. Et là, sans même sortir du bureau du maire, il commence à jouer une étrange musique. Tout en jouant, il quitte la mairie, traverse la place et se dirige vers la rivière.

D'après G. Rodari, *Le Joueur de flûte et les voitures.*

**4. En quatre ou cinq phrases, imagine comment maître Cornille, aidé des villageois, remet son moulin en marche.
Écris les verbes au passé simple.**

## 3ᵉ étape Je m'évalue ...............

**5. Relis le texte page 177, lignes 60 à 68 et relève les verbes conjugués au passé simple. Indique leur groupe.**

*score sur 9*

**6. Écris les verbes au passé simple.**

Soudain, James entend derrière lui un bruissement de feuilles. Il se retourne et aperçoit un vieil homme portant un drôle de costume. Appuyé sur son bâton, il le regarde fixement. Enfin, il se met à parler d'une voix traînante. James est trop effrayé pour faire un geste. Le vieillard fait un pas vers lui, glisse une main dans la poche de sa veste et en sort un petit sac de papier blanc.

D'après Roald Dahl, *James et la grosse pêche.*

*score sur 9*

**7. Raconte en quatre ou cinq phrases le combat entre la chèvre de M. Seguin et le loup. Tu peux utiliser les verbes : *bondir, se battre, foncer, reculer, avancer, se plaindre, mourir.*
Blanquette redoubla de coups de cornes...**

*1 point par verbe au passé simple*

# Mon bilan

Tout au long de ce chapitre, tu as fait de nombreux apprentissages. Tu peux maintenant faire ton bilan.

Sur ton cahier, recopie le numéro des différentes compétences ci-dessous et écris à chaque fois : *oui, pas toujours* ou *pas encore*.

## *Je suis capable :*

1. de reconnaître dans un texte le portrait, le caractère ou le comportement d'un personnage ;

2. de repérer les indices qui me permettent de situer l'époque dont parle le texte ;

3. de raconter l'histoire en donnant les étapes essentielles ;

4. de dire deux poèmes en adaptant le ton convenant à chacun d'eux ;

5. d'écrire un portrait en choisissant des mots précis (noms, adjectifs, verbes), de faire des comparaisons ;

6. d'utiliser des mots et des expressions différents pour apporter plus de précisions sur le personnage dont je parle ;

7. de reconnaître et d'écrire correctement les pronoms personnels compléments ;

8. d'écrire les 25 mots de la page 185 ;

9. de rechercher des mots de sens voisin pour mieux préciser ou nuancer ce que je veux exprimer ;

10. d'écrire les verbes courants des trois groupes à toutes les personnes du passé simple de l'indicatif.

# Je vais plus loin

Tu as lu deux extraits des *Lettres de mon moulin*. Lequel as-tu préféré ? Pourquoi ?

Les ouvrages d'Alphonse Daudet appartiennent aux « textes du patrimoine », c'est-à-dire qu'en cent ans, plusieurs générations de lecteurs les ont aimés. Recherche des ouvrages qui te semblent appartenir aux textes du patrimoine. Documente-toi auprès de ton enseignant, d'un bibliothécaire, de tes parents, de tes grands-parents. Demande-leur ce qu'ils lisaient à ton âge. Tu feras une liste de ces ouvrages, tu la proposeras à tes camarades.

## *Pour mieux connaître ces œuvres :*

◆ je consulte les fiches-titres en bibliothèque ;

◆ je note les titres, l'auteur, la collection, l'éditeur ;

◆ je me renseigne en librairie pour savoir si elles sont encore éditées ;

◆ je présente une œuvre que j'ai aimée et je lis un passage qui m'a plu.

# 11 *Un dossier sur sa région*

Découvrir des procédés pour valoriser un sujet.

Ouvrez

# Le Parc naturel régional

## La force de l'équilibre, c'est naturel en Aveyron

C'est tout vert, c'est tout rond. Avec l'accent qui « roule », c'est l'Aveyron.
Demain, vous partez vers le soleil. Arrêtez-vous à midi moins le quart.
Au carrefour de l'Auvergne, du Sud-Ouest et du Languedoc.
Juste avant la foule du bord de mer. Là, prenez tout l'espace, prenez tout le temps.
5   Les grands espaces et le temps de vivre.
Oubliez le grand bleu, pour le grand vert.
Au-delà des modes qui se démodent, découvrez l'Aveyron ; au dessus des courants,
retrouvez l'émotion des sensations vraies. Dépensez-vous, marchez, regardez,
écoutez. Avec des kilomètres de découvertes à vous offrir, des monuments d'histoires
10  à vous raconter, l'Aveyron vous laisse un authentique goût de vivre. En toute sérénité.

## *Après avoir lu*

### La photo du haut

◆  Quelle impression ressens-tu en observant cette photo ?

◆  Que vois-tu au premier plan ? au deuxième plan à droite ?
Où sont situés les villages ? D'après cette photo, peux-tu dire ce qu'est
un parc naturel régional ?

### Le texte

◆  Cherche où est situé l'Aveyron.
Qu'est-ce que le midi de la France ?

◆  Lis les deux premières phrases
à haute voix.

◆  Que veulent dire les expressions
*le grand bleu* et *le grand vert* ?

◆  À qui s'adresse ce texte ?
Quels renseignements précis
donne-t-il ? À quoi sert-il ?

*Objectifs*
Mettre en relation le texte et une photo.
Trouver les termes valorisants dans un texte.

# des Grands Causses

## L'Aubrac, un écrin de verdure

À l'infini, des courbes douces où le regard porte loin sur des herbages, maîtres
du paysage. Les glaciers ont émoussé les formes de l'Aubrac*. Les hommes ont
accéléré cette transformation naturelle. De la forêt de hêtres qui couvrait
ces immensités, il ne reste que quelques témoins. Le royaume est devenue prairie
5  et la fameuse race bovine en est la reine. Profitant de la belle saison, villages
et fermes s'enfouissent dans un écrin de verdure parsemé de couleurs. Avant que ne
viennent l'hiver et son cortège de neige et de tourmente. Le plateau de l'Aubrac
s'est dépeuplé, les gens sont partis à la ville ou à Paris, le Laguiole en poche pour se
rappeler le pays. Mais l'été, les visiteurs affluent pour profiter de cet air tonifiant
10  et de cette nature généreuse, propice à toutes les formes de randonnée.

\* L'Aubrac est un plateau voisin des Causses.

## *Après avoir lu*

**La photo du bas**

◆ Que vois-tu au premier plan ? à l'arrière-plan ?

◆ D'où la photo est-elle prise ?
Par quel temps ?

◆ Compare les photos des deux pages.
Où préférerais-tu faire
de la randonnée ? Pourquoi ?

**Le texte**

◆ Relève les informations que te donne
le texte et classe-les. Les trouverais-tu
dans un livre de géographie ?
Pourquoi ?

◆ Relève quelques mots qui mettent
cette région en valeur.

# Entrez dans Rodez

Découvrez les richesses
d'une ville deux fois
millénaire.
Commencez par regarder.
Vous lèverez les yeux sur     5
la cathédrale. Telle une
étoile du jour, son clocher
tout en dentelle de grès rose
vous indique le chemin.

Maintenant marchez     10
sur le pavé. La vieille ville
qui surplombe l'Aveyron
vous offre ses rues,
ses places, ses marchés.
À qui aime bouger Rodez     15
offre une variété de loisirs
de plein air et un cadre idéal
pour respirer le grand air
et s'enivrer de beauté.
Alors venez.     20

## Après avoir lu

◆ Regarde l'illustration p. 191.
   Que peut-être cette clef ? Complète la phrase : Ouvrez…
◆ Lis le texte. Quelles sont les richesses de la ville ? Relève une comparaison poétique,
   une image. Cherche le sens du verbe *offrir* dans ce texte.
◆ Relève les verbes à l'impératif. À quoi servent-ils ?

*Objectifs*
Comprendre les images, les comparaisons.
Comprendre la fonction incitative
de l'impératif.

# Flânez à Rodez

Flânez. Rodez se prête à la balade. À chaque coin de rue, vous aller apprécier
plus qu'une architecture, vous allez vivre l'atmosphère des traditions,
celle du temps de vivre.

À l'ombre des platanes, sur une place,
5   au marché, vous ferez la rencontre
des gens de Rodez, des brocanteurs
authentiques comme leurs produits,
des maraîchers aussi savoureux
que leurs fruits.

10   Ils vous accueilleront
avec le sourire ensoleillé
par l'accent, et des mots
enrichis par le bon sens.
Ne manquez pas le marché
15   médiéval avec ses artisans,
ses comédiens, ses jongleurs
et ses musiciens costumés.

## Après avoir lu

◆ Que vois-tu précisément sur les photos ? Pourquoi les personnages de l'image
du haut portent-ils un costume ? Quelle impression te font les images du bas ?

◆ Où peut-on flâner à Rodez ? Et ailleurs ?

◆ Qu'est-ce qu'un brocanteur ? Un objet authentique ? Une personne authentique ?

◆ Qu'est-ce qu'un maraîcher ? Un fruit savoureux ? Un personnage savoureux ?

◆ Quels spectacles la ville propose-t-elle aux touristes ?

◆ Quel est le but de ce texte ? À quoi le vois-tu ?

*Objectif*

Sensibiliser au rôle de l'énumération.

---

## *Avant de lire*

◆ Que signifie bouger lorsqu'on est en vacances ?

# Bougez à Rodez

Bougez. Changez de rythme. Rodez
vous invite maintenant à bouger. Parce que
la ville a été « bâtie en pleine campagne ».
Parce qu'ici l'eau, la terre, la roche et le ciel
5 vous appartiennent. Le relief insolite
de l'Aveyron incite à la marche ou
à l'escalade, la glisse ou le vol libre,
la pêche ou la nage.

Les amateurs d'émotions
et de sensations fortes retrouveront 10
près de Rodez les meilleures
conditions pour pratiquer
leur sport favori.

---

## *Après avoir lu*

◆ Que font les personnages sur les photos ?
◆ Dans le texte, qui désigne-t-on par *vous* ? Que signifie *le relief insolite de l'Aveyron* ?
Quelle photo de ce chapitre peut te renseigner ?
◆ Quels sports peut-on pratiquer près de Rodez ? Observe cette énumération.
Est-elle précise ? Quelle impression te fait-elle ?

*Objectifs*
Dire des poèmes.
Observer le rôle des répétitions.

# Couplet de la rue de Bagnolet

Le soleil de la rue de Bagnolet
N'est pas un soleil comme les autres.
Il se baigne dans le ruisseau,
Il se coiffe avec un seau,
5   Tout comme les autres ;
Mais quand il caresse mes épaules,
C'est bien lui et pas un autre,
Le soleil de la rue de Bagnolet
Qui conduit son cabriolet
10  Ailleurs qu'aux portes des palais.
Soleil ni beau ni laid,
Soleil tout drôle et tout content,
Soleil d'hiver et de printemps,
Soleil de la rue de Bagnolet,
15  Pas comme les autres.

Robert Desnos.

# Le bonheur

Le bonheur est dans le pré. Cours-y-vite, cours-y-vite. Le bonheur est dans le pré,
cours-y-vite. Il va filer.
Si tu veux le rattraper, cours-y-vite, cours-y-vite. Si tu veux le rattraper,
cours-y-vite. Il va filer.
5   Dans l'ache et le serpolet, cours-y-vite, cours-y-vite, dans l'ache et le serpolet,
cours-y-vite. Il va filer.
Sur les cornes du bélier, cours-y-vite, cours-y-vite, sur les cornes du bélier,
cours-y-vite. Il va filer.
Sur le flot du sourcelet, cours-y-vite, cours-y-vite, sur le flot du sourcelet,
10  cours-y-vite. Il va filer.
De pommier en cerisier, cours-y-vite, cours-y-vite, de pommier en cerisier,
cours-y-vite. Il va filer.
Saute par dessus la haie, cours-y-vite, cours-y-vite, saute par dessus la haie,
cours-y-vite. Il a filé.

Paul Fort, *Ballades françaises*, Flammarion.

## *Après avoir lu*

**Couplet de la rue de Bagnolet**
- Comment comprends-tu ce poème ?
- Que signifie « Ailleurs qu'aux portes des palais. » ?
- Quelles images préfères-tu ?
- Quel effet produisent les répétitions ?
- Entraîne-toi à dire ce poème.

**Le bonheur**
- Quelles images t'évoque la lecture de ce poème ?
- Quelles images choisirais-tu pour évoquer le bonheur ?
- Comment vas-tu dire ce texte ?

*Objectifs*
S'informer.
Rédiger un texte informatif ou incitatif.
Réinvestir les procédés découverts.

# Écrire un dossier sur ta région

Tu habites une ville ou un village, une région
qui a une histoire, des traditions, des paysages
qui lui sont propres.

Tu vas constituer un dossier que tu pourras envoyer
à des correspondants, à des amis, ou tu pourras en faire
une exposition.

## 1re étape — *Cherchons ensemble*

- ◆ Quelles images de ta région souhaites-tu montrer ?
  Peux-tu prendre des photos ? Faire des dessins ?

- ◆ Quels souvenirs historiques peut-on découvrir ?
  Où peut-on se renseigner ? Quelles traditions aimerais-tu présenter ?
  Auprès de qui peux-tu t'informer ?

- ◆ Quelles sont les richesses actuelles de ta région ?
  Quelles activités peut-on y pratiquer ?

- ◆ Vas-tu t'adresser directement à ton lecteur ? Comment ?

## À mon stylo

Écris maintenant le texte de présentation de ta ville, de ta région.
N'oublie pas de consacrer un paragraphe au moins à chacun des sujets
que tu veux traiter et de lui donner un titre.

## 2e étape — *Pour améliorer mon texte, je valorise mon sujet*

### a) J'observe

Lis le texte suivant extrait d'un dépliant touristique.

#### Eure-et-Loir, terre d'aventure

Eure-et-Loir, terre d'aventure qui l'eût cru ? Le promeneur et le sportif
trouvent ici sous-bois et grands espaces, rivières et plans d'eau à la
hauteur de leurs aspirations. Du golf ou de la montgolfière à
Maintenon, du canoë sur l'Eure ou sur le Loir, de la voile à Brou ou à
Écluzelles, resteront des souvenirs inoubliables. Mais la randonnée à
pied, à cheval ou à bicyclette reste le meilleur moyen de découvrir le
département.

Quelles ressources offre ce département ?
Peuvent-elles satisfaire beaucoup de visiteurs ?
Relève les mots valorisants.
Fais la liste des souvenirs inoubliables énumérés dans ce texte.
Que penses-tu de cette énumération ?
As-tu déjà trouvé des énumérations dans les textes de ce chapitre ?
Compare-les.

**b) Je m'entraîne**
Lis le texte suivant.
Maintenant descendez, montez, glissez,
escaladez, volez, arpentez, nagez.
Ici, la randonnée est au rang d'honneur.

Quel procédé utilise l'auteur de ce texte ?
Essaie maintenant de faire une autre
énumération comme dans le texte
*Eure-et-Loir, terre d'aventure.*
Cherche un jeu de mot
pour amuser ton lecteur.

# 3e étape J'améliore mon texte

◆ **Réunis les images, les photos que tu as trouvées et relis ton texte.**
Vérifie qu'il correspond bien à son titre, qu'il complète les photos
choisies.
Améliore-le en cherchant à impressionner le lecteur, à l'amuser en faisant
une énumération, un jeu de mots ou un effet de rime.

◆ **Mets ton texte au point et vérifie :**
– l'orthographe des mots dont tu n'es pas sûr,
– les accords sujet/verbe,
– les accords dans le GN.

◆ **Recopie ton texte sur une feuille bien adaptée (écris gros si c'est
pour une exposition).**

# La préposition

## 1re étape *Cherchons ensemble*

◆ **Copie cette phrase, souligne les compléments circonstanciels.**
Demain, vous partez vers le soleil.
Observe le mot *vers*. De quel GN fait-il partie ? Quel sens a-t-il ?

◆ **Lis le texte suivant et observe les mots soulignés.**

### L'Aveyron

Avec des kilomètres de découvertes à offrir, des monuments d'histoires à raconter, l'Aveyron vous laisse un authentique goût de vivre. En toute sérénité.

Fais la liste des mots soulignés. Comment les appelle-t-on ? (Cherche dans le dictionnaire si nécessaire). Avant quels mots sont-ils placés ?

◆ **Mets au pluriel le complément de la phrase suivante.**
Je pars avec un ami.
La préposition prend-elle la marque du pluriel ?
Que signifie le mot *invariable ?*
Observe le mot *préposition*. Quel est le sens du préfixe *pré- ?*
Complète ta liste de prépositions en relisant les textes du chapitre.

◆ **Lis la phrase suivante et observe les verbes qui suivent les prépositions.**
J'ai des amis à rencontrer avant de quitter la région.
Que constates-tu ?
Trouve d'autres exemples dans le texte *L'Aveyron* ci-dessus.

◆ **Dans la phrase suivante, remplace *la terrasse* par *le balcon*, puis par *les fenêtres*.**
De la terrasse, on voit toute la ville.
Que constates-tu ? Remplace *le* et *les* par d'autres déterminants (par exemple, *mon*, *mes*…).

◆ **Dans la phrase suivante, remplace *la gare* par *le marché*, puis par *les halles*.**
Il est arrivé à la gare.
Que constates-tu ? Quels sont les articles qui se contractent avec les prépositions *à* et *de ?*

◆ **Écris quelques phrases pour décrire la photo de la page 193.**
**Entoure les prépositions que tu as utilisées.**

## Je retiens

*vers* le soleil – une statue *de* marbre.
La préposition est un mot invariable. Les compléments circonstanciels
et les compléments du nom peuvent commencer par une préposition.
Les prépositions sont nombreuses. Elles précisent le sens du complément

*à la* fenêtre, *au* balcon, *aux* fenêtres – *de la* fenêtre, *du* balcon, *des* fenêtres.
Les prépositions *à* et *de* se contractent avec les articles *le* et *les*.

*à* **raconter**, *pour* **découvrir**, *sans* **oublier**.
Après une préposition, le verbe est à l'infinitif.

## 2ᵉ étape  Je m'entraîne

1. **Quelle différence fais-tu entre ces GN ?**
   Une tasse de café, une tasse à café.
   Un pain d'épices, un pain sans sel.

2. **Place les prépositions et les articles contractés qui conviennent.
   Souligne d'un trait les prépositions, de deux les articles contractés.**
   C'est … table que vous ferez connaissance … l'esprit aveyronnais : …
   ce pays, le repas est un moment sacré. Vous reconnaîtrez l'Aveyron …
   son hospitalité et … ses traditions. J'en veux … preuve le Roquefort,
   roi … fromages, qui a 2 000 ans. Le Laguiole, roi … couteaux, vient …
   recevoir le premier prix … design européen.

3. **Cherche les prépositions de sens contraire et emploie-les
   dans une phrase.**
   avant – sur – avec
   **Cherche d'autres séries.**

4. **Complète les phrases avec des verbes de ton choix.**
   Il ne suffit pas de … le pays pour le … . L'Aveyron n'est pas un musée
   à … mais bien une région à … .

## 3ᵉ étape  Je m'évalue

5. **Souligne les prépositions d'un trait et les articles contractés
   de deux.**
   À l'ombre des platanes, sur une place, au marché, vous ferez
   la connaissance des gens de Rodez.

   *score sur 6*

6. **Complète les phrases avec des verbes de ton choix.**
   Pour … des vacances tranquilles, il suffit de … le train
   jusqu'à Rodez. Avant de …, préparez de bonnes chaussures
   ou votre VTT. N'oubliez pas de … vos parents que vous
   risquez de … un certain temps chez nous.

   *score sur 5*

7. **Tu as fait une randonnée, un jeu. Raconte en quelques
   phrases. Donne des précisions en utilisant des
   compléments circonstanciels. Souligne les prépositions.**

   *1 point par préposition*

*Objectifs*
Connaître le rôle de l'accent circonflexe
et du tréma.
Savoir écrire quelques mots courants.

# Tréma, accent circonflexe

## 1<sup>re</sup> étape  *Cherchons ensemble*

♦ **Lis les mots suivants.**

une algue, aiguë – un rôle, la sole.

Quel changement dans la prononciation entraîne le tréma ?
L'accent circonflexe sur le *o* ? Cherche page 247 comment s'écrit
en phonétique le *o* de *sole*, le *o* de *rôle*.
Entend-on cette opposition dans ta région ?

♦ **Quel est le rôle du tréma dans :** *un canoë, du maïs* **?**
Cherche dans le dictionnaire le mot *aigu*.
Quelles formes prennent un tréma ? Sur quelle lettre ?
Cherche le verbe *obéir* : prend-il un tréma ?

♦ **Lis les phrases suivantes et relève les mots
qui prennent un accent circonflexe.**
Le Puy de Dôme domine la chaîne des Puys.
Vous pouvez flâner en ville ou goûter
aux plaisirs du VTT.

Sur quelles lettres se trouve l'accent circonflexe ?
Cherche, dans un dictionnaire qui indique
la phonétique, les noms *tâche* et *tache*.
Écris la prononciation du *a* de *tache* et du *â* de *tâche*.

♦ **Observe les mots suivants.**
Un hôpital, hospitalier – un bâton, une bastonnade
Que remarques-tu ? Trouve un exemple semblable avec la voyelle *e*.

♦ **Fais une liste de mots qui comportent un tréma ou un accent
circonflexe. Tu peux relire plusieurs textes et notamment
ceux des pages 192 à 197. Classe-les (noms, adjectifs, verbes...).**

---

### Je retiens

*une voix aiguë, un canoë, du maïs*
Le tréma indique qu'il faut prononcer séparément chacune des voyelles,
même après le *g*.

*un bâton, un hôtel, le goûter, la chaîne*
Dans certains mots, les voyelles *a, i, o, u* prennent un accent.
C'est parfois la trace d'un *s* disparu.

## 2e étape — Je m'entraîne

1. **Cherche dans ton dictionnaire des mots qui ont un tréma ou un accent, et qui commencent par les lettres suivantes.**
   bru – bu – cha – ga – ha – la

2. **Cherche la conjugaison du verbe *connaître*.**
   Copie les formes qui s'écrivent *î*. Quelle lettre suit *î* ? Quelle lettre suit *i* ?

3. **Devinettes : tous les mots à trouver s'écrivent avec un tréma ou un accent circonflexe.**

   a) détester

   b) couvre les épaules

   c) utilisée pour faire des tartes

   d) entre blond et brun

   e) il abat les arbres

   f) bijou en or ou antivol en acier

4. **Écris le plus de mots possible avec un accent circonflexe.**

## 3e étape — Je m'évalue

5. **Rétablis les trémas et les accents oubliés.**
   Promenez-vous en canoe ou dans les champs de mais. Prenez une chambre d'hotel, visitez les chateaux, goutez les pates du pays, mais tachez de ne pas faire de tache sur vos vetements.

   *score sur 9*

6. **Devinettes (ces mots comportent un tréma ou un accent circonflexe)**

   a) les rois y vivaient autrefois

   b) se dépêcher

   c) crocodile d'Amérique

   d) flambe dans la cheminée

   e) éclair ou baba

   f) c'est trop chaud

   *score sur 6*

7. **Choisis dans ta liste au moins cinq mots avec un tréma ou un accent circonflexe, et utilise-les dans une phrase amusante.**

   *1 point par mot*

# Des yeux pour apprendre

Apprends ces mots en observant bien comment s'écrit chacun d'eux.
Entraîne-toi à bien les écrire.

| Texte p. 192 | Texte p. 194 | Texte p. 195 | Texte p. 196 | Poèmes p. 197 |
|---|---|---|---|---|
| l'infini | tel, telle | flâner | appartenir | filer |
| dépenser | millénaire | prêter (se) | le relief | drôle |
| authentique | surplomber | l'atmosphère | la pêche | le bélier |
| un hêtre | une variété | un maraîcher | meilleur | vite |
| fameux, fameuse | s'énivrer | costumé | un amateur | caresser |

# S'exercer
*pour mieux lire et mieux écrire*

*Objectifs*

Repérer les mots mélioratifs et péjoratifs.
Trouver le sens imagé de certains mots.

# Les mots qui valorisent ou dévalorisent

## 1<sup>re</sup> étape *Cherchons ensemble*

◆ **Lis la phrase suivante.**

Villages et fermes s'enfouissent dans un écrin
de verdure parsemé de couleurs.

Quels mots valorisent le sujet ?
À quoi te fait penser un écrin ?

◆ **Cherche le mot *écrin* dans le dictionnaire.**
**Explique l'image contenue dans la phrase ci-dessus.**

◆ **Lis les phrases suivantes et compare-les.**

**a)** Le royaume est devenu prairie et la fameuse race bovine
en est la reine.

**b)** Dans ces villages en ruines, il ne reste que quelques masures et
quelques misérables vaches.

De quoi parle-t-on dans chacune des présentations ?
Quelle est celle qui donne un avis positif ?
Quels mots expriment de l'admiration ?
Quelle est celle qui donne un avis négatif ?
Relève les mots qui sont dévalorisants.

◆ **Quelle différence fais-tu entre :**

**a)** flâner et traînasser ?

**b)** un conducteur et un chauffard ?

**c)** un objet vieillot et un objet ancien ?

**d)** verdoyant et verdâtre ?

Observe les terminaisons des mots péjoratifs.
Cherche d'autres mots terminés par ces suffixes.

◆ **Recopie le tableau et complète-le avec les mots suivants.**

arriéré – bavard – un bijou – éloquent – fertile – lourdaud – maigre –
pâlot – un panorama – une perle – ricaner – traditionnel – un trésor –
un trou

| mots qui valorisent | mots qui dévalorisent |
|---|---|
| | |

*verdoyant, verdâtre*
Certains mots valorisent ou au contraire dévalorisent ce dont ils parlent.

*Une dentelle de pierre*
Les mots qui valorisent sont souvent pris au sens figuré.

## 2e étape  Je m'entraîne

1. **Relève page 194 les mots qui valorisent la ville de Rodez. Explique ceux qui évoquent une comparaison.**

2. **Recopie ce texte et souligne les mots qui valorisent la région.**
Paradis des pêcheurs, régal des amateurs de canoë sur les eaux limpides du Tarn, la région offre aux gourmets les saveurs subtiles de sa cuisine, témoins de la richesse de cette terre.

3. **Écris quelques lignes pour décrire la montagne lorsque la chèvre de Monsieur Seguin y arrive p. 173. Utilise des mots qui valorisent.**

## 3e étape  Je m'évalue

4. **Copie ces phrases, souligne les mots qui valorisent.**

a) Le Roquefort, roi des fromages, a 2 000 ans.

b) Soulevez le couvercle d'une marmite du pays, vous y trouverez des trésors.

c) Le Puy-de-Dôme est une destination idéale pour une excursion. De là-haut, le panorama qui se déploie sous vos yeux est impressionnant, dévoilant une plaine fertile, la Limagne.

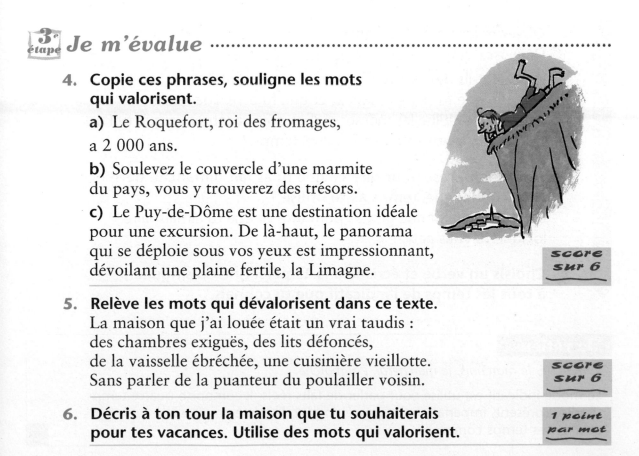

*score sur 6*

5. **Relève les mots qui dévalorisent dans ce texte.**
La maison que j'ai louée était un vrai taudis : des chambres exiguës, des lits défoncés, de la vaisselle ébréchée, une cuisinière vieillotte. Sans parler de la puanteur du poulailler voisin.

*score sur 6*

6. **Décris à ton tour la maison que tu souhaiterais pour tes vacances. Utilise des mots qui valorisent.**

*1 point par mot*

*Objectifs*
Sensibiliser à la notion de mode.
Revoir les temps de l'indicatif.

# Le mode indicatif

## 1re étape *Cherchons ensemble*

◆ **Lis le texte suivant.**
Vous avez reçu une documentation.
Bientôt vous serez en vacances.
L'Aveyron vous invite. Allez-y !
Relève les verbes à l'indicatif.
Indique leur temps.
As-tu trouvé un intrus ?

◆ **Lis les phrases suivantes.**
Le royaume est devenu prairie.
La forêt de hêtres couvrait ces immensités.
Les visiteurs affluent.

Relève les verbes de ces phrases. À quels temps sont-ils ?
Expriment-ils tous des faits réels ? Classe ces phrases
dans l'ordre chronologique (tu peux tracer un axe du temps).

◆ **Observe les verbes suivants.**
Dépensez-vous, marchez, regardez et écoutez.

Indiquent-ils des faits réels ? À quel mode sont-ils ?
Imagine que tu es en vacances et que tu écris une lettre
à ta famille. Utilise les mêmes verbes pour raconter ce que tu fais.
Quel mode as-tu employé ? À quel temps ?

◆ **Écris une phrase pour dire ce que tu as fait dimanche dernier.
Quel mode, quel temps as-tu utilisé ?**
Écris maintenant une phrase pour dire ce que tu aimais faire
lorsque tu étais petit.

◆ **Choisis un verbe et écris-le à la 1re personne du singulier,
à tous les temps de l'indicatif que tu connais.**

---

### Je retiens

*je marche, je marchais, je marcherai, j'ai marché…*

Le mode indicatif est utilisé pour parler de faits réels. Il comporte quatre temps
simples (présent, imparfait, futur, passé simple), le passé composé
et d'autres temps composés.

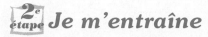

**1.** **Relis le poème** *Le bonheur,* **page 197.**
Quels verbes sont à l'indicatif ? À quel mode sont les autres verbes ?
Compare le présent de l'indicatif et le présent de l'impératif du verbe *courir.* Que remarques-tu ?

**2.** **À quels temps sont les verbes de ce texte ?**
Jadis, les maçons de la Creuse venaient à Paris à pied, pour chercher du travail. Le grand-père de Raymond était maçon. Il a fait le voyage avec ses camarades. Raymond aime montrer son village aux visiteurs.
Une exposition vous permettra de découvrir leurs dures conditions de vie.

**3.** **Lis ce texte : l'histoire se passe au Moyen Âge.**
Le baron Richard de Montfort règne sur son domaine. Robin, un jeune serf, travaille durement sur les terres de ce puissant seigneur. Un jour, pourtant, Robin rencontre le fils de Richard et lui vient en aide…

D'après Daniel Hénard, *Le Prisonnier du château fort*, Hachette.

**Que constates-tu ? Peux-tu transformer ce texte ?**

**4.** **Cherche un récit au présent, transforme-le en employant les temps du passé.**

**5.** **Raconte en quelques phrases comment fut créée la ville de Daisy Town p. 100. Choisis le temps de ton récit.**
**Souligne les verbes utilisés.**

**Je m'évalue** ·································································

**6.** **Relève les verbes, indique à quel mode et à quel temps ils sont conjugués.**
Je suis parti de la maison ! Je jouais, j'étais bien sage, et puis, simplement parce que j'ai renversé une bouteille d'encre sur le tapis neuf, Maman est venue et elle m'a grondé. Alors je suis parti. Je reviendrai plus tard, quand mes parents seront très vieux, et je serai riche…

D'après Sempé et Goscinny, *Le Petit Nicolas*, Denoël.

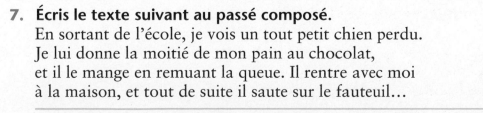

*score sur 10*

**7.** **Écris le texte suivant au passé composé.**
En sortant de l'école, je vois un tout petit chien perdu.
Je lui donne la moitié de mon pain au chocolat,
et il le mange en remuant la queue. Il rentre avec moi
à la maison, et tout de suite il saute sur le fauteuil…

*score sur 6*

**8.** **Imagine la suite de l'histoire ci-dessus.**

*1 point par verbe*

# Mon bilan

Tout au long de ce chapitre, tu as fait de nombreux apprentissages. Tu peux maintenant faire ton bilan.

Sur ton cahier, recopie le numéro des différentes compétences ci-dessous et écris à chaque fois : *oui, pas toujours* ou *pas encore*.

## Je suis capable :

1. de lire une photo, y trouver des informations ;
2. de repérer les termes qui valorisent, les énumérations, les jeux de mots et les images ;
3. de trouver la fonction d'un texte ;
4. de dire des poèmes en jouant avec leurs rythmes ;
5. de rédiger un article en donnant des informations et choisir des images ;
6. de reconnaître les prépositions et les articles contractés ;
7. d'écrire les mots qui comportent un tréma et un accent circonflexe ;
8. d'écrire les 25 mots de la page 203 ;
9. de reconnaître et utiliser des mots qui valorisent ou dévalorisent ;
10. d'identifier et d'utiliser les temps de l'indicatif au programme.

# Je vais plus loin

Dans ce chapitre, tu as écrit un article sur ta région. Votre classe, en réunissant ces articles, va pouvoir réaliser un dossier pour l'envoyer à vos correspondants.

## Pour réaliser un dossier :

- ◆ je prépare le support (classeur, lutin, fiches cartonnées…) ;
- ◆ je donne un titre à mon dossier ;
- ◆ j'établis son sommaire ;
- ◆ je colle les articles, je vérifie que chacun a un titre ;
- ◆ je place les photos, j'écris leur légende et leur origine.

Lire pour mieux comprendre les œuvres d'art.

# Lire

*Objectifs*
Trouver des informations dans un article de revue.
Décrire une œuvre.

◆ D'où vient ce texte ? Comment le sais-tu ?
◆ Quel est le sujet de cet article ?

# Fernand Léger : vive le progrès

# FERNAND LÉGER

## *Vive le progrès !*

*Le poète Apollinaire disait : "Quand je vois un tableau de Léger, je suis content". Derrière sa grosse moustache et son air bourru, Fernand Léger était le peintre de la joie de vivre et du progrès !*

▲ Dans cette *Femme en bleu* de 1912, Léger peint de façon cubiste mais accorde une grande importance à la couleur.

Fernand Léger est né en 1881 à Argentan dans l'Orne en Normandie. Il est bon en dessin et devient architecte, mais c'est la peinture qui l'attire le plus : à Paris, il étudie dans différents ateliers et cherche une manière de peindre qui soit bien à lui.

### UNE JOYEUSE BANDE DE COPAINS

En 1907, il découvre les œuvres du peintre Cézanne. C'est une révélation ! Cézanne disait qu'il fallait "traiter la nature par le cylindre, la sphère, le cône". Léger regarde aussi les tableaux cubistes de Braque et de Picasso, où les objets sont représentés sous plusieurs angles à la fois.

Léger se met lui aussi à faire des peintures cubistes. Il habite dans un ancien entrepôt de vin, appelé la Ruche, avec de nombreux autres artistes. C'est là qu'il rencontre le poète Blaise Cendrars et le peintre Robert Delaunay, qui deviendront ses grands amis.

### PROFESSION : PEINTRE "TUBISTE" !

En 1911, Léger expose un tableau appelé *Nus dans la forêt*. Quel succès ! Léger est surnommé le peintre "tubiste", car ses personnages ont l'air d'être faits avec des tubes. Picasso recommande Léger à un grand marchand de tableaux en disant : "Voilà un garçon qui fait quelque chose de nouveau".

Avec ses amis peintres, Léger a formé un groupe qui s'appelle la "Section d'or". Ensemble, ils réfléchissent beaucoup sur la peinture et sur les théories de Léonard de Vinci et des peintres de la Renaissance.

▲ *Les Nus dans la forêt*, peints en 1909-1910 : comme les couleurs sont sombres ! Arrives-tu à distinguer les personnages dans cet enchevêtrement de tubes, de cônes et de volumes ?

12

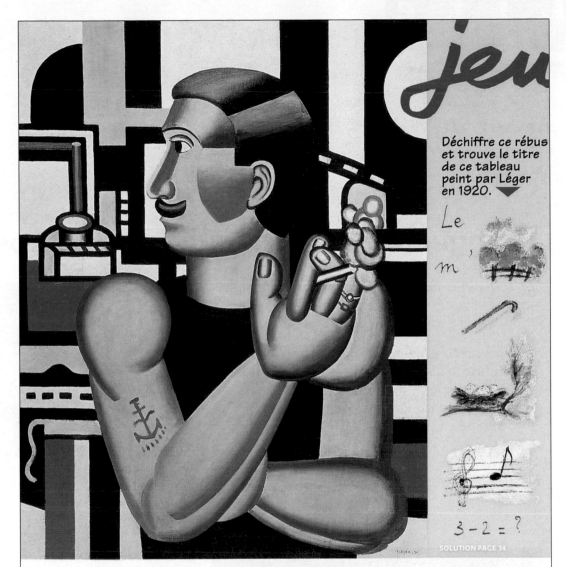

Déchiffre ce rébus et trouve le titre de ce tableau peint par Léger en 1920. ▼

Le

m'

3 − 2 = ?

SOLUTION PAGE 34

### DE LA COULEUR OU JE MEURS !

"La couleur est une nécessité vitale" dit Léger. Un jour, en regardant les toits de Paris de sa fenêtre, il se rend compte qu'ils ressemblent à une multitude de triangles, de rectangles, de carrés...

Léger fait toute une série de peintures ayant pour thème : *Toits et Fumées*. Il s'applique si bien à opposer les lignes droites et les courbes que petit à petit on ne reconnaît plus rien et que les couleurs ne correspondent plus à la réalité !

Toute sa vie, Léger jouera sur les contrastes des formes, des lignes et des couleurs.

La RENAISSANCE commence à la fin du 15ᵉ siècle et continue au 16ᵉ siècle. En peinture, elle a eu une énorme influence sur l'art des siècles suivants.

Le noir CONTRASTE avec le blanc, le carré avec le rond, la droite avec la courbe...

**13**

*Le Petit Léonard*, n° 6, juillet 1997.

## *Après avoir lu*

### Les tableaux

◆ Comment les artistes cubistes représentent-ils les objets ?

◆ Quel est le surnom de Fernand Léger ? Pourquoi ?

◆ À ton avis, Fernand Léger cherche-t-il à représenter la réalité ?

◆ Es-tu déjà allé dans un musée ? As-tu vu des œuvres de peintres contemporains ?

## *Avant de lire*

- ◆ Observe ces deux tableaux.
- ◆ Lequel préfères-tu ? Pourquoi ?
- ◆ Note les mots qui te viennent à l'esprit quand tu regardes chacun d'eux.

# Plongée dans la mémoire du temps

*L'écrivain et poète marocain Tahar Ben Jelloun parle des émotions qu'il ressent à chaque visite au musée du Louvre à Paris.*

Je suis un consommateur naïf, disons sans culture artistique. Le monde de la peinture ne fait pas partie de mon bagage culturel. J'ai eu une enfance sans musique et sans musée. [...]

Tahar Ben Jelloun, écrivain.

Le Louvre est une aventure. Je m'arrête toujours devant l'*Autoportrait au chevalet*. Il y a une tristesse dans les yeux de Rembrandt, une solitude. La lumière est rare ; elle tombe d'en haut. Je sens un homme fatigué, las et peut-être incompris. C'est ce qui me touche dans cette œuvre. Il me suffit de passer un moment en face de cet autoportrait pour mettre en veilleuse ma propre tristesse. Après, je ne m'arrête pas devant les autres toiles. Je me sens fatigué.

Rembrandt (1606-1669), *Autoportrait au chevalet*.

Turner (1775-1851), *Paysage avec une rivière et une baie au lointain.*

Il faut que j'arrive aux salles du XVIII<sup>e</sup> et du XIX<sup>e</sup> siècle pour m'asseoir en face du *Paysage avec une rivière et une baie au lointain*, de Turner.
Ce peintre de la lumière m'apaise. On ne distingue pas avec netteté la terre du ciel. C'est la nature telle qu'elle nous apparaît dans un songe, avec douceur, avec lenteur. J'ai besoin de Turner [...].

*Télérama*, Hors série, « Rendez-vous au Louvre ».

## *Après avoir lu*

◆ D'où ce texte est-il extrait ? Qui parle ?

◆ Où se trouvent les œuvres présentées ? De quelle époque datent-elles ?

◆ Relève ce que Tahar Ben Jelloun dit de la lumière. Avais-tu noté ce mot ?

◆ Quel sentiment l'autoportrait de Rembrandt provoque-t-il chez Tahar Ben Jelloun ? Et le tableau de Turner ? Partages-tu ces sentiments ?

◆ Faut-il être un spécialiste pour apprécier un tableau ?

# Bahia

Lagunes églises palmiers maison cubiques
Grandes barques avec deux voiles rectangulaires renversées
    qui ressemblent aux jambes immenses d'un pantalon
    que le vent gonfle
5  Petites barquettes à aileron de requin qui bondissent entre
    les lames de fond
Grands nuages perpendiculaires renflés colorés comme
    des poteries
Jaunes et bleues

Blaise Cendrars, *Au cœur du monde*, Denoël.

## Après avoir lu

◆ Quel paysage imagines-tu après la lecture de la première ligne ?
◆ À quoi Blaise Cendrars compare-t-il les voiles des barquettes ?
  À quelles formes géométriques te font-elles penser ?
◆ Entraîne-toi à lire le poème en prenant soin de marquer des pauses.
◆ Illustre ce poème en respectant la description donnée par Blaise Cendrars.

# Poèmes

**Objectifs**
Comprendre l'implicite d'un poème.
Repérer des jeux de sonorité.

# Promenade de Picasso

Sur une assiette bien ronde en porcelaine réelle
une pomme pose
Face à face avec elle
un peintre de la réalité
5   essaie vainement de peindre
la pomme telle qu'elle est
mais
elle ne se laisse pas faire la pomme
elle a son mot à dire
10   et plusieurs tours dans son sac de pomme
la pomme
et la voilà qui tourne
dans son assiette réelle
sournoisement sur elle-même
15   doucement sans bouger
[...]
et le peintre étourdi perd de vue son modèle
et s'endort
C'est alors que Picasso
qui passait par là comme il passe partout
20   chaque jour comme chez lui voit la pomme et l'assiette et le peintre endormi
Quelle idée de peindre une pomme
dit Picasso
et Picasso mange la pomme
et la pomme lui dit Merci
25   et Picasso casse l'assiette
et s'en va en souriant
et le peintre arraché à ses songes comme une dent
se retrouve tout seul devant sa toile inachevée
avec au beau milieu de sa vaisselle brisée
30   les terrifiants pépins de la réalité.

Jacques Prévert, *Paroles*, Gallimard.

## Après avoir lu

◆ De quel peintre se moque Jacques Prévert dans ce poème ? Comment ?
◆ Quel est le son souvent répété qui rythme ce poème ?

# ÉCRIRE

**Objectifs**
Présenter une œuvre.
Exprimer ses sentiments personnels.

# Écrire la critique d'une œuvre d'art

Dans ce chapitre, tu as vu des œuvres très différentes.
Certaines te touchent, te donnent envie de réagir,
de dire ce que tu ressens en les voyant.

Tu vas en choisir une, la présenter telle que tu la vois
et, dire ce que tu aimes, ce qui t'étonne, te plaît, etc.

## **1ʳᵉ étape** *Cherchons ensemble*

◆ **Q**uel tableau choisis-tu ? Pourquoi ? Que représente-t-il ?

◆ Observe les formes : vois-tu des lignes droites, des courbes ?
Quelle impression as-tu en les regardant ?

◆ Observe les couleurs : sont-elles vives ou sombres ?
D'où vient la lumière ?

◆ Les touches : vois-tu de grandes surfaces colorées ?
Des touches fines ?

◆ Quelles sont tes impressions en regardant le tableau que tu as
choisi ? À quoi cette œuvre te fait-elle penser ?

## À *mon stylo*

Écris maintenant ton texte. Commence par présenter le tableau que
tu as choisi. Tu peux donner quelques informations sur le peintre si tu
le souhaites. Évoque ensuite les couleurs, les formes, etc. et explique
les sensations que t'inspire ce tableau.

## **2ᵉ étape** *Pour améliorer mon texte, j'utilise des mots précis*

### a) J'observe

Voici des textes écrits par des enfants pour donner leur opinion.
Relève les mots précis qu'ils emploient.

L'autoportrait de Rembrandt est un tableau qui m'inspire parce que
c'est bien dessiné, les couleurs sombres sont harmonieuses.
Il y a beaucoup de détails, le visage est tout ridé comme celui
d'un vrai grand-père.

*Lamine*

J'aime que la peinture me surprenne. Ma préférence va au Mécanicien, car le contraste entre les personnages aux formes arrondies et les lignes droite qui se coupent me plaît. Moi aussi, je veux que mes gouaches soient lumineuses. Comme Léger, je vais utiliser du noir pour que les couleurs claires ressortent bien.

*Lucille*

Je préfère le tableau de Turner. J'aime ces couleurs chaudes, le jaune qui devient rouge et ocre à la fois. Elles sont douces. J'aime aussi ce ciel un peu rose, avec son petit coin de bleu, à droite, comme un clin d'œil. Je n'aime pas que la peinture représente des choses quotidiennes. Ce paysage me fait rêver.

*Jérémy*

### b) Je m'entraîne

◆ Observe le tableau de Léger page 211.
Utilise quelques-uns des noms
de formes géométriques rencontrés dans le texte.
En trouves-tu d'autres ?

◆ Observe le tableau de Turner, page 213.
Utilise plusieurs noms de couleur
pour décrire le paysage, la rivière, le ciel...

## 3e étape J'améliore mon texte

◆ Relis ton texte.
As-tu présenté le sujet, les couleurs, la lumière...
As-tu donné ton avis ?

◆ Mets ton texte au point.
Cherche des mots précis, une comparaison.
Vérifie l'orthographe.

◆ Recopie ton texte.
Écris lisiblement.
Vérifie la ponctuation.

*Objectifs*
Reconnaître les adverbes.
Comprendre leur rôle dans la phrase.

# L'adverbe

## 1<sup>re</sup> étape *Cherchons ensemble*

◆ **Lis ces phrases et observe les mots soulignés.**
<u>Maintenant</u> il faut <u>vite</u> ranger les pinceaux.
Vous êtes <u>ici</u> chez vous.

Ces mots peuvent-ils se mettre au pluriel ?
Par quoi peux-tu les remplacer ?

◆ **Cherche dans un dictionnaire la nature des mots soulignés.**
Léger peint <u>beaucoup</u>, il peint <u>facilement</u>.
Là bas, ils peignent <u>ensemble</u>.

Comment peux-tu expliquer le mot *ad/verbe* ?

◆ **Observe les mots soulignés.**
Léger se met à peindre <u>rapidement</u> comme les cubistes. Il peint <u>facilement</u>. Il saisit <u>vivement</u> ses pinceaux et se met au travail.

Quelle est la nature des mots soulignés ? Quelle est leur terminaison commune ? Comment sont formés ces adverbes ?

◆ **Transforme selon le modèle les adjectifs suivants.**
vif → vive → vivement
grand – sage – joli – gai – nul – violent – méchant
Quels sont les intrus ?
Connais-tu d'autres adverbes de ce type ?
Observe comment ils sont formés.

◆ **Lis les phrases suivantes.**
Léger utilise des couleurs très violentes. Il devient très vite un grand peintre.
Relève les adverbes. De quels mots modifient-ils le sens ?
Peut-on les supprimer ?

◆ **Fais une liste d'adverbes et classe-les selon leur sens.**

---

### Je retiens

*Toujours, vite, beaucoup, longtemps ; facilement, gaiement*
L'adverbe est un mot invariable. Il peut se former sur le féminin des adjectifs en ajoutant la terminaison *-ment*.

*Maintenant, Léger exécute des tableaux de très grand format.*
L'adverbe peut modifier le sens d'un verbe : il est complément circonstanciel.
Il peut aussi modifier le sens d'un adjectif ou d'un autre adverbe.

## 2ᵉ étape Je m'entraîne

**1. Relève les adverbes de ce texte et classe-les selon leur sens.**

Les ombres sont aussi des couleurs. Les impressionnistes peignaient toujours en plein air. Il leur a ainsi été possible de saisir les infinies variations de la lumière : sous la lumière du soleil, les ombres sont effectivement tantôt violettes, tantôt bleues ou vert sombre, parfois brunes, jamais noires.

**2. Forme les adverbes à partir des adjectifs suivants.**

lent – savant – méchant – violent – joyeux

**3. Recopie ce texte en replaçant les adverbes de la liste suivante : en-bas, là-haut, longtemps, fraîchement. Essaie de dessiner cette façade.**

D'… j'ai admiré cette façade bistre, … rénovée ; les volets écarlates, tous rouge feu sauf, …, une fenêtre bleue arborant l'ancienne couleur. Depuis …, la porte d'entrée n'avait pas été refaite.

**4. Remplace les expressions soulignées par un adverbe de même sens.**

Le Petit Léonard est une revue qui paraît <u>chaque mois</u>.

L'expert examine le tableau <u>avec attention</u>.

Ce portrait est peint <u>avec habilité</u>.

L'enfant regarde la toile fixée au mur <u>pendant un long moment</u>.

## 3ᵉ étape Je m'évalue ·······························

**5. Souligne les adverbes de ce texte.**

Le peintre ne s'est pas seulement attaché aux pommes comme sujet, mais il a également mis en valeur le fond et a joué sur le contraste avec la table : circulairement, rectangulairement, triangulairement, c'est ainsi qu'il veut les voir.

*score sur 6*

**6. Remplace les adverbes par d'autres adverbes de sens contraire.**

Kévin va rarement au musée.

Les enfants rentrent silencieusement dans la salle.

Les peintres ont toujours été considérés comme des solitaires.

*score sur 3*

**7. Fais une liste d'adverbes et utilise trois d'entre eux dans une phrase.**

*1 point par adverbe*

# L'orthographe, un héritage

## 1<sup>re</sup> étape *Cherchons ensemble*

À l'époque de la formation du royaume de France, on parlait différents dialectes dans les provinces et on écrivait les textes officiels en latin. Le roi François I<sup>er</sup> impose au XVI<sup>e</sup> siècle de les écrire désormais en français. L'imprimerie aide à fixer l'orthographe des mots. L'Académie française a aujourd'hui le pouvoir de décider des réformes de l'orthographe.

◆ *À pied* se disait en latin *pedibus*. D'où vient le *d* du mot *pied* ?
Cherche d'autres mots de la même famille où le *d* s'entend.
Cherche d'autres mots de la famille de *pied*.

◆ **Le mot *porc* vient de *porcus*. Trouve d'autres mots qui ont gardé ce *c*.**
Quels autres mots se prononcent comme *porc*, mais s'écrivent différemment. Quelle lettre permet de les distinguer quand on lit ?

◆ **Le mot *alphabet* vient du grec (*alpha* = a et *bêta* = b).**
*Bibliothèque, bicyclette, épithète, cylindre, orthographe, téléphone* viennent aussi du grec. Quelle difficultés présentent-ils ? Sur quelles lettres ?
Que signifie précisément *orthographe* ? *Géographie* ?
Aide-toi des indications ci-dessous.
*Graphe* = écrire, décrire, tracer      *Télé* = au loin, à distance
*Phone* = voix, son      *Géo* = la terre
*Ortho* = droit, correct      *Bio* = vie
Connais-tu d'autres mots formés avec ces racines ?

◆ **Comment prononcerait-on la phrase suivante en respectant la prononciation habituelle du français ?**
Le week-end, je mets un short et un sweat-shirt et je vais jouer au football.
Recopie les mots qui viennent de l'anglais, cherches-en d'autres.

◆ **Complète ta collection de mots savants ou de mots anglais utilisés en français et cherche leur orthographe dans ton dictionnaire.**

---

### Je retiens

Les mots français ont une histoire.

Les lettres muettes aident à reconnaître les mots lorsqu'on lit.

Connaître l'origine de certains mots aide à retenir leur orthographe.

## 2ᵉ étape · Je m'entraîne

1. Le mot *temps* vient du latin *tempus*.
   Trouve des mots de la même famille.

2. Cherche des mots de la même famille
   pour distinguer :
   poing – point ; chant – champ ; voix – voie.

3. Cherche le mot physique sur
   ton dictionnaire.
   Explique la différence entre
   l'éducation physique et
   les sciences physiques.

4. Cherche d'autres mots qui
   désignent les enseignements
   de l'école, cherche
   leur orthographe
   dans le dictionnaire...

> **physique ❶** nom f. et adj. **1** *L'électricité, la mécanique, l'électronique font partie de la* **physique**, *une science qui étudie certaines lois de la nature.* ◆ Chercher aussi : chimie, sciences naturelles. **2** adj. *L'aimant attire le fer, c'est un phénomène* **physique**, *qui obéit aux lois de la physique.*
>
> **physique ❷** adj. et nom m. **1** adj. *La marche est un bon exercice* **physique**, *du corps.* ➤ L'ÉDUCATION PHYSIQUE ; *la gymnastique.* ➤ *Ces sportifs sont en bonne santé* **physique**. ➤ *Le travail* **physique** *et le travail intellectuel.* ❑ nom m. *Elle est en bonne santé au* **physique** *comme au moral, dans son corps comme dans son esprit.* **2** nom m. *Elle pourrait faire du cinéma, son* **physique** *est très agréable,* l'aspect général de son corps et de son visage.

## 3ᵉ étape · Je m'évalue ·····································

5. **Devinettes**
   Elle permet de connaître la terre.
   Grande salle pour faire du sport.
   Manière d'écrire correcte.
   On y trouve des livres.
   Permet de se parler de loin.

   *score sur 5*

6. **Regroupe les mots suivants par famille, précise leur racine.**
   pédestre, temporaire, verdoyant, vocalise, printemps,
   piétonnier, température, pédaler, vertement, vociférer.

   *score sur 14*

7. **Écris ce que tu emportes pour une journée en forêt.**
   **Emploie des mots qui viennent de l'anglais.**

   *1 point par mot*

# Des yeux pour apprendre

Apprends ces mots en observant bien comment s'écrit chacun d'eux.
Entraîne-toi à bien les écrire.

| Texte p. 210 | | Texte p. 212 | | Poèmes p. 213-214 |
|---|---|---|---|---|
| le progrès | le succès | le bagage | lointain | la barque |
| une œuvre | la profession | le musée | la salle | bondir |
| peindre | la nécessité | l'aventure | distinguer | réel, réelle |
| un tableau | un carré | tomber | la douceur | essayer |
| nombreux | la réalité | la lumière | peut-être | le modèle |

# S'exercer

*pour mieux lire et mieux écrire*

*Objectif*
Élargir le vocabulaire des formes,
des couleurs et des émotions.

# Parler peinture

## 1<sup>re</sup> étape *Cherchons ensemble*

◆ **Quelles sont les couleurs primaires ?
Les couleurs secondaires ?**

◆ **Observe le tableau ci-contre.
Écris quelques phrases pour
expliquer ce que tu vois.
Donne le nom des couleurs et
celui des objets. Précise ce que
tu ressens en voyant ce tableau.**

Vincent Van Gogh, *La Chambre à Auvers*.

◆ **Lis le texte suivant dans lequel
Van Gogh décrit à Gauguin
les couleurs de sa chambre
qu'il vient de peindre.**

Les murs lilas, le sol d'un rouge rompu et fané, les chaises et les lits jaune
de chrome, les oreillers et le drap citron vert très pâle, la couverture rouge
sang, la table à toilette orangée, la cuvette bleue, la fenêtre verte…

Compare-le avec ce que tu viens d'écrire.

◆ **Cherche des noms de couleur en utilisant le nuancier ci-dessous,
tes boîtes de peinture, des catalogues…**
Combien trouves-tu de rouges ? de bleus ? de verts ?

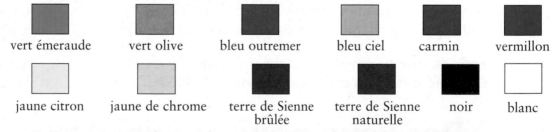

| vert émeraude | vert olive | bleu outremer | bleu ciel | carmin | vermillon |
|---|---|---|---|---|---|
| jaune citron | jaune de chrome | terre de Sienne brûlée | terre de Sienne naturelle | noir | blanc |

◆ **Relève page 210 les mots qui permettent de décrire les tableaux
de Léger. Classe-les.**

◆ **Cherche dans un dictionnaire les contraires des adjectifs suivants
quand ils sont dans un contexte en rapport avec la peinture.**
violent – terne – foncé – épais – vif

## Je retiens

*Des couleurs éclatantes, des lignes courbes.*
Pour présenter un tableau, j'utilise des termes précis qui désignent les formes,
les couleurs.

## 2ᵉ étape  *Je m'entraîne*

**1. Lis ce texte, relève les verbes qui décrivent la peinture du peintre Hartung.**

Légers et décidés, réfléchis et spontanés,
les traits courent à travers la toile,
se rencontrent, se mêlent, se recouvrent,
s'unissent en gerbe – aux liens desquels
ils échappent pour fuir comme des plumes
emportées par le vent...

D'après Bernard Dorival, *Les Peintres du XXᵉ siècle.*

**2. Cherche dans un dictionnaire les couleurs de l'arc-en-ciel.**
**À quel mot as-tu trouvé ?**
**Peux-tu représenter l'arc-en-ciel ?**

Hans Hartung, *T 1957-5.*

**3. Relève l'intrus, précise pourquoi.**

rubis – grenat – bordeaux – vermillon – lilas – carmin – cerise
saphir – pétrole – azur – mauve – outremer – ciel – lavande – indigo
sapin – émeraude – anthracite – olive – amande – pistache – bouteille

## 3ᵉ étape  *Je m'évalue* ·····················································

**4. Relève les mots qui désignent les couleurs et les formes dans ce texte qui parle des œuvres du peintre Herbin.**

Découpant la surface de son tableau en carrés ou en
rectangles, il les colore d'un ton uni et y introduit
des figures géométriques : cercles et triangles, presque
exclusivement, qu'il couvre d'une couleur unique.
Il associe les rouges les plus vifs aux bleus électriques
et aux jaunes de chrome ; le blanc et le noir
apparaissent aussi sur la palette qui semble
n'admettre que des tons primaires et purs...

D'après Bernard Dorival, *Les Peintres du XXᵉ siècle.*

Auguste Herbin, *Nu.*

*score sur 12*

**5. Explique le sens des expressions suivantes.**
noir corbeau – gris perle – rose framboise – bleu lavande

*score sur 4*

**6. Cherche des noms de nuance pour différentes couleurs et utilise-les dans des phrases.**

*1 point par mot précis*

**7. Utilise une comparaison, des couleurs précises et des verbes d'action pour parler d'une œuvre du chapitre.**

*1 point par mot précis*

# S'exercer
*pour mieux lire et mieux écrire*

*Objectif*
Sensibiliser aux formes verbales du subjonctif
et à sa valeur modale.

# Le subjonctif présent

## **1re étape** *Cherchons ensemble*

◆ **Écris la phrase suivante en commençant par *il faut que*.**
Tu prends d'abord une toile, tu choisis un sujet qui te plaît,
tu fais une esquisse, tu mets de la couleur par touches.

◆ **Transforme la phrase suivante en commençant
par *Je souhaite que*.**
Le peintre vient dans notre région, il expose ses toiles.
Quelle différence de sens y a-t-il entre
ces deux phrases ?
Laquelle indique des faits incertains ?
À quel mode et à quel temps sont conjugués
les verbes de la phrase que tu viens d'écrire ?
(Aide-toi des tableaux de conjugaison, pages 248 à 251)

◆ **Classe les verbes que tu as utilisés dans les deux questions
précédentes dans un tableau selon leur groupe.**
Complète leur conjugaison au subjonctif présent en t'aidant des tableaux
pages 248 à 251.
Observe les terminaisons. Que constates-tu ?

◆ **Transforme la phrase suivante en commençant par *pourvu que*.**
Tu es bien équipé et tu as une belle palette de couleurs.
Remplace maintenant *tu* par les autres pronoms de la conjugaison.
Que constates-tu ?

◆ **Écris la première phrase de cette étape en commençant par *il faut
que vous*, puis par *il faut que le peintre*.**

---

### Je retiens

*Je souhaite que le peintre vienne dans notre région.*
Le subjonctif est un mode qui peut exprimer une action incertaine,
souhaitée, envisagée.

*Qu'il vienne, qu'il finisse, qu'il expose.*
Les terminaisons du subjonctif présent sont les mêmes pour tous les verbes
sauf *être* et *avoir* : -e, -es, -e, -ions, -iez, -ent.

*Qu'il aille, que je fasse, que tu puisses, que nous soyons, qu'il ait.*
Certains verbes ont un radical particulier pour le présent du subjonctif.

## 2e étape — Je m'entraîne

**1. Relève les verbes au subjonctif et donne leur infinitif.**

Bien qu'il soit un grand peintre, Van Gogh n'a pas de son vivant la reconnaissance qu'il mérite. Pour qu'il peigne et qu'il guérisse, son frère l'envoie chez le docteur Gachet à Auvers-sur-Oise. Pendant quelque temps, il semble qu'il aille mieux, mais hélas, il meurt le 29 juillet 1890. Il est incroyable que ses tableaux atteignent aujourd'hui des prix considérables, alors qu'il a été si pauvre toute sa vie.

**2. Recopie ces phrases en commençant par *je veux que* ou un verbe synonyme.**

a) Vous serez attentifs à son œuvre.    c) Il réussit son tableau.

b) Elle ne salit pas son travail.    d) Ils vont au musée.

**3. Transforme ce texte en commençant chaque phrase par *il faut que*.**

Tu penseras à la manière dont tu veux composer ton tableau et tu arrangeras les différentes parties. Tu choisiras le format de ton support et tu penseras à l'espace vide dans ton œuvre. Tu suivras ensuite ton instinct et tu essaieras de regarder ton sujet sous différents aspects.

**4. Continue ce texte en utilisant le subjonctif présent.**

Rien dans un tableau n'est laissé au hasard. Pour guider l'œil du spectateur, je désire que vous…

## 3e étape — Je m'évalue

**5. Relève les verbes au présent du subjonctif et donne leur infinitif.**

a) Il arrive que les peintres soient à court d'idées pour créer de nouveaux tableaux.

b) Il ne souhaite pas que vous empruntiez son livre d'art.

c) Vous souhaitez qu'ils repartent avec des images plein les yeux.

d) Il faut que nous sachions la vérité sur cette œuvre.

**6. Construis des phrases en utilisant les sujets donnés entre parenthèses.**

a) Il ne faut pas que … (avoir) peur d'exposer dans cette galerie. (nous – vous – Angélique et Loïc)

b) Il veut que … (être) à l'heure.    (je – tu – Clément)

**7. Recopie ce texte en commençant par *je désire que*.**

Dessinez les barrières, les murs, les haies par des lignes droites bien marquées, et exploitez les formes serpentines des chemins, des ruisseaux et des sillons. Lancez-vous dans la réalisation de votre tableau et exécutez quelques croquis rapides.

# Mon bilan

Tout au long de ce chapitre, tu as fait de nombreux apprentissages. Tu peux maintenant faire ton bilan.

Sur ton cahier, recopie le numéro des différentes compétences ci-dessous et écris à chaque fois : *oui, pas toujours* ou *pas encore*.

## Je suis capable :

1. de trouver des informations dans une page de revue ;
2. d'expliquer ce que je vois quand j'observe un tableau ;
3. de dire ce que je ressens devant un tableau ;
4. de retrouver ce qui dans un poème peut faire penser à un tableau ;
5. d'écrire un texte pour présenter une œuvre et donner mes impressions personnelles ;
6. de reconnaître quelques adverbes courants et de les écrire;
7. de reconnaître les mots qui viennent du latin, du grec et de l'anglais ;
8. d'écrire les 25 mots de la page 221 ;
9. d'utiliser des termes précis pour désigner des formes, des couleurs ;
10. de reconnaître et d'utiliser le subjonctif présent.

# Je vais plus loin

Dans ce chapitre, tu as découvert des revues qui présentent des reproductions de peinture de différents époques, de style varié. Où peux-tu trouver d'autres reproductions ? Choisis-en une qui te touche particulièrement, apporte-la et réalise ainsi avec les autres élèves le musée imaginaire de la classe.

## Pour réussir une exposition d'œuvres d'art :

◆ je cherche comment placer toutes les œuvres ;
◆ j'affiche soigneusement chaque œuvre ;
◆ je prépare une étiquette bien lisible précisant le titre, le nom de l'artiste et la date du tableau ;
◆ je rédige une courte notice disant ce que je sais du tableau et pourquoi je l'ai choisi.

# *Tests, textes, exercices*

Tu vas trouver dans les pages suivantes différents types d'exercices qui vont te permettre de mieux lire et mieux écrire.

## Tests de vitesse/compréhension    p. 228

Le premier test te permet de mesurer l'efficacité de ta lecture au début de l'année, les suivants te permettront de mesurer tes progrès.

## Textes à compléter (tests de closure)    p. 235

Dans ces textes, un mot sur dix a été caché. À toi de le retrouver grâce au contexte. Ce test, qui s'appelle aussi « test de closure » te permet de savoir si tu peux facilement lire le livre dont il est tiré.

## Textes à transformer    p. 239

Voici 29 textes différents à transformer. Fais appel à tes connaissances pour répondre aux consignes et résoudre les problèmes posés pour chacun de ces textes. Les exercices servent d'abord à réviser les conjugaisons.

Mais ouvre l'œil !

Tu devras changer les verbes, mais aussi parfois les pronoms, les déterminants...

# Vitesse/compréhension

## Démarche

Pour pouvoir mesurer tes progrès au cours de l'année, tu trouveras ici trois tests. Les trois textes proposés t'aideront à adapter ta vitesse de lecture pour obtenir la meilleure efficacité possible, selon la situation de lecture : si tu lis trop lentement, il faut t'entraîner à lire plus vite, sinon tu oublies le début de la phrase avant d'arriver à la fin et tu ne comprends pas. Si tu lis trop vite, tu ne fais pas assez attention à des éléments importants, et tu ne peux pas non plus construire le sens du texte.

Au signal du maître, tu commenceras ta lecture. Tu liras assez vite, mais pas trop pour bien comprendre et bien retenir l'histoire. Dès que tu auras fini de lire, le maître te donnera ton temps (par exemple : 4 minutes). Tu peux aussi noter toi-même ton temps (voir ci-dessous). Tu tourneras alors la page et tu répondras aux questions sur le texte. Attention, à ce moment, tu ne devras plus retourner au texte.

## Évaluation

À la fin du test, tu as deux informations : ton temps de lecture et le nombre de bonnes réponses.

### Temps de lecture
– Note l'heure au début et à la fin de la lecture.
– Calcule le temps pris pour la lecture, en arrondissant à la minute (par exemple, si tu as commencé à 10h20 et fini à 10h27'37", ton temps est de 7 min).

### Calcul de la vitesse

Chacun des textes comporte environ 3000 signes (lettre, espace, ponctuation). La vitesse de lecture se calcule en divisant le nombre de signes par le nombre de minutes que tu as mises pour le lire.

Ex : – Si tu as mis 3 minutes,     → 3000 : 3 = 1000s/min     → score 10
    – Si tu as mis 4 minutes,     → 3000 : 4 = 750s/min     → score 7,5
    – Si tu as mis 5 minutes,     → 3000 : 5 = 600s/min     → score 6

Cette vitesse peut varier selon la difficulté du texte, et selon ton projet : quand tu lis pour le plaisir il est normal de lire plus vite que pour comprendre un problème de mathématiques.

### Compréhension
Tu as choisi une réponse parmi les trois proposées. compte le nombre de bonnes réponses : tu as ton score de compréhension (par exemple 8).

### Résultats
Si tu as lu très vite (score 10), mais que tu as seulement 4 bonnes réponses,
ton efficacité est : $10 \times 4 = 40$
Si tu as lu moins vite (score 6), mais que tu as 9 bonnes réponses, ton efficacité est : $6 \times 9 = 54$

# La 4 CV noire

*Éric est un enfant unique. Ses parents tiennent une boutique d'électro-ménager située en face de la place du village, à côté de la pâtisserie « La Marquisette ».*
*Un dimanche matin, sa mère lui propose de l'accompagner pour acheter des pâtisseries.*

Ma mère sortit tant bien que mal du garage la 4 CV noire achetée trois jours après avoir passé, avec succès, le permis de conduire.

Mon père, qui ne voulait pas que ma mère conduise, autant pour garder sa suprématie que par souci de la préserver d'un accident, lui avait dit, sur un ton sans réplique et pour la décourager :

– Puisque tu as le permis, tu dois réussir à sortir la voiture du garage.

Ce qu'elle fit, touchant ici, raflant là, calant une ou deux fois, sous le regard furibond, compatissant ou moqueur de mon père qui, par des gestes désespérés, lui indiquait dans quel sens tourner le volant en ajoutant des tas de noms d'oiseaux divers.

Arrivés en ville, nous nous garâmes.

Devinez où ?

Oui, oui, sur le parking pentu, devant sa boutique, à quelques pas de « La Marquisette ».

Nos achats effectués, nous remontâmes rapidement dans la voiture afin d'éviter l'affluence de la sortie de la grand-messe. Ma mère déposa avec précaution à mes côtés la boîte à gâteaux, oublia d'enclencher la marche arrière et d'un grand bond saccadé, la 4 CV franchit le trottoir, pulvérisa la vitrine dans un bruit fracassant et écrasa rasoirs électriques, lampes de chevet, fers à repasser qui ne s'y attendaient pas.

Je poussai un cri.

Ma mère aussi. Elle était devenue aussi rouge que le coussin de coton calé sous ses fesses pour la rehausser.

Elle n'avait pas eu le temps d'avoir peur, mais elle avait honte. Elle aurait voulu disparaître dans la seconde pour éviter les regards moqueurs, les questions idiotes, les reproches.

Pétrifiée dans sa voiture, les larmes lui montaient aux yeux tandis qu'elle mesurait l'ampleur des dégâts et bredouillait :

– Comment vais-je annoncer cette catastrophe à papa ?

J'étais désemparé.

Maman allait se faire gronder par papa et ça me rendrait malade comme chaque fois qu'ils se disputaient. Souvent, c'était à propos de bêtises sans conséquence. Les adultes sont pire que nous. D'une sauce trop salée ou d'un retard injustifié découlent les pires engueulades. Papa criait, maman pleurait. Papa quittait la cuisine en claquant la porte, maman ajoutait : « Éric finis ton fromage et va te coucher. » Le lendemain matin, la maison voguait dans le calme. Ça me rassurait un peu.

Cette fois, papa aurait un motif valable pour se mettre en colère : la vitrine neuve !

Cependant, le bruit avait attiré les badauds et les fidèles qui, sortant d'une heure de silence, de prières, de recueillement étaient heureux de ce divertissement qui ferait une croustillante anecdote à commenter pendant le repas dominical.

— Mais oui, elle a percuté sa propre vitrine avec son permis tout frais en poche ! C'est bien une femme !

Ma mère se fit copieusement enguirlander. Mon père sortit tous les gros mots de sa connaissance et même de nouveaux inventés pour la circonstance.

Ma mère pleura.

Je déteste voir pleurer ma mère.

A.M. Desplat-Duc, *Le Minus*, « Zanzibar », Milan.

*Parmi les réponses proposées, écris sur ton cahier celle qui est exacte.*

**1** La mère d'Éric sort la voiture du garage :
   **a)** facilement
   **b)** ne la sort pas
   **c)** avec difficulté

**2** Le père d'Éric :
   **a)** aide gentiment sa femme
   **b)** l'aide en se moquant d'elle
   **c)** la laisse manœuvrer toute seule

**3** La mère conduit :
   **a)** avec assurance
   **b)** avec maladresse
   **c)** avec imprudence

**4** Elle gare la voiture :
   **a)** sur la place de l'église
   **b)** devant sa boutique
   **c)** devant « La Marquisette »

**5** L'accident est dû :
   **a)** à un chauffard
   **b)** à une fausse manœuvre
   **c)** à une panne

**6** La voiture a percuté :
   **a)** « La Marquisette »
   **b)** des passants
   **c)** la boutique des parents

**7** La mère d'Éric :
   **a)** a peur
   **b)** a honte
   **c)** a l'air décontractée

**8** Éric trouve les disputes des adultes :
   **a)** normales
   **b)** stupides
   **c)** inquiétantes

**9** Les passants :
   **a)** sont étonnés par l'accident
   **b)** sont effrayés par l'accident
   **c)** sont amusés par l'accident

**10** Le père réagit :
   **a)** avec compréhension
   **b)** avec colère
   **c)** avec moqueries

# Sacrées sorcières

Au fond du jardin, il y avait un énorme marronnier. Timmy (mon meilleur ami) et moi, nous avions commencé à construire une magnifique cabane dans les branches. Nous ne travaillions que les week-ends, mais tout avançait à merveille. D'abord, nous avions fabriqué le plancher, en clouant de larges planches sur deux branches. En un mois, le plancher était terminé. Puis nous avions construit une balustrade en bois, et il ne nous restait plus qu'à faire le toit. C'était le plus difficile.

Un samedi après-midi, alors que Timmy avait la grippe, je décidai d'attaquer le toit, moi tout seul. J'adorais être dans le marronnier, entouré de feuillage, comme si je me trouvais dans une grotte verte. La hauteur ajoutait du piquant. Grand-mère m'avait averti que je risquais de tomber et de me casser la jambe. Quand je jetais un coup d'œil en bas, un frisson de vertige me parcourait l'échine.

Je clouais la première planche du toit, lorsque, soudain, du coin de l'œil, j'aperçus une femme, dans le jardin. Elle me souriait de façon bizarre. Quand les gens sourient, leurs lèvres s'étirent de chaque côté. Les lèvres de cette femme s'étiraient en hauteur, découvrant ses dents de devant et des gencives rouges comme de la viande crue.

C'est toujours agaçant de se rendre compte qu'on est observé, lorsqu'on se croit seul.

Et puis, que fabriquait cette inconnue dans notre jardin ?

Je remarquai qu'elle portait un petit chapeau noir, et que ses gants noirs lui remontaient jusqu'aux coudes.

*Des gants ! Elle portait des gants !*

Mon sang se glaça.

– Je t'apporte un cadeau, dit l'étrange inconnue, en me souriant toujours.

Je ne dis rien.

– Descends de cet arbre, petit garçon, continua-t-elle, et je te donnerai un cadeau extraordinaire.

Elle avait une voix de crécelle, comme si sa gorge était tapissée de punaises.

Toujours souriant affreusement, la femme introduisit lentement sa main gantée dans son sac, et en sortit un petit serpent vert et scintillant qu'elle tendit dans ma direction.

– Il est apprivoisé, dit-elle.

Le serpent s'enroula autour de son bras.

– Si tu descends, je te le donne, poursuivit-elle.

« Au secours, Grand-mère ! » pensai-je.

Pris de panique, je laissai tomber le marteau, et grimpai dans le marronnier comme un singe. Arrivé au sommet, je grelottais de peur. Je ne voyais plus la femme. Le feuillage me cachait d'elle.

Je restai perché là-haut, immobile, pendant des heures, jusqu'à la tombée de la nuit. Enfin, j'entendis Grand-mère m'appeler.

– J'arrive ! hurlai-je.

– Viens tout de suite ! cria-t-elle. Il est déjà neuf heures !

– Grand-mère ! Est-ce que la femme est partie ?

– Quelle femme ? répliqua Grand-mère.

– La femme aux gants noirs !

Il y eut un grand silence. Grand-mère n'arrivait plus à parler, comme si elle avait reçu un choc.

– Grand-mère, où es tu ? hurlai-je, affolé. Est-elle partie, la femme aux gants noirs ?

– Oui, cette femme est partie, répondit enfin Grand-mère. Je suis là et je te protège. Tu peux descendre.

Je descendis de mon marronnier en tremblant. Grand-mère me prit dans ses bras.

– J'ai vu une sorcière, dis-je.

R. Dahl, *Sacrées sorcières*, « Folio Junior », Gallimard.

## *Parmi les réponses proposées, écris sur ton cahier celle qui est exacte.*

**1** Les garçons construisent leur cabane :

   **a)** tous les soirs

   **b)** tous les week-ends

   **c)** tous les après-midi

**2** Le plus difficile à faire c'est :

   **a)** le toit

   **b)** le plancher

   **c)** la balustrade

**3** Le sourire de la femme est :

   **a)** inquiétant

   **b)** agréable

   **c)** bizarre

**4** Sa voix ressemble :

   **a)** à un murmure

   **b)** à un bruit de crécelle

   **c)** à un chant d'oiseau

**5** Le cadeau est :

   **a)** un serpent

   **b)** une pomme

   **c)** une flûte

**6** Le petit garçon :

   **a)** a confiance

   **b)** est étonné

   **c)** est pris de panique

**7** Pour échapper à la dame, le petit garçon :

   **a)** rentre chez lui

   **b)** grimpe au sommet du marronnier

   **c)** appelle sa grand-mère

**8** Lorsque sa grand-mère l'appelle, le petit garçon :

   **a)** descend tout de suite

   **b)** s'assure que la dame est partie

   **c)** refuse de descendre

**9** La grand-mère :

   **a)** répond tout de suite

   **b)** n'arrive plus à parler

   **c)** se fâche parce qu'il est tard

**10** Le garçon descend de l'arbre :

   **a)** tranquillement

   **b)** en tremblant

   **c)** en regardant de tous les côtés

# La tarte volante

*Un objet mystérieux survole le village de Tullo en Italie. Tous les habitants pensent aux Martiens. Un morceau de cet objet non identifié atterrit sur le balcon de deux enfants : Paolo et Rita.*

L'objet tomba sur le coin droit du balcon, à un mètre de la main de Paolo, à trente centimètres de la patte de Zorro, qui sursauta violemment.

Il tomba, mais il n'explosa pas. Il n'émit qu'un léger « plaf », et demeura là entre deux vases de géranium. Comme Paolo put le constater en l'examinant à travers ses doigts plaqués sur son visage, il était de la même couleur que le mystérieux objet volant. Ce n'était pas une bombe.
Était-ce un message ?

« J'ai peur, chuchota Rita. Descendons à la cave !

– Non, répondit Paolo. À la cave, on ne verra plus rien.

– En tout cas, j'aurai moins peur ! Écoute donc ce que dit le haut-parleur... »

La voix du haut-parleur répétait inlassablement ses instructions, de cour d'immeuble en cour d'immeuble.

Paolo sentait confusément qu'il était de son devoir de s'approcher du projectile tombé sur le balcon pour l'examiner scientifiquement.

« Si Christophe Colomb avait eu aussi peur que moi, se disait-il pour se donner du courage, l'Amérique serait encore à découvrir.

– Alors, qu'est-ce qu'on fait ? pleurnicha Rita. J'en ai assez d'être couchée par terre ! je suis en train de salir mon pyjama ! Maman ne va pas être contente...

– Tais-toi ! laisse-moi réfléchir ! »

Mais quelqu'un avait déjà réfléchi pour lui... Zorro tendit prudemment une patte en direction de l'objet, sa queue frétillant d'excitation, et lui donna un petit coup.

« Arrête, Zorro ! Touche pas à ça ! »

Le chien se retourna vers les enfants, comme pour les tranquilliser. Ses yeux humides semblaient dire : « Du calme, du calme, laissez-moi faire. J'ai du flair, moi ! »

Puis, toute la langue sortie, il s'approcha de l'objet en rampant sur le ventre. Plus que cinq... centimètres... quatre... trois... deux.... un... *contact.*

La langue de Zorro avait atteint la cible et la léchait furieusement. Sa queue ressemblait maintenant à une pale d'hélicoptère.

Alors, Paolo se décida : il sauta sur ses pieds, éloigna le chien d'une bonne bourrade et prit position à côté de la « chose ».

« Qu'est-ce que c'est ? interrogea Rita, soulevant sa tête toute dépeignée.

– On va le savoir. Il y a peut-être un message caché à l'intérieur...

– Tu ne sens pas une odeur ?

– Une odeur ? répéta Paolo. Tu rêves encore, petite sœur ! »

Rita s'approcha à son tour de l'objet mystérieux, repoussant Zorro qui tentait de regagner la position perdue.

« Tu veux que je le touche ? demanda-t-elle à son frère.

– Pourquoi ? Tu crois que j'ai peur ? je veux d'abord l'examiner de près... »

Rita renifla, perplexe.

« Dis donc, tu ne sens vraiment pas l'odeur ?

– Tu sais bien que j'ai le nez bouché ! » répliqua sèchement Paolo.

Lasse d'attendre, Rita passa brusquement à l'action : elle toucha la « chose », et une tache noire lui resta sur les doigts. La petite fille considéra avec attention cette curieuse tache, puis elle porta son index à la bouche. Elle le suça, le sortit de sa bouche, rose et tout humide de salive, et parut réfléchir un instant en l'observant. Enfin, elle lança un cri de triomphe :

« C'est du chocolat ! »

G. Rodari, *La tarte volante*, Hachette Jeunesse.

*Parmi les réponses proposées, écris sur ton cahier celle qui est exacte.*

**1** L'objet tombe
 **a)** Sur la tête de Zorro
 **b)** Tout près de Paolo
 **c)** À trente centimètres de la patte de Zorro.

**2** L'objet est :
 **a)** une bombe
 **b)** un message
 **c)** mystérieux

**3** Rita veut se réfugier :
 **a)** dans sa chambre
 **b)** à la cave
 **c)** dans un placard

**4** Paolo décide :
 **a)** d'examiner scientifiquement l'objet
 **b)** de toucher l'objet tout de suite
 **c)** de ne plus s'occuper de l'objet

**5** Zorro :
 **a)** se précipite sur l'objet
 **b)** s'approche en rampant vers l'objet
 **c)** a peur de l'objet

**6** Zorro :
 **a)** joue avec l'objet
 **b)** aboie après l'objet
 **c)** lèche furieusement l'objet

**7** Paolo :
 **a)** regarde faire Zorro
 **b)** éloigne Zorro d'une bourrade
 **c)** gronde Zorro

**8** Paolo ne sent pas l'odeur :
 **a)** parce qu'il a la nez bouché
 **b)** parce qu'il pense que sa sœur rêve
 **c)** parce qu'il est vexé

**9** Rita :
 **a)** s'approche prudemment de l'objet
 **b)** passe brusquement à l'action et touche l'objet
 **c)** demande la permission à son frère pour toucher l'objet

**10** Rita découvre que l'objet est :
 **a)** en chocolat
 **b)** en nougat
 **c)** en pain d'épice

# Textes à compléter

## Démarche

Ce test est simple. On l'appelle *test de closure* parce qu'il ne comprend aucune question.

Il te permettra de savoir quel lecteur tu es, si un livre est facile ou non à lire pour toi.

Dans chaque texte, un mot sur 10 a été remplacé par un numéro. Cherche ce mot et écris-le avec le numéro correspondant. Quelquefois, le mot à trouver est facile, parce que c'est un petit mot comme *le* ou *de*. D'autres fois, tu ne peux pas trouver le mot exact choisi par l'auteur, mais tu trouveras un mot tel que le texte ait du sens.

*Attention :*
– l'espace est le même quelle que soit la longueur du mot ;
– tu as le droit de revenir en arrière ;
– les verbes doivent être écrits au temps qui convient.

## Évaluation

Si tu as trouvé le mot exact par l'auteur (celui qui est donnée dans les corrections page 238), écris **E** (pour exact) à côté de son numéro.

Si tu as écrit un mot qui convient pour le sens et la structure de la phrase, écris **P** (pour possible) à côté de son numéro. Les erreurs d'orthographe ne comptent pas, mais les verbes doivent être correctement conjugués.

Fais ensuite le total des **E** et des **P** :
– *si tu a 9 E ou plus*, tu peux lire ce livre sans difficulté,
– *si tu as 7 ou 8 E*, tu peux lire ce livre, surtout si tu as plusieurs P,
– *si tu as 6 E ou moins*, ce livre est encore un peu difficile pour toi. Lis-en un autre plus facile avant, tu y reviendras dans quelque temps si le sujet t'intéresse.

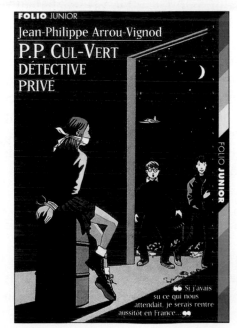

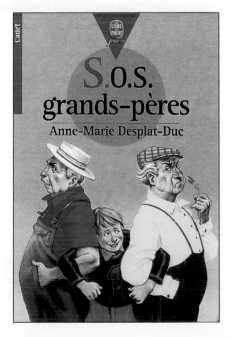

# P.P. Cul-Vert détective privé

En fait de maison, *India cottage*, la demeure de Mrs Moule, ressemblait plutôt au pire décor d'un train fantôme.

Sous la lumière blafarde de la lune se dressait —1— bâtiment lugubre, hérissé de pignons et de girouettes. Une —2— fenêtre était éclairée, révélant de son œil borgne une —3— décorée de coquillages sur laquelle ruisselait la lune.

Je —4— suis pas peureux. Impressionnable tout au plus. Mais je —5— dire que je sentis un frisson me parcourir l'—6— tandis que Mrs Moule nous poussait à l'intérieur —7— l'inquiétante bâtisse.

Nous entrâmes dans un hall obscur, —8— des vitres plombées à losanges rouge et vert jetaient —9— le carrelage comme des taches de sang.

— Nassir ! Nassir ! —10— Mrs Moule.

Sa voix résonnait sinistrement, se perdant sans —11— dans les étages.

— Celui-là ! fulmina-t-elle. Jamais —12— quand on a besoin de lui ! Que diriez-vous —13—'un bon thé, *boys ?* Poussant une porte qui grinçait, —14— nous fit entrer dans un vaste salon à demi —15— où luisait faiblement un feu de cheminée. L'air —16— glacial, le tapis élimé, les sièges inconfortables.

Mais j'—17— faim. La perspective d'un de ces fameux thés —18—, débordant de toasts beurrés, de marmelade et de brioches, —19— un peu l'impression sinistre que je me faisais —20— la demeure.

J.-Ph. Arrou-Vignod, *P.P. Cul-Vert détective privé*, « Folio Junior », Gallimard.

# SOS Grands-pères

« En voiture !... En voiture!... Attrapez le pompon !..; frissons garantis !... Attention au départ !... »

Des sirènes hululent, des klaxons rauques retentissent, les énormes —1— des manèges pétaradent, les avions sifflent et soufflent, les —2— bringuebalent sur leurs rails et les filles *siclent* de —3— dans la vertigineuse pente. Des coups de fusil claquent —4— stand de tir, des balles font éclater des ballons, —5— des pipes, perforent des cibles avec un bruit métallique. —6— odeurs se mélangent, se croisent, s'exacerbent : celle de —7— poudre et du soufre, celle de friture rance, celle —8— de la barbe à papa, des pommes d'amour —9— des berlingots, celle du caramel des pralines, celle des —10— surchauffées et des gaz d'échappement.

Albert Chapuis dirige —11— équipe vers les autos tamponneuses. Au coup de sirène —12— la fin du tour, les deux garçons se ruent —13— une voiture bleue. Anaïs fait signe à une fillette —14— pilotant un engin vert : « Hou ! hou ! Camille ! » et s'—15— auprès d'elle.

Les véhiculent se poursuivent, tournent, se —16—, se télescopent de face, de côté, par-derrière. Julien —17— Sébastien rient, oubliant tout, hormis le plaisir de la —18—.

Le grand-père leur offre ensuite un « voyage » sur —19— petits avions puis leur propose un chichi tiède enrobé —20—sucre. Ils se plantent devant le palais des glaces et s'amusent à observer les gens perdus dans ce labyrinthe de vitres et de miroirs.

A.-M. Desplat-Duc, *SOS Grands-pères*, Hachette Jeunesse.

# Les aventures d'un chien perdu

— Ce chien est à vous ?

Les Meierlen échangèrent un regard.

— Quel chien ? s'informa M. Meierlein en plissant les yeux. Nous avons retenu une chambre à deux lits ici : M. et Mme Meierlein, de Stuttgart.

Au son de cette voix, le chien fit demi- —1—. Il vint se coucher aux pieds de son maître —2— remuant la queue. Le portier aperçut alors deux grosses —3— marron foncé, tachetées de blanc aux extrémités, un museau —4— noir, blanc et gris, et des yeux brillants cerclés —5— noir. Avec cela, de grandes oreilles, trop grandes, de —6— ailes de chauve-souris. Une étoile blanche luisait au —7— du poitrail et une barbiche hirsute, sous la mâchoire, —8—la laideur de cet animal agressif, aux babines retroussées. —9— plus réussi était la queue, longue, aussi touffue que —10—d'un cheval, mais dont l'extrême pointe, en —11— -bouchon, évoquait celle d'un petit goret.

— Je regrette, —12— le portier, mais nous n'acceptons pas les chiens —13—.

— C'est un animal très gentil et très doux, —14— M. Meierlein.

— Très bien élevé et parfaitement inoffensif, appuya —15— femme. Sauf envers les chats...

Le chien en question, —16— par une puce, se grattait furieusement.

— Nous avons retenu —17— chambre à deux lits, insista M. Meierlein. Pour M. —18— Mme Meierlein de Stuttgart.

— Pas de chien ici, répéta —19— portier.

— Vous n'allez pas nous laisser à la —20—, tout de même ! La chambre est retenue depuis le mois d'avril.

— Pas de chien ici. Cherchez ailleurs.

D. Gatin, *Les Aventures d'un chien perdu*, « Cascade », Rageot.

# Les Mange-Forêts

*Kerri embarque clandestinement avec son amie Mégane pour Amazonia : la planète où ses parents ont disparu. Là vivent d'étranges chenilles dévorant la forêt : les Mange-Forêts.*

Cela faisait deux jours que le Mange-Forêt avait —1— sa course. L'énorme chenille aux couleurs vives broutait —2—arbres comme s'il s'agissait de vulgaires brins —3—'herbe. Elle taillait un sillon rectiligne à travers la —4—. Rien ne semblait pouvoir l'arrêter ni la faire —5— de son chemin. C'était bien là le problème —6— Kerri. Les Maroufles se laissaient guider au gré de —7— fantaisie de leur Mange-Forêt. Peu leur importait qu'—8— aillent ici où là. La vie était ainsi faite : —9— devaient toute leur vie marcher derrière cet énorme animal, —10— l'endroit où ils se trouvaient ne les intéressait —11—. Toutes les contrées se ressemblaient : partout une forêt verte, —12—, impénétrable. Or, pour Kerri, il en allait tout autrement. —13— parents se trouvaient en un lieu précis de la —14—. Il sentait le lien qui le reliait à eux —15—'amenuiser chaque jour davantage. Cela signifiait que le Mange- —16— n'avait pas pris la bonne direction ! Par l'—17— d'Enstein, le jeune garçon avait demandé aux Maroufles —18—'il y avait un moyen de lui faire faire —19— -tour.

— Les Mange-Forêts sont des Dieux-Vivants, avait —20—Pock. Ils vont là où ils ont envie d'aller.

K. Aldany, *Kerri et Mégane, les Mange-Forêts*, « Pleine Lune », Nathan.

# Correction

Pour calculer ton score, reporte-toi à la page 235

## P. P. Cul-vert
## détective privé

| | | | |
|---|---|---|---|
| 1 : un | 6 : échine | 11 : réponse | 16 : était |
| 2 : seule | 7 : de | 12 : là | 17 : avais |
| 3 : façade | 8 : où | 13 : d | 18 : anglais |
| 4 : ne | 9 : sur | 14 : elle | 19 : adoucissait |
| 5 : dois | 10 : hurla | 15 : vide | 20 : de |

## SOS Grands-pères :

| | | | |
|---|---|---|---|
| 1 : moteurs | 6 : les | 11 : son | 16 : bousculent |
| 2 : chenilles | 7 : la | 12 : indiquant | 17 : et |
| 3 : peur | 8 : douce | 13 : vers | 18 : conduite |
| 4 : au | 9 : et | 14 : brune | 19 : les |
| 5 : cassent | 10 : tôles | 15 : installe | 20 : de |

## Les aventures
## d'un chien perdu :

| | | | |
|---|---|---|---|
| 1 : tour | 6 : véritables | 11 : tire | 16 : gêné |
| 2 : en | 7 : milieu | 12 : reprit | 17 : une |
| 3 : pattes | 8 : accentuait | 13 : ici | 18 : et |
| 4 : pointu | 9 : le | 14 : affirma | 19 : le |
| 5 : de | 10 : celle | 15 : sa | 20 : rue |

## Les Mange-Forêts :

| | | | |
|---|---|---|---|
| 1 : repris | 6 : pour | 11 : pas | 16 : Forêt |
| 2 : les | 7 : la | 12 : sombre | 17 : intermédiaire |
| 3 : d' | 8 : ils | 13 : ses | 18 : s' |
| 4 : forêt | 9 : ils | 14 : planète | 19 : demi |
| 5 : dévier | 10 : mais | 15 : s' | 20 : répondu |

# Écrire le présent de l'indicatif

**1.** *Églantine veut voir la mer*

Églantine est une petite vache rousse, et elle en a assez de la verdure, des prés, des champs, des bois autour de sa ferme. Elle a envie de voir la mer. Elle a envie de bleu.

– Tu es folle, lui dit sa copine Pivoine.

Mais rien n'y fait, et notre petite vache saute un talus, deux talus, trois talus et s'enfuit.

Régine Pascale, L'Aventure d'Églantine, Wakou n° 37.

**a) Remplace** *Églantine* **par** *Églantine et Marguerite.*

**b) Fais parler Églantine.**

**2.** *Emploi du temps du mouton*

Le matin, nous nous levons à cinq heures pour brouter. Nous mangeons jusqu'à midi, l'heure du repas où nous avons droit à du repos. Nous faisons la sieste jusqu'au soir, puis nous rentrons à la bergerie. Le matin, dès cinq heures, nous avons faim et nous retournons brouter.

D'après Jean-Luc Coudray, Le Mouton Marcel, Éd. Milan.

**a) Remplace** *nous* **par** *ils.*

**b) Remplace** *Nous* **par** *Il.*

**3.** *Supériorité du chat*

(Le chat explique au mouton pourquoi il lui est très supérieur.)

– Le chat est plus souple. Il court plus vite. Il saute plus haut. Il a des griffes. Il sait faire peur aux chiens. Il ronronne. Il mange de la viande et non de l'herbe. Il peut attraper des souris. Il grimpe aux arbres. Le mouton ne fait rien de tout cela.

– Oui, mais le mouton donne de la laine.

**a) Mets ce dialogue au pluriel (les chats, les moutons).**

**b) Le chat et le mouton dialoguent (Je... Tu...).**

**4.** *Le jardin de Camille*

Camille ne va jamais jusqu'au bout du jardin, elle ne veut pas savoir où il finit. Du haut de la balançoire, le paysage est comme un grand panier à salade qu'on secoue.

Camille ne prend jamais le chemin de sable qui contourne le potager et se perd dans les ronces des mûriers.

Elle s'arrête sous le saule, s'assoit dans l'herbe haute et ne voit que les herbes folles, les flammes mauves des iris sur le ciel pâle.

Martine Delerm, Les Jardins de Camille, Albin Michel Jeunesse.

**a) Fais parler** *Camille (Je...).*

**b) Remplace** *Camille* **par** *Camille et moi.*

**c) Remplace** *Camille* **par** *Camille et Pierre.*

**Textes à transformer**

### 5. *Mouette rieuse*

Bien qu'on puisse la voir toute l'année en bord de mer, la mouette rieuse niche surtout à l'intérieur des terres et passe l'hiver en bande dans la campagne et près des villes où elle fréquente les tas d'ordures et les pelouses des parcs. Elle passe la nuit sur les plans d'eau. En France, on la trouve dans les régions riches en étangs (Sologne, Brenne, Dombes). C'est depuis la fin du siècle dernier que cet oiseau se rapproche de l'homme.

**Remplace *la mouette* par *les mouettes*.**

### 6. *Le renne*

Le renne est un cousin du cerf. Il vit dans les plaines glacées proches du pôle Nord, la toundra. Il se nourrit de lichens. Mais quand l'hiver arrive, la neige recouvre tout, alors il descend vers le sud. Il voyage avec des milliers d'autres rennes. Et puis, dès que revient le printemps, il remonte vers le nord, toujours à la recherche du savoureux lichen.

*Nature à lire*, Éditions SEDRAP.

**Remplace *le renne* par *les rennes*.**

### 7. *Le gorille*

Boum ! boum ! boum !
Des bruits sourds résonnent au cœur de la forêt tropicale. C'est un gigantesque gorille mâle qui se dresse de toute sa hauteur et se frappe la poitrine avec les poings. Le plus grand de tous les singes intimide ainsi ses ennemis éventuels en leur montrant sa puissance : mais qui donc oserait attaquer un animal aussi colossal et impressionnant ?

*Tout l'Univers*, Hachette.

**Remplace *un gorille* par *des gorilles*.**

### 8. *Le maki**

Quand le soir tombe, le maki se réveille et quitte son refuge, un creux bien dissimulé dans un arbre. Seul ou en groupe, il commence à explorer la vaste forêt. Ses grands yeux phosphorescents lui permettent, en pleine nuit, de trouver sa nourriture : des fruits, des feuilles, des insectes, des petits animaux.
Très agile, il bondit de branche en branche et sait se recevoir au sol sans se faire le moindre mal. Et puis, quand le jour se lève, le maki regagne son refuge, où il va dormir toute la journée. Ce curieux mammifère nocturne est un prosimiens (ancêtre du singe).

* Mammifère Lémurien de Madagascar.

**Remplace *le maki* par *les makis*.**

# Écrire le futur simple de l'indicatif

9. *En vacances*

Se lever vers neuf heures, prendre son petit déjeuner, faire un petit tour à la plage, revenir se reposer un peu avant le déjeuner, lire un moment, se mettre à table à midi, déjeuner légèrement, partir à l'aventure dans la campagne, savoir retrouver son chemin, rentrer affamé avant la nuit, et recommencer le lendemain.

**a) Écris ce texte au futur simple de l'indicatif, à la première personne du singulier.**

**b) Même exercice à la deuxième personne du pluriel.**

**c) Même exercice à la troisième personne du singulier.**

10. *Deux pour une*

Le car s'arrête, le chauffeur descend et débarque, l'une après l'autre, les fillettes. Lotte sort la dernière, Louise ouvre ses quintets tout ronds. Avec effroi, elle voit arriver … son sosie !

Lotte fait une couronne de fleurs pour Louise. Les fillettes vont jusqu'à la maison forestière, s'assoient dans le jardin, boivent de la limonade et bavardent. Elles deviennent amies et découvrent la vérité. Que font-elles alors ?

**Écris ce texte au futur simple de l'indicatif en ajoutant des indicateurs de temps (Bientôt, le lendemain, par exemple).**

11. *Pépé la Boulange*

Julien, douze ans, va accompagner son grand-père, à Belle-Ile, le pays de son enfance. Il va se faire des amis, apprendre à pêcher le bar, manger des fruits de mer, courir dans la lande. Il va aussi découvrir son grand-père et être le témoin d'une histoire d'amour peu ordinaire…

**Transforme ce texte en utilisant le futur simple de l'indicatif.**

12. *Maître Renard*

Bean veut avoir le renard, le tuer et le pendre à sa porte d'entrée. Il dit qu'il va le cueillir à la pelle et le découper en petits morceaux. Bunce lui demande ce qu'il compte faire. Bean ne sait pas ce qu'il faut faire, mais il ne veut pas le laisser filer.

**Transforme ce texte en dialogue, emploie le futur simple de l'indicatif.**

# Écrire le présent de l'impératif, le présent du subjonctif

**13.** *Recette de la meringue*

Ingrédients :

3 œufs, 180 g de sucre, 1 cuiller à café de maïzena, 1/2 cuiller à café de vinaigre.

Séparer les blancs des jaunes.

Battre les blancs en neige très ferme.

Verser le sucre en 3 fois, continuer à battre le mélange.

Ajouter la maïzena et le vinaigre, mélanger délicatement.

Cuire à four doux (4/5 ou 150°) pendant une heure.

Éteindre et laisser refroidir dans le four toute la nuit.

Le lendemain, garnir de crème fraîche et de fraises.

Servir immédiatement.

**Écris cette recette au présent de l'impératif, 2ᵉ personne du singulier.**
**Écris cette recette en commençant par « Il faut que tu… ».**

**14.** *Pour faire un chapeau en papier*

Prendre une feuille de papier blanc rectangulaire.

Plier la feuille en deux.

Rabattre les deux coins supérieurs du bord plié, vers le bas, en les mettant l'un contre l'autre au moment niveau.

Relever les bords inférieurs de chaque côté du chapeau.

Décorer selon son goût.

**Écris ce texte au présent de l'impératif 2ᵉ personne du singulier.**

**15.** *Pour faire un bateau en papier*

Commencer par faire un chapeau (voir ci-dessus).

Ouvrir le chapeau et mettre les deux pointes l'une sur l'autre ; on obtient une forme carrée.

Plier vers le haut et l'extérieur les deux nouvelles pointes obtenues en faisant bien coïncider les angles ; on obtient une forme de triangle.

Ouvrir ce deuxième petit chapeau et mettre à nouveau les deux pointes l'une sur l'autre ; on a ainsi une forme carrée.

Tirer de chaque côté sur les deux pointes du haut et du milieu.

Déplier le bateau et bien aplatir le pliage.

Décorer selon son goût.

*C'est à lire*, Hachette Éducation.

**Écris ce texte au présent de l'impératif, 2ᵉ personne du pluriel.**

Voir page 114

# Écrire l'imparfait de l'indicatif

**16.** *Seigneur Lion*

Lion, le Chef de la brousse, possède de splendides cases où logent ses femmes, ses enfants, ses serviteurs et ses gardes.

Ce qui fait l'orgueil de Lion, c'est quelques beaux arbres fruitiers qui ombragent les alentours. Parmi eux, on peut voir de grands manguiers, des papayers qui se dressent haut dans le ciel et bien d'autres encore. Lion surveille ses arbres et vérifie si ses fruits mûrissent bien au soleil.

D'après Gaston Carnu, Contes du Sahel, Edicef.

**Écris ce début de conte à l'imparfait.**

**17.** *Seule à Paris*

J'aime la place de la Concorde, d'où l'on découvre une étendue de ciel presque aussi vaste qu'au-dessus d'un champ de seigle en Russie ou de maïs au Kansas. [...]

Sur le boulevard Raspail, je m'arrête devant la vitrine d'une charcuterie sans pouvoir en détacher les yeux ; elle me paraît plus somptueuse que n'importe quelle autre vitrine de cette ville. J'ai constamment faim. Je porte des robes de seconde main et de vieilles chaussures ; je n'ai ni parfums, ni soies, ni fourrures, mais rien ne me fait plus envie que ces denrées délicieuses.

Nina Berberova, C'est moi qui souligne, Actes Sud.

**a) Écris ce texte à l'imparfait.**
**b) Remplace *Je* par *Sophie et moi* (au présent).**

**18.** *Les premiers savants*

Le chasseur est de retour tenant d'une main sa proie et de l'autre ses armes : une lance, dont la pointe est un silex taillé, et un harpon en fer. Grâce à ces armes, sa force se trouve décuplée. Au campement, il retrouve les membres de son clan. Ceux-ci plantent le blé en s'aidant d'une faux et d'un grattoir primitifs, taillent le silex, font cuire viandes et légumes dans un récipient en terre. Toutes ces activités font appel à de nombreuses connaissances : l'usage du feu, la fusion et le travail des métaux, l'art de la poterie, etc.

Ainsi, les acquisitions techniques des hommes de la préhistoire sont toutes liées à des besoins fondamentaux : chasser, pêcher, planter et récolter, cuire et conserver les aliments.

Tout l'Univers, Hachette.

**Écris ce texte à l'imparfait.**
**Écris la première phrase au pluriel.**
**Dans la dernière phrase, remplace *Les acquisitions* par *Chaque acquisition*.**

# Écrire le passé composé

**19.** *Matin d'anniversaire*

Alice se réveille, attend sa mère, mais ne la voit pas. Alors elle se lève, s'habille, s'approche de la fenêtre…

D'après Faulkner, *L'Arbre aux souhaits.*

a) **Remplace** *Alice* **par** *Je* **puis par** *tu.*

b) **Écris ce texte au passé composé.**

**20.** *Les grandes vacances*

Mon frère et moi, nous passons toute la journée en canoë. Nous explorons les nombreuses petites îles inhabitées d'un fjord. Nous plongeons du haut des rochers de granit. Parfois, nous jetons l'ancre, et nous pêchons morues et merlans ; nous allumons un feu sur une île et nous faisons griller le poisson à la poêle. Le meilleur poisson du monde !

D'après R. Dahl, *Sacrés Sorcières*, Folio Junior, Gallimard.

a) **Mets ce texte au passé composé.**

b) **Remplacer** *mon frère et moi* **par** *je.*

**21.** *Dresseur de souris*

Je veux apprendre à mes souris à marcher sur une corde raide. Je commence par William. Il marche sur la ficelle sans hésiter. Après quoi, je le laisse grignoter un bout de gâteau. Puis je le remets dans ma main droite. Cette fois-ci, j'allonge la ficelle de dix centimètres. Avec un superbe équilibre, il marche pas à pas, et atteint le gâteau.

D'après R. Dahl, *Sacrés Sorcières*, Folio Junior, Gallimard.

a) **Mets au passé composé.**

b) **Remplace** *je* **par** *Paul.*

**22.** *La révolte des objets*

La révolte des choses ne se borne point là : les lacets des souliers se nouent d'eux-mêmes pendant la nuit. Les pendules n'obéissent plus qu'à leurs caprices, marquent neuf heures pour midi. les branches du grand ormeau viennent la nuit frapper les carreaux de la fenêtre des enfants. L'encre change de couleur. Le savon dans le bain fond en un clin d'œil. Le sucre refuse de fondre. Le perroquet Coco dit des gros mots. Le serin Nicodème siffle comme un merle. Les miroirs font des grimaces. Les tapis font des croche-pieds. Les choses se révoltent.

D'après *La Maison qui s'envole*, Claude Roy, Folio Junior, Gallimard.

**Écris au passé composé.**

**23.** *Le poulain*

Dans l'écurie silencieuse, un petit être aux longues pattes s'agite. C'est un poulain qui vient de naître. Sa mère l'encourage à se lever, en le léchant doucement. Il essaie en tremblant, retombe, essaie de nouveau et, finalement, se dresse sur ses pattes frêles, vingt minutes seulement après sa naissance.

*Tout l'Univers*, Hachette.

**Écris au passé composé à partir de la 3e phrase (Sa mère…).**

**24.** *Tours de clefs*

Je rentrais de voyage…
Je mets la voiture au garage juste en face de chez moi…
Je sors ma valise…
Distrait, je garde la clef de la voiture à la main… et j'ouvre la porte de la maison avec la clef de ma voiture… ! !
Le temps de réaliser, j'avais fait trente kilomètres !
Alors que la route n'était même pas glissante !

Raymond Devos, *Matière à rire*, Olivier Orban.

**a) Écris au passé composé les verbes qui sont au présent de l'indicatif.**
**b) Remplace *je* par *il*.**

**25.** *Les frottements*

En un instant, le conducteur de la locomotive voit l'obstacle : il actionne précipitamment ses freins : crissements stridents, fracas de métaux entrechoqués, gerbe énorme d'étincelles ! La glissade des roues bloquées sur les rails se prolonge quelques secondes ; enfin le train s'immobilise, stoppé par ce formidable frottement qui transforme l'énergie cinétique du train lancé à vive allure en un puissant dégagement de chaleur.

*Tout l'Univers*, Hachette.

**Écris au passé composé.**

**26.** *Produits végétaux et animaux pour l'industrie*

Les hommes chassent, pêchent, élèvent des bêtes, cultivent des plantes depuis la nuit des temps, pour se procurer de la nourriture. À la différence des autres animaux, ils utilisent des outils : flèches, massues, harpons, charrues […]. Puis ils transforment les peaux en les tannant, la laine en la filant, et ainsi ils peuvent se vêtir.

**Écris au passé composé.**
**Remplace *les hommes* par *l'homme*.**

**27.** *Le passage du gué*

Pour franchir le fleuve avec leurs fourgons, les hommes attellent deux paires de bœufs à chaque voiture. Deux hommes escortent les bêtes. Les bœufs s'avancent dans l'eau, plantent leurs sabots dans le sable, s'équilibrent pour résister au courant et le fourgon les suit. L'eau recouvre leurs puissantes épaules. Ils cheminent avec la patience des bêtes de somme. Lorsque les bœufs de tête posent leurs sabots sur le rivage opposé, des cris de joie échappent aux spectateurs.

D'après M.J. Carr, *Sur la piste de l'Oregon*, Hachette.

**28.** *Volcan en bouteille*

Matériel : 1 petite bouteille, un grand bocal en verre, de l'encre, 30 cm de ficelle, un pinceau.

Faire un nœud solide avec la ficelle autour du goulot de la petite bouteille.

Nouer ensemble les bouts de la ficelle pour faire une poignée.

Remplir le bocal d'eau froide aux 3/4 : il faut que la petite bouteille tienne dans le bocal sans faire déborder.

Verser de l'eau chaude dans la petite bouteille, mettre de l'encre dans cette eau avec le pinceau pour la colorer.

Tenir la bouteille par la poignée, faire descendre doucement la bouteille dans le bocal en la tenant bien droite.

Observer ce qui se passe.

D'après A. Wilkes, *Les Expériences des petits savants*, Larousse.

**Tu as fait l'expérience. Tu la racontes au passé composé.
Tu peux ajouter ce que tu as constaté.**

**29.** *Fantômes de lumière*

Matériel : une feuille de carton fin, plusieurs bâtonnets, de la colle forte, une lampe torche, des ciseaux.

Dessiner des personnages (fantômes, araignées, monstres…) sur le carton.

Découper les monstres en carton. Pour les yeux, faire un trou à l'aide d'un crayon.

Coller chaque fantôme au bout d'un bâtonnet.

Faire le noir dans la pièce. Allumer la torche électrique. Éclairer le mur avec la torche, placer les personnages devant la torche, les approcher et les reculer.

D'après A. Wilkes, *Les Expériences des petits savants*, Larousse.

**Tu as fait cette expérience. Raconte en utilisant le passé composé.**

# Alphabet

a b c d e f g h i j k l m n o p q r s t u v w x y z

A B C D E F G H I J K L M N O P Q R S T U V W X Y Z

a b c d e f g h i j k l m n o p q r s t u v w x y z

A B C D E F G H I J K L M N O P Q R S T U V W X Y Z

# Alphabet phonétique

## Voyelles

[i]   midi – île – vie – cygne

[e]   thé – été – bouée – chanter – oranger – partez – assez

[ε]   flèche – être – paquet – vrai – forêt – veine – ver – selle – cassette – terre – tresse

[a]   vache – patte – car – femme

[ɑ]   tas – âne – pâte

[ɔ]   école – or

[o]   piano – eau – aussitôt

[u]   fou – chou – vous – boue

[y]   rue – sur – usé – il eut

[ø]   feux – deux

[œ]   bœuf – meuble

[ə]   le – samedi

[ɛ̃]   train – enfin – peindre – impossible – examen – faim

[ɑ̃]   tante – encore – vraiment – ambulance – ampleur – faon – embrasser – emporter

[ɔ̃]   poisson – ombre – pompe

[œ̃]   lundi – parfum – un

## Consonnes

[p]   pied – soupe – applaudir

[b]   boire – robe – abbé

[t]   table – petit – théâtre

[d]   début – pardon – addition

[k]   cou – sac – kaki – qui – chorale – accord

[g]   gare – bague – guide

[f]   fraise – pharmacie – affaire

[v]   voile – aventure – wagon

[s]   salle – tasse – lance – opération – maçon – science

[z]   zéro – prison – dixième

[ʃ]   chat – match

[ʒ]   jaune – âge – pigeon – gitan

[m]   marmite – pomme

[n]   nourrir – cane – canne

[ɲ]   vigne – montagne – agneau

[l]   lapin – vol – libellule

[r]   rare – mari – fourrure

## Semi-voyelles

[j]   paille – travail – pied – yeux – fille

[w]   oui – fouet – ouest

[ɥ]   huile – lui

# Tableaux de conjugaison

| | | | 1<sup>er</sup> groupe | |
|---|---|---|---|---|

| | | | **1<sup>er</sup> groupe** | | |

| | **INFINITIF** | | | | |
|---|---|---|---|---|---|
| | être | avoir | jouer | nager | tracer |
| **INDICATIF** | | | | | |
| **Présent** | je suis | j'ai | je joue | je nage | je trace |
| | tu es | tu as | tu joues | tu nages | tu traces |
| | il est | il a | il joue | il nage | il trace |
| | nous sommes | nous avons | nous jouons | nous nageons | nous traçons |
| | vous êtes | vous avez | vous jouez | vous nagez | vous tracez |
| | ils sont | ils ont | ils jouent | ils nagent | ils tracent |
| **Futur simple** | je serai | j'aurai | je jouerai | je nagerai | je tracerai |
| | tu seras | tu auras | tu joueras | tu nageras | tu traceras |
| | il sera | il aura | il jouera | il nagera | il tracera |
| | nous serons | nous aurons | nous jouerons | nous nagerons | nous tracerons |
| | vous serez | vous aurez | vous jouerez | vous nagerez | vous tracerez |
| | ils seront | ils auront | ils joueront | ils nageront | ils traceront |
| **Imparfait** | j'étais | j'avais | je jouais | je nageais | je traçais |
| | tu étais | tu avais | tu jouais | tu nageais | tu traçais |
| | il était | il avait | il jouait | il nageait | il traçait |
| | nous étions | nous avions | nous jouions | nous nagions | nous tracions |
| | vous étiez | vous aviez | vous jouiez | vous nagiez | vous traciez |
| | ils étaient | ils avaient | ils jouaient | ils nageaient | ils traçaient |
| **Passé simple** | je fus | j'eus | je jouai | je nageai | je traçai |
| | tu fus | tu eus | tu jouas | tu nageas | tu traças |
| | il fut | il eut | il joua | il nagea | il traça |
| | nous fûmes | nous eûmes | nous jouâmes | nous nageâmes | nous traçâmes |
| | vous fûtes | vous eûtes | vous jouâtes | vous nageâtes | vous traçâtes |
| | ils furent | ils eurent | ils jouèrent | ils nagèrent | ils tracèrent |
| **Passé composé** | j'ai été | j'ai eu | j'ai joué | j'ai nagé | j'ai tracé |
| **SUBJONCTIF** | | | | | |
| **Présent** | que je sois | que j'aie | que je joue | que je nage | que je trace |
| | que tu sois | que tu aies | que tu joues | que tu nages | que tu traces |
| | qu'il soit | qu'il ait | qu'il joue | qu'il nage | qu'il trace |
| | que nous soyons | que nous ayons | que nous jouions | que nous nagions | que nous tracions |
| | que vous soyez | que vous ayez | que vous jouiez | que vous nagiez | que vous traciez |
| | qu'ils soient | qu'ils aient | qu'ils jouent | qu'ils nagent | qu'ils tracent |
| **IMPÉRATIF** | | | | | |
| **Présent** | sois | aie | joue | nage | trace |
| | soyons | ayons | jouons | nageons | traçons |
| | soyez | ayez | jouez | nagez | tracez |
| **PARTICIPE** | | | | | |
| **Présent** | étant | ayant | jouant | nageant | traçant |
| **Passé** | été | eu | joué, jouée | nagé, nagée | tracé, tracée |

| 1er groupe | | | 2e groupe | 3e groupe |
|---|---|---|---|---|
| **INFINITIF** | | | | |
| appeler | jeter | envoyer | finir | battre |
| **INDICATIF** | | | | |
| j'appelle | je jette | j'envoie | je finis | je bats |
| tu appelles | tu jettes | tu envoies | tu finis | tu bats |
| il appelle | il jette | il envoie | il finit | il bat |
| nous appelons | nous jetons | nous envoyons | nous finissons | nous battons |
| vous appelez | vous jetez | vous envoyez | vous finissez | vous battez |
| ils appellent | ils jettent | ils envoient | ils finissent | ils battent |
| j'appellerai | je jetterai | j'enverrai | je finirai | je battrai |
| tu appelleras | tu jetteras | tu enverras | tu finiras | tu battras |
| il appellera | il jettera | il enverra | il finira | il battra |
| nous appellerons | nous jetterons | nous enverrons | nous finirons | nous battrons |
| vous appellerez | vous jetterez | vous enverrez | vous finirez | vous battrez |
| ils appelleront | ils jetteront | ils enverront | ils finiront | ils battront |
| j'appelais | je jetais | j'envoyais | je finissais | je battais |
| tu appelais | tu jetais | tu envoyais | tu finissais | tu battais |
| il appelait | il jetait | il envoyait | il finissait | il battait |
| nous appelions | nous jetions | nous envoyions | nous finissions | nous battions |
| vous appeliez | vous jetiez | vous envoyiez | vous finissiez | vous battiez |
| ils appelaient | ils jetaient | ils envoyaient | ils finissaient | ils battaient |
| j'appelai | je jetai | j'envoyai | je finis | je battis |
| tu appelas | tu jetas | tu envoyas | tu finis | tu battis |
| il appela | il jeta | il envoya | il finit | il battit |
| nous appelâmes | nous jetâmes | nous envoyâmes | nous finîmes | nous battîmes |
| vous appelâtes | vous jetâtes | vous envoyâtes | vous finîtes | vous battîtes |
| ils appelèrent | ils jetèrent | ils envoyèrent | ils finirent | ils battirent |
| j'ai appelé | j'ai jeté | j'ai envoyé | j'ai fini | j'ai battu |
| **SUBJONCTIF** | | | | |
| que j'appelle | que je jette | que j'envoie | que je finisse | que je batte |
| que tu appelles | que tu jettes | que tu envoies | que tu finisses | que tu battes |
| qu'il appelle | qu'il jette | qu'il envoie | qu'il finisse | qu'il batte |
| que nous appelions | que nous jetions | que nous envoyions | que nous finissions | que nous battions |
| que vous appeliez | que vous jetiez | que vous envoyiez | que vous finissiez | que vous battiez |
| qu'ils appellent | qu'ils jettent | qu'ils envoient | qu'ils finissent | qu'ils battent |
| **IMPÉRATIF** | | | | |
| appelle | jette | envoie | finis | bats |
| appelons | jetons | envoyons | finissons | battons |
| appelez | jetez | envoyez | finissez | battez |
| **PARTICIPE** | | | | |
| appelant | jetant | envoyant | finissant | battant |
| appelé, appelée | jeté, jetée | envoyé, envoyée | fini, finie | battu, battue |

| 3e groupe | | | | |
|---|---|---|---|---|
| **INFINITIF** | | | | |
| dire | faire | mettre | peindre | pouvoir |
| **INDICATIF** | | | | |

| | dire | faire | mettre | peindre | pouvoir |
|---|---|---|---|---|---|
| **Présent** | je dis<br>tu dis<br>il dit<br>nous disons<br>vous dites<br>ils disent | je fais<br>tu fais<br>il fait<br>nous faisons<br>vous faites<br>ils font | je mets<br>tu mets<br>il met<br>nous mettons<br>vous mettez<br>ils mettent | je peins<br>tu peins<br>il peint<br>nous peignons<br>vous peignez<br>ils peignent | je peux<br>tu peux<br>il peut<br>nous pouvons<br>vous pouvez<br>ils peuvent |
| **Futur simple** | je dirai<br>tu diras<br>il dira<br>nous dirons<br>vous direz<br>ils diront | je ferai<br>tu feras<br>il fera<br>nous ferons<br>vous ferez<br>ils feront | je mettrai<br>tu mettras<br>il mettra<br>nous mettrons<br>vous mettrez<br>ils mettront | je peindrai<br>tu peindras<br>il peindra<br>nous peindrons<br>vous peindrez<br>ils peindront | je pourrai<br>tu pourras<br>il pourra<br>nous pourrons<br>vous pourrez<br>ils pourront |
| **Imparfait** | je disais<br>tu disais<br>il disait<br>nous disions<br>vous disiez<br>ils disaient | je faisais<br>tu faisais<br>il faisait<br>nous faisions<br>vous faisiez<br>ils faisaient | je mettais<br>tu mettais<br>il mettait<br>nous mettions<br>vous mettiez<br>ils mettaient | je peignais<br>tu peignais<br>il peignait<br>nous peignions<br>vous peigniez<br>ils peignaient | je pouvais<br>tu pouvais<br>il pouvait<br>nous pouvions<br>vous pouviez<br>ils pouvaient |
| **Passé simple** | je dis<br>tu dis<br>il dit<br>nous dîmes<br>vous dîtes<br>ils dirent | je fis<br>tu fis<br>il fit<br>nous fîmes<br>vous fîtes<br>ils firent | je mis<br>tu mis<br>il mit<br>nous mîmes<br>vous mîtes<br>ils mirent | je peignis<br>tu peignis<br>il peignit<br>nous peignîmes<br>vous peignîtes<br>ils peignirent | je pus<br>tu pus<br>il put<br>nous pûmes<br>vous pûtes<br>ils purent |
| **Passé composé** | j'ai dit | j'ai fait | j'ai mis | j'ai peint | j'ai pu |

| **SUBJONCTIF** | | | | | |
|---|---|---|---|---|---|
| **Présent** | que je dise<br>que tu dises<br>qu'il dise<br>que nous disions<br>que vous disiez<br>qu'ils disent | que je fasse<br>que tu fasses<br>qu'il fasse<br>que nous fassions<br>que vous fassiez<br>qu'ils fassent | que je mette<br>que tu mettes<br>qu'il mette<br>que nous mettions<br>que vous mettiez<br>qu'ils mettent | que je peigne<br>que tu peignes<br>qu'il peigne<br>que nous peignions<br>que vous peigniez<br>qu'ils peignent | que je puisse<br>que tu puisses<br>qu'il puisse<br>que nous puissions<br>que vous puissiez<br>qu'ils puissent |

| **IMPÉRATIF** | | | | | |
|---|---|---|---|---|---|
| **Présent** | dis<br>disons<br>dites | fais<br>faisons<br>faites | mets<br>mettons<br>mettez | peins<br>peignons<br>peignez | *Non utilisé* |

| **PARTICIPE** | | | | | |
|---|---|---|---|---|---|
| **Présent** | disant | faisant | mettant | peignant | pouvant |
| **Passé** | dit, dite | fait, faite | mis, mise | peint, peinte | pu, pue |

| | | 3ᵉ groupe | | |
|---|---|---|---|---|
| **INFINITIF** | | | | |
| prendre | savoir | venir | voir | aller |
| **INDICATIF** | | | | |
| je prends<br>tu prends<br>il prend<br>nous prenons<br>vous prenez<br>ils prennent | je sais<br>tu sais<br>il sait<br>nous savons<br>vous savez<br>ils savent | je viens<br>tu viens<br>il vient<br>nous venons<br>vous venez<br>ils viennent | je vois<br>tu vois<br>il voit<br>nous voyons<br>vous voyez<br>ils voient | je vais<br>tu vas<br>il va<br>nous allons<br>vous allez<br>ils vont |
| je prendrai<br>tu prendras<br>il prendra<br>nous prendrons<br>vous prendrez<br>ils prendront | je saurai<br>tu sauras<br>il saura<br>nous saurons<br>vous saurez<br>ils sauront | je viendrai<br>tu viendras<br>il viendra<br>nous viendrons<br>vous viendrez<br>ils viendront | je verrai<br>tu verras<br>il verra<br>nous verrons<br>vous verrez<br>ils verront | j'irai<br>tu iras<br>il ira<br>nous irons<br>vous irez<br>ils iront |
| je prenais<br>tu prenais<br>il prenait<br>nous prenions<br>vous preniez<br>ils prenaient | je savais<br>tu savais<br>il savait<br>nous savions<br>vous saviez<br>ils savaient | je venais<br>tu venais<br>il venait<br>nous venions<br>vous veniez<br>ils venaient | je voyais<br>tu voyais<br>il voyait<br>nous voyions<br>vous voyiez<br>ils voyaient | j'allais<br>tu allais<br>il allait<br>nous allions<br>vous alliez<br>ils allaient |
| je pris<br>tu pris<br>il prit<br>nous prîmes<br>vous prîtes<br>ils prirent | je sus<br>tu sus<br>il sut<br>nous sûmes<br>vous sûtes<br>ils surent | je vins<br>tu vins<br>il vint<br>nous vînmes<br>vous vîntes<br>ils vinrent | je vis<br>tu vis<br>il vit<br>nous vîmes<br>vous vîtes<br>ils virent | j'allai<br>tu allas<br>il alla<br>nous allâmes<br>vous allâtes<br>ils allèrent |
| j'ai pris | j'ai su | je suis venu | j'ai vu | je suis allé |
| **SUBJONCTIF** | | | | |
| que je prenne<br>que tu prennes<br>qu'il prenne<br>que nous prenions<br>que vous preniez<br>qu'ils prennent | que je sache<br>que tu saches<br>qu'il sache<br>que nous sachions<br>que vous sachiez<br>qu'ils sachent | que je vienne<br>que tu viennes<br>qu'il vienne<br>que nous venions<br>que vous veniez<br>qu'ils viennent | que je voie<br>que tu voies<br>qu'il voie<br>que nous voyions<br>que vous voyiez<br>qu'ils voient | que j'aille<br>que tu ailles<br>qu'il aille<br>que nous allions<br>que vous alliez<br>qu'ils aillent |
| **IMPÉRATIF** | | | | |
| prends<br>prenons<br>prenez | sache<br>sachons<br>sachez | viens<br>venons<br>venez | vois<br>voyons<br>voyez | va<br>allons<br>allez |
| **PARTICIPE** | | | | |
| prenant | sachant | venant | voyant | allant |
| pris, prise | su, sue | venu, venue | vu, vue | allé, allée |

# Liste des mots usuels

Cette liste présente, par ordre alphabétique, l'ensemble des mots à retenir des leçons d'orthographe (**Des yeux pour apprendre**). Elle a été élaborée à partir de l'ensemble des textes et documents contenus dans cet ouvrage.

**A** _____

à côté
abandonner
abattre
abeille (une)
absence (l')
accoupler (s')
acteur (l')
adorer
aiguille (une)
ailleurs
ainsi
allonger (s')
allumer
amateur (un)
ancien
âne (un)
anneau (un)
appartenir
apprendre
apprenti (un)
arranger
atmosphère (l')
atroce
atteindre
au cours de
aube (l')
aucun
augmentation (l')
aujourd'hui
aussi
authentique
autorité (l')
autour
autrefois
avant
aventure (l')
avoir lieu

**B** _____

bagage (le)
baraque (la)
battre
beaucoup
bélier (le)
blanc
blé (le)
bloc (le)
blond
bondir
bonheur (le)
bonhomme (le)
bouquet (le)
bureau (un)

**C** _____

campagne (la)
caresse (une)

caresser
carré (un)
ceci
chaleur (la)
chapeau (le)
chasser
ciel (le)
cité (la)
clocher (un)
combien
comédie (une)
comment
commun (en)
complicité (la)
comprendre
consigne (une)
construire
convenir
corps (le)
corvée (une)
costumé
couler
courageux
couvrir
craindre
crier
croire
cru, crue
cueillir

**D** _____

d'accord
date (la)
débrouiller (se)
dépenser
derrière
désert (le)
désordre (le)
devant
dévaster
devenir
discret
disque (un)
distinguer
douceur (la)
douzaine (une)
drame (un)
drôle

**E** _____

échelle (une)
éléphant (l')
émouvant
en faveur de
encore
enfance (l')
enfoncer
enivrer (s')

ensemble
envoyer
épais, épaisse
essayer
essentiel (l')
étroit, étroite
eux
excellent
exercer (s')
expérience (une)

**F** _____

fameux, fameuse
fier, fière
filer
fixer
flamme (la)
flâner
fondation (la)
fouet    le
fouiller

**G** _____

goût (le)
goutte (la)
grâce à
gris, grise

**H** _____

habitué
haie (la)
hangar (un)
haut, haute
hélas
hennir
hêtre (un)
histoire (l')
honnête
hurlement (un)

**I** _____

ici
île (une)
immense
immobile
indispensable
individu (un)
inférieur
infini (l')
insecte (l')
insolence (l')
installer
interpréter

**J** _____

jusqu'à

252

**L** _____
là-bas
là-haut
laboratoire (un)
laine (la)
légende (la)
légèrement
liberté (la)
lointain
lorsque
lumière (la)

**M** _____
magasin (le)
maladie (la)
malgré
mammifère (le)
manière (la)
maraîcher (un)
meilleur
meilleur
même
merveille (une)
millénaire
millier (un)
misère (une)
modèle (le)
moins
motus
musée (le)

**N** _____
naissance (la)
nécessaire
nécessité (la)
nombreux
nourriture (la)

**O** _____
obéir
objet (un)
œuvre (une)
ouvrir

**P** _____
paix (la)
paraître
pareil
paresseux
parfum (le)
parmi
parole (la)
partage (le)
patte (la)
pays (un)
paysage (un)
pêche (la)

peindre
pêle-mêle
perdre
personnage (un)
personne
peut-être
phrase (la)
plage (la)
plan (le)
plat, plate
pluie (la)
poids (le)
pont (le)
prairie (une)
précaution (une)
préférer
presque
presser (se)
prêter (se)
problème (le)
procès (un)
produit (un)
professeur (le)
profession (la)
programme (un)
progrès (le)
protéger

**Q** _____
qualité (la)
quartier (le)
quelqu'un
quelque chose

**R** _____
ramener
rappeler (se)
réalité (la)
réel, réelle
relief (le)
répandre
répéter
réussir
rond (un)

**S** _____
sale
salle (la)
sans
sans doute
sauver
savane (la)
savoureux
sécheresse (la)
second
sécurité (la)
séduire
sensible

siècle (le)
siffler
soigner
soin (le)
soleil (le)
sombre
soudain
sous
succès (le)
surgir
surplomber
surpris, surprise

**T** _____
tableau (un)
taille (la)
taire (se)
tel, telle
terrain (le)
tomber
tourner
tout au long
tout de suite
train (un)
tranquillement
transformer
tremblant, ante
tribu (une)
triompher
trois
trompe (la)
trompe (la)
tronc (le)
trottoir (le)
troupeau (le)
tuile (une)

**U** _____
univers (l')

**V** _____
variété (une)
végétarien
vent (le)
vieux, vieille
vite
voilà
volet (un)
voyageur (un)

**W** _____
wagon (un)
western (un)

# Crédits textes

*Pierre et le Loup*, Serge Prokoviev, p. 18 et 19.

*Le Petit Chose*, Alphonse Daudet, p. 19.

*Le Chat qui parlait malgré lui*, Claude Roy, « Folio Junior », Gallimard, p. 19, 37 et 185.

*SOS grands-pères*, A.-H. Desplat-Duc, p. 19.

*Fantastique Maître Renard*, Roald Dahl, trad. Marie-Raymond Farré, Gallimard, Folio Cadet, p. 19.

*La Lotion magique de Georges Bouillon*, Roald Dahl, traduction de Marie-Raymond Farré, Gallimard, « Folio Junior », pp. 14, 19, 25 et 36.

*Infos Junior n° 23*, Claire Laurens, p. 37.

*L'Expédition perdue*, Pierre Pelot, p. 39.

*L'Assassin crève l'écran*, Michel Grimaud, Rageot-Éditeur, p. 43.

*Mes Vols*, Jean Mermoz, Flammarion, p. 43.

*Légendes de la mer*, Bernard Clavel, Hachette Jeunesse, p. 79.

*Polly la futée et cet imbécile de loup*, Catherine Storr, Nathan, p. 108.

*Ce matin, un lapin*, Nature à lire, CE1, Sedrap, p. 110.

*Science illustrée*, n° 4, avril 1995, p. 111.

*Basile le chat*, M. Bichonnier, p. 111.

*Sur la piste de l'Orégon*, M.J. Carr, Hachette, p. 115.

*Les Hommes de bonne volonté*, Jules Romains, Robert Laffont, p. 115.

*La Billebaude*, Henri Vincenot, Denoël, p. 115.

*Fables d'Afrique*, Jan Knappert, traduction de Rose-Marie Vassalo, « Castor Poche », Flammarion, pp. 122, 129.

*Théâtre*, Eugène Ionesco, p. 133.

*Knock*, Jules Romains, Gallimard, p. 133.

*Contes de l'Afrique noire*, Ashley Brian, traduction de Rose-Marie Vassalo, « Castor Poche », Flammarion.

*Ma tête à couper*, Jean Maynx, p. 133.

*Extraterrestres appelle CM1*, Catherine Missonnier, p. 163.

*Fiche Atlas*, Alain Bougrain-Dubourg, p. 165.

*Contes et nouvelles*, Guy de Maupassant, p. 165.

*Le Pinceau magique de Ma*, Han Xing Li Shiji, Ed. en langues étrangères, p. 183.

*Cabot-Caboche*, Daniel Pennac, Nathan, p. 183.

*Une Enfance*, J. Marouzeau, Denoël, p. 183.

*Histoires naturelles*, Jules Renard, « Folio », Gallimard, p. 185.

*Garçon de cristal*, Bai Xian Long, Flammarion, p. 185.

*Multilivre*, Istra, p. 188.

*Le Vrai prince Thibault*, Évelyne Brisou Pellen, p. 189.

*Le Joueur de flûte et les voitures*, G. Rodari, « Cadet », Poche jeunesse, p. 189.

*James et la grosse pêche*, Roald Dahl, « Folio junior », Gallimard, p. 189.

Brochures de l'Office du Tourisme de l'Aveyron, pp. 192-196.

*Le Prisonnier du château fort*, Daniel Hénard, Hachette écoles, p. 207.

*Le Petit Nicolas*, Sempé et Goscinny, Denoël.

Tous les articles de dictionnaire à l'exception de ceux des pp. 76 et 94, sont extraits du dictionnaire Hachette juniors.

# Crédits photos

**page 223**
Auguste Herbin (1882-1960), *Nu*, Tate Gallery
(Londres), © Artephot/Visual Arts Library, © Adagp
Paris 1998.

**page 235**
*P.P. Cul-Vert détective privé*, Jean-Philippe Arrou-
Vignod, Folio Junior, © Gallimard Jeunesse.
*S.O.S. grands-pères*, Anne-Marie Desplat-Duc,
© Le Livre de Poche Jeunesse.

Achevé d'imprimer par l'imprimerie Pollina s.a., 85400 Luçon - n° 87548
Dépôt légal n° 26669-09/02
Collection n° 17 - Édition n° 06
11/6080/3